LE JEU DE L'ORDRE ET DE LA LIBERTÉ DANS "LA CHARTREUSE DE PARME"

Le tirage a été limité
à 1 000 exemplaires
numérotés de 1 à 1 000

537

COLLECTION STENDHALIENNE
publiée sous la direction de
V. DEL LITTO

24

C.W. THOMPSON

LE JEU DE L'ORDRE ET DE LA LIBERTÉ DANS "LA CHARTREUSE DE PARME"

Aran (Suisse)
EDITIONS DU GRAND-CHENE
1982

I S B N 2.88107.000.0

A Jacqueline

ABREVATIONS UTILISEES

A	: *Armance*
C	: *Correspondance*
CA	: *Courrier anglais*
CI	: *Chroniques italiennes*
CP	: *La Chartreuse de Parme*
DA	: *De l'Amour*
HPI	: *Histoire de la peinture en Italie*
J	: *Journal*
JL	: *Journal littéraire*
L	: *Lamiel*
LL	: *Lucien Leuwen*
MDT	: *Mémoires d'un touriste*
MSN	: *Mémoires sur Napoléon*
PDR	: *Promenades dans Rome*
RN	: *Le Rouge et le Noir*
RNF	: *Rome, Naples et Florence*
RS	: *Racine et Shakespeare*
SE	: *Souvenirs d'égotisme*
VDN	: *Vie de Napoléon*
VDR	: *Vie de Rossini*
VHB	: *Vie de Henry Brulard*
VHMM	: *Vies de Haydn, de Mozart et de Métastase*

Les chiffres en caractères gras renvoient à la pagination de l'édition de *La Chartreuse de Parme* établie par H. Martineau in *Romans et Nouvelles,* t. 2, Bibliothèque de la Pléiade, Gallimard, 1952.

Pour le système des autres références, voir la bibliographie.

« Le jeu de *scacchi* m'apprend le dur empire de la réalité et la prudence continue, un peu tard, il est vrai (...) ». (16 septembre 1835).

(Stendhal in Yves Du Parc, *Quand Stendhal relisait les « Promenades dans Rome »*, p. 79).

AVANT-PROPOS

Aucun critique de Stendhal ne peut se rappeler tout ce que ses devanciers innombrables lui ont appris. J'ai fait mon possible pour préciser ces dettes, mais au seuil de cette étude, je voudrais remercier tous ceux qui m'ont plus particulièrement aidé ou inspiré dans ce travail, et tout d'abord ce connaisseur exceptionnel de Stendhal qu'est Richard N. Coe, qui m'a généreusement dispensé son érudition et ses conseils.

Puis, comment dire ce que je dois à tous ces amis qui, le long des années, n'ont cessé de me soutenir par leurs encouragements ? Que chacun trouve ici l'expression bien inadéquate de ma gratitude profonde. Je m'en voudrais cependant de ne pas remercier plus spécialement Roger et Marie-Monique Huss, Brian Rigby et Geneviève Ellis, dont l'amitié et les avis m'ont été si précieux.

CHAPITRE I

INTRODUCTION

Déjà dans les éloges que Balzac et Henry James ont prodigués à *La Chartreuse de Parme,* on décèle une certaine ambiguïté qui n'a cessé de planer sur la réputation du roman. Les deux grands romanciers y ont vu un chef-d'œuvre et pourtant l'un et l'autre ont laissé voir des réserves : Balzac aurait voulu sa forme moins décousue, James, on le devine, sa morale moins légère [1]. Or, si l'on reconnaît facilement dans ces avis les préjugés de chaque auteur, de telles réserves ne peuvent manquer de surprendre quand elles apparaissent à côtés d'éloges si fermes. Force nous est de conclure que par certains côtés, *La Chartreuse de Parme* a tenu pour eux de l'énigme, énigme qu'ils arrivaient d'autant moins à résoudre que tout dans ce texte semble limpide et ouvert, que rien n'y suggère des clefs secrètes. Et même aujourd'hui, après tant d'études, ce roman ne semble-t-il pas réfractaire à l'analyse ? Ne voit-on pas encore ses admirateurs hésiter sur le sens de l'œuvre et sur sa cohérence [2] ? Plus que ne l'a jamais fait *Le Rouge et le Noir, La Chartreuse de Parme* semble dérouter ses lecteurs, et la critique stendhalienne est moins à l'aise avec ce roman qu'elle ne l'est avec celui de Julien. Celui-ci, en effet, provoque rarement des réserves, et les descriptions qu'on en fait se complètent assez bien pour fournir en sa faveur des arguments solides, alors que c'est à peine si l'on s'ac-

---

[1] Balzac, *Oeuvres Complètes,* éd. M. Bouteron et H. Lognon, Conard, 1940 *Œuvres diverses,* vol. 3, p. 401-402. H. James, « Henry Beyle (*sic*), » *The Nation,* 17 sept. 1874, repris dans *Literary Reviews and Essays,* éd. A. Mordell, New-York, Grove Press, 1957, p. 151-157. James saluait dans *La Chartreuse de Parme* le chef-d'œuvre de Stendhal et « un roman qui comptera toujours parmi la meilleure douzaine que nous ayons ». Il n'empêche que l'œuvre suscitait quelque inquiétude chez lui, inquiétude qu'il laissait finalement transparaître pour la refouler aussitôt dans une pirouette habile qui ne trompera personne sur son manque de conviction entière. Toute la fin de l'article est à lire.

[2] Comme en témoignent, par exemple, dans leurs études excellentes, F. W. J. Hemmings, *Stendhal. A study of his novels,* — Oxford, University Press 1964, p. 186-190, 199 201, Stephen Gilman, « The Tower as Emblem », *Analecta Romanica* T. 22, 1967, p. 18-19, H. W. Wardman, « La Chartreuse de Parme : ironical ambiguity », *Kenyon Review,* XVII, 1955, p. 449-471.

Dans la préface qu'il a écrite pour *La Chartreuse de Parme* dans l'édition pour le Cercle du Bibliophile, Ernest Abravanel a souligné ces problèmes (p. XLI-XLIV, XLVII-L, LIV-LVI). Il y a même quelques bons critiques qui n'ont pas hésité à dire leur déception devant la forme et le fond du roman, comme tout récemment dans son étude intéressante Michael Wood (*Stendhal,* Londres, Elek Books, 1971, p. 163-188).

corde sur l'analyse à faire de la *Chartreuse* et que c'est souvent sur des termes qui ne sauraient convaincre que l'on finit par se rabattre pour la célébrer.

En effet, s'il faut tenter de percer le secret du charme qu'elle exerce, suffit-il d'y goûter un rêve fantaisiste de bonheur, rêve où dans un désir suprême de revanche sentimentale, Stendhal aurait versé ses meilleurs souvenirs ? *La Chartreuse de Parme* est certes un peu ce rêve, mais trop souvent lorsqu'on l'aborde ainsi, c'est un livre assez mièvre que l'on finit par évoquer, livre où l'auteur se prêterait avec trop de complaisance à ce qui ne serait au fond que des rêves de compensation. De tels éloges déçoivent forcément, et l'on ne s'étonne guère s'ils escamotent le plus souvent tout ce qui dans le roman pourrait troubler leur parti-pris, qu'il s'agisse de l'aveuglement moral du héros, de l'assassinat qui attristera les dernières années de Gina, de l'abattage commandé par Mosca de soixante émeutiers, ou de la collaboration de ces trois belles âmes avec un régime des plus répressifs. Si Henry James hésitait, c'est qu'au moins lui ne se cachait pas la difficulté de saisir dans ce texte l'agencement des jugements moraux.

Pour mieux fonder une évaluation de la *Chartreuse* en n'occultant point ces problèmes et d'autres, il est clair que c'est à l'autonomie du texte qu'il nous faudra surtout donner le primat. Et puisque c'est sa cohérence interne que nous cherchons, avec le jeu de sens que son ordonnance produit, certaines méthodes qu'on applique encore à son propos n'aurons pour nous qu'un intérêt secondaire[3]. Nous reléguerons, par exemple, au dernier chapitre tout ce qui concerne la question des sources. Car on a beau apprécier tout ce que l'on a découvert sur elles, et l'on a beau admirer tout ce que Stendhal a su mettre dans son roman[4], Maurice Bardèche avait quand même raison de dire : « tout le sens profond de la *Chartreuse* est là : dans la différence qu'il y a entre le sujet que Stendhal adopte et le sujet qu'il traite finalement »[5]. L'unité du roman, dont on a pourtant l'intuition, n'est pas mise à jour par ces sources diverses. Au contraire, c'est une vague idée de son incohérence que finissent presque toujours par suggérer les critiques qui ont choisi de souligner sa genèse. Car face aux vrais problèmes on trouve, par exemple, une explication commode dans la présence de textes sur la Renaissance italienne parmi les sources certaines du roman. Et on arrive ainsi à laisser entendre que c'est seulement au prix d'un certain flou que Stendhal a pu transposer au dix-neuvième siècle la vie aventureuse d'Alexandre Farnèse. Or nous refuserons de préjuger la lecture du roman en nous rapportant ainsi à sa genèse, et nous refuserons plus spécialement de tenir comme établi qu'une certaine vision de la Renaissance explique la morale de *La Chartreuse de Parme.* C'est seulement après l'analyse du texte que nous pourrons évaluer l'importance relative des sources et le lecteur verra que ce

[3] Voir la bibliographie pour une sélection des études les plus intéressantes parues ces dernières années qui portent plus spécialement sur la *Chartreuse.*

[4] L'étude principale des sources est le livre de L. F. Benedetto, *La Parma di Stendhal,* Florence, Sansoni, 1950.

[5] Maurice Bardèche, *Stendhal romancier,* La Table Ronde, 1947, p. 360.

n'est pas l'influence d'œuvres italiennes qui nous semble avoir été la plus décisive. D'ailleurs la question sur laquelle nous terminerons ce livre n'est pas tellement celle qui concerne le triage des sources fécondes, c'est les raisons diverses qui à l'automne de 1838 ont pu suggérer à Stendhal l'idée d'une œuvre à ce point insaisissable.

Le même souci de respecter l'unité du texte nous portera d'autre part à nous méfier de ces études — psychanalytiques, phénoménologiques ou autres — qui tendent à réduire tous les écrits stendhaliens à un seul texte immanent et matriciel. Certes, on peut retrouver une certaine unité dans la *Chartreuse* si l'on n'y cherche que les traits les plus durables de sa vision. Et de telles analyses paraissent convenir parfaitement à l'œuvre de Stendhal, car en trouve-t-on beaucoup où l'auteur laisse mieux voir les pulsions impérieuses de son inconscient, où les cloisons soient moins étanches entre ses écrits différents, quels que soient les genres littéraires auxquels ils appartiennent ? On sait que chez cet égotiste, plus que chez la plupart des auteurs, la continuité est manifeste entre tout ce qu'il a écrit, de la correspondance jusqu'aux *marginalia* et aux romans [6]. Dans le cas de la *Chartreuse,* née d'une improvisation euphorique, la psychanalyse, par exemple, nous aide fort bien à saisir les sources de l'énergie psychique que le sujet a libérée en lui. Et d'autres méthodes peuvent également nous rappeler certaines dynamiques instinctives qui sont de nouveau à l'œuvre dans ce roman. Mais faut-il redire tous les inconvénients de ces méthodes, même quand elles sont appliquées à un écrivain comme Stendhal ? Faut-il souligner que ce n'est pas impunément qu'elles perpétuent au fond le biais biographique que les études stendhaliennes ont acquis très tôt ? Car si les continuités sont manifestes dans son œuvre, les discontinuités y existent, elles aussi, et ce n'est pas pour redire exactement les mêmes choses que Stendhal a fini par devenir romancier et par modifier sa manière de roman en roman. Si l'image que l'on se fait de cet homme multiple et fuyant commence à prendre des formes trop fixes et prévisibles, c'est peut-être surtout parce qu'on ne fait plus suffisamment attention à la différence qu'a apportée chaque roman nouveau. Il y a d'ailleurs un exemple frappant des ravages qu'a produits dans la lecture des romans une critique trop centrée sur les éléments constants de son œuvre. On sait que dans la vie, Stendhal n'a jamais pu surmonter la haine profonde qu'il ressentait envers son père. Tout le monde a vu que c'est là la raison pour laquelle la plupart de ses héros sont accablés de pères encombrants ou hostiles. Mais ce que l'on remarque moins, c'est qu'en tant que romancier et lorsqu'il s'agissait par conséquent des autres — et à peu près seulement dans ce rôle — Stendhal n'a jamais voulu voir dans ces haines paralysantes que des obstacles empêchant l'accès à la maturité. De roman en roman il a toujours mieux exploré ce problème, amenant ses héros à ces scènes exemplaires où ils parviennent enfin à maîtriser

[6] Comme le souligne de nouveau, mais en l'exagérant, Gérard Genette, *Figures II,* Ed. du Seuil, 1969, p. 155-175.

cet antagonisme [7]. Or c'est là sans doute une vue fort juste du complexe, vue que son expérience personnelle lui avait durement apprise, même si ce n'était que comme romancier qu'il pouvait se permettre de l'exprimer. Et ce sont justement de tels dépassements de soi qui donnent aux romans leur vraie portée humaine, non l'écho monotone de son drame personnel que l'on se plaît si souvent à souligner sans plus. Les discontinuités que les romans introduisent dans son œuvre, sont ainsi fondamentales pour l'appréciation de leurs qualités et cette évidence a surtout besoin d'être redite lorsque c'est *La Chartreuse de Parme* que nous abordons [8]. Car si l'on y a toujours vu une somme de son œuvre, l'on a moins souvent compris que la richesse de ce roman tient largement au fait que Stendhal y dépasse plusieurs limites que ses hantises fondamentales avaient jusqu'alors imposées à sa pensée.

Dans le genre d'études que nous venons de commenter, il faut d'ailleurs reconnaître que celle de Gilbert Durand échappe à beaucoup de ces inconvénients ; tous ceux qui s'intéressent à *La Chartreuse de Parme* doivent à ses analyses des éclaircissements précieux [9]. En élargissant le champ de l'investigation psychanalytique jusqu'à ces mythes anciens où Stendhal s'est retrouvé, et surtout en dégageant le rapport de ces mythes avec certains genres littéraires dont la *Chartreuse* relève, ce critique a pu cerner avec délicatesse bien des réussites de cette création romanesque. Ses analyses perspicaces mettent même parfois le doigt sur ce qui en vérité fait la force de l'œuvre, sur ce redoublement de lucidité auquel Stendhal est parvenu. Mais suffit-il quand même de voir dans *La Chartreuse de Parme* l'expression plus complète de ce vieux mythe du héros qui n'a cessé de hanter l'œuvre de Stendhal ? Ce point de vue met effectivement à nu une bonne partie de son ascendance littéraire. Il explique peut-être aussi l'attrait mythique qu'exerce ce roman sur un très grand public. Mais parvient-il à tirer suffisamment au clair le caractère unique de cette reprise du mythe ? Lui aussi fait-il suffisamment cas des discontinuités que présente ce roman dans la succession des œuvres stendhaliennes, même si l'apaisement de certains complexes n'échappe nullement à Gilbert Durand ? Dans la perspective que celui-ci adopte, n'est-ce pas assez logique et un peu inquiétant, comme Stephen Gilman l'a dit dans son étude importante, que les ironies du texte soient assez négligées [10] ? Car le surcroît de lucidité dont Stendhal fait preuve ne porte pas seulement sur le mythe du héros ou sur le « complexe de Psyché » dont il aurait souffert lui-même [11]. L'étonnant c'est que cette fois Stendhal

---

[7] Voir, dans *Le Rouge et le Noir*, le chapitre XLIV de la dernière partie, dans *Lucien Leuwen*, le chapitre LXV, dans la *Chartreuse*, les chapitres VIII et XX.

[8] Il n'est absolument pas vrai, et nous aurons plusieurs occasions de le vérifier, que « la frontière entre les essais italiens et le Journal de 1811, d'une part, les *Chroniques* et la *Chartreuse* de l'autre, est indiscernable », comme le voudrait Gérard Genette, *op. cit.* p. 172.

[9] *Le décor mythique de « La Chartreuse de Parme »*, J. Corti, 1961.

[10] Stephen Gilman, *op. cit.*, p. 26 n. L'on peut voir un indice de ce même défaut dans le fait que Durand, qui a si bien vu l'importance de l'Arioste pour la *Chartreuse*, n'a pas trouvé pertinent que chez l'Arioste précisément la rêverie romanesque se double d'une volonté ludique.

[11] Durand, *op. cit.*, p. 222.

aborde de front des problèmes que d'habitude il n'entamait guère, des problèmes qui pourtant le guettaient depuis longtemps à l'horizon extrême de sa pensée.

Cette différence que marque dans son œuvre la *Chartreuse*, et sur laquelle portent justement les traits les plus ironiques du livre, semble surtout avoir été bien comprise par ceux qui ont voulu mettre son côté politique en valeur. Les belles études de Maurice Bardèche et d'Irving Howe, de Nicolà Chiaromonte et surtout de R. N. Coe ont fait avancer considérablement nos connaissances [12]. On décèle sans peine dans *La Chartreuse de Parme* un scepticisme profond quant à la signification que pourrait avoir cette Histoire à laquelle prêtaient foi les romantiques. La manière dont sont traités Napoléon et Waterloo montre que Stendhal ne trouvait plus de sens sûr, ni dans les personnalités de l'histoire ni dans les événements qui font date, pas plus qu'il n'entrevoyait une signification certaine dans l'évolution historique elle-même [13]. Ce scepticisme est à la base de l'irréalité et du foisonnement d'illusions qui dans les autres romans n'avaient jamais tenu un rôle aussi envahissant et aussi profondément ambigu. Car ce que Stendhal dépeint maintenant est un monde politique où la mise en question de toute autorité a rempli de chimères les conflits des partis et des classes. A gauche comme à droite, on invente un peu ses ennemis, et on finit au fond par leur ressembler, dans la mesure où des deux côtés c'est surtout contre ses propres phantasmes que l'on combat [14]. Plus que jamais, la politique consiste ainsi à savoir manipuler les images trompeuses. Jadis l'ancêtre de Ranuce-Ernest prétendait que la prison qu'il construisait à la vue de tous existait depuis longtemps (308). Maintenant, les prêtres milanais menacent les fidèles avec une image grotesque de l'armée française (27) et pour mieux entretenir la peur chez ses sujets, le prince fait répandre de fausses nouvelles et met en scène de fausses exécutions (337-338, 114, 340). Lui-même assouvit comme il peut ses propres frayeurs illusoires (113, 127), et l'essentiel étant « de frapper les imaginations » (132), ses ambitions mêmes visent, presque autant que des réalités, la dissémination sur son compte de mythes capables d'abuser la postérité [15]. L'opposition officielle d'ailleurs — elle-même largement illusoire à Parme — arbore pour sa part des étendards non moins trompeurs [16].

---

[12] Maurice Bardèche, *op. cit.*

Irving Howe, *Politics and the Novel*, New-York, Horizon-Meridian, 1957, p. 27-50.

Nicolà Chiaromonte, *The Paradox of History*, Londres, Weidenfeld et Nicholson, 1970, p. 13-28.

R.N. Coe, « La Chartreuse de Parme, portrait d'une réaction », in *Omaggio a Stendhal II, Aurea Parma*, Année LI, fasc. II-III, mai-déc. 1967, p. 43-61.

[13] N. Chiaromonte, *op. cit.* p. 16-18.

[14] Du prince, Mosca dira (113) : « dès qu'il parle des jacobins (...) il retombe dans les peurs chimériques de la première enfance ». Et le narrateur lui-même souligne l'exagération dont les libéraux se rendent coupables lorsqu'ils traitent Ernest IV de monstre cruel (111).

[15] Voir sa préoccupation avec ses historiens futurs (256) et son rêve de se faire aimer comme « chef libéral (...) de toute l'Italie » (297).

[16] Fabio Conti imite Frédéric le Grand et Lafayette (126) comme le prince imite Louis XIV (125).

Autant que le pouvoir, elle exagère et falsifie les fautes de ses adversaires et leurs ridicules [17]. Même le mari de Clélia, noble soi-disant libéral aussi égoïste que riche, aura la prétention de célébrer un ancêtre révolutionnaire dans les décorations de son palais [18]. Dans cette ambiance troublée, sur ce sol mouvant [19], il ne semble plus possible d'agir sérieusement, comme le montrent l'abandon par Fabrice de ses rêves d'héroïsme et le soulèvement futile qu'organise Ferrante Palla. Et ce qui demeure alors essentiel pour Stendhal est effectivement cette « politique de survie » dont Irving Howe a si bien parlé [20].

A l'intérieur de ce cadre général, Stendhal soulève pourtant des questions précises, et R.N. Coe a sans doute raison d'insister que c'est un des thèmes les plus constants de sa pensée que cette « politique de la survie » l'amène à développer [21]. Ce thème c'est le paradoxe que les régimes réactionnaires — et surtout ceux qui se sentent mal assurés — sont au fond plus propices au bonheur des « *happy few* » que ne le sont jamais les états démocratiques. Car les jouissances raffinées que recherchent ces âmes exaltées exigent avant tout des loisirs continus, et ce sont surtout les régimes réactionnaires qui s'efforcent de fournir de tels loisirs, résolus comme ils sont à endormir leurs sujets en étouffant chez eux tout esprit d'entreprise. Les démocraties, en revanche, réprouvent l'oisiveté et ses plaisirs déraisonnables, puisque pour elles ce sont les questions publiques qui doivent à chaque moment occuper les citoyens [22]. Comme R. N. Coe l'a montré, ce paradoxe douloureux est au cœur de tout ce que nous apprend *La Chartreuse de Parme*. Car on ne peut nier que, d'un point de vue « objectif », c'est dans la collaboration avec un régime de droite que finissent Gina et Fabrice non moins que Mosca. Et on ne peut douter qu'ils y soient poussés par les exigences de leur sensibilité exaltée. Gina ne le cache pas en expliquant à Fabrice pourquoi il serait malheureux aux Etats-Unis (135) :

> Quelle erreur est la tienne ! Tu n'auras pas la guerre, et tu retombes dans la vie de café, seulement sans élégance, sans musique, sans amours, (...). Crois-moi, pour toi comme pour moi, ce serait une triste vie que celle d'Amérique. Elle lui expliqua le culte du *dieu* dollar, et ce respect qu'il faut avoir pour les artisans de la rue, qui par leurs votes décident de tout.

Aussi des régimes comme celui de Parme finissent-ils par compromettre les belles âmes stendhaliennes. D'autant mieux qu'il s'agit ici d'une Restauration. Car les Restaurations ont ceci de particulier qu'elles sont minées par la peur que leur donne leur inauthenticité [23] ;

---

[17] Voir 143 et la façon dont les libéraux font courir des mensonges à propos de l'évasion de Fabrice (396).
[18] 399. Sur cet ancêtre, le romain républicain et nationaliste Crescentius, admirable mais don-quichottesque, voir *PDR* p. 1061-1064.
[19] Dans *Lucien Leuwen* (p. 1336), Stendhal disait de la Monarchie de Juillet qu'elle était « une société où tout est sable mouvant ».
[20] Irving Howe, *op. cit.*, p. 34-35.
[21] Nous résumons l'article cité de R.N. Coe.
[22] cf. *DA*, chapitre L.
[23] R. N. Coe, *art. cit.* p. 45.

elles redoutent par conséquent la raison et l'enthousiasme, qui peuvent amener leurs sujets à prendre des partis imprévisibles, et favorisent plutôt ces débouchés anodins que sont la musique, la religion, l'amour. « Je n'avais pas réfléchi », dit Fabrice, « à cette horreur pour l'enthousiasme et l'esprit, même exercés à leur profit, qui va désormais régner parmi les souverains absolus » (136). Les belles âmes ne s'en trouvent, hélas, que trop bien, en dépit du sacrifice de maint idéal politique. R. N. Coe a montré que tout chez Fabrice — sa superstition, sa sensibilité rêveuse, le fait qu'il n'a guère fait d'études et que les habitudes d'autocritiques lui manquent — le prépare à devenir le serviteur d'un tel régime. Seul son enthousiasme s'y oppose vraiment, mais amoureux de Clélia, ce trait n'est plus dangereux. Quant à Gina et Mosca, eux aussi préfèrent régner à Parme plutôt que de mener une vie contrainte à Milan. Malgré leurs vélléités pourtant bien réelles de révolte, tous les trois finissent ainsi par soutenir un régime dont ils voient parfaitement le caractère brutal. Réactionnaires ils le sont tous, même si ce sont des qualités admirables qui les y portent, non des mobiles bas comme ceux qui incitent le père de Fabrice à devenir l'espion des Autrichiens.

Il nous semble désormais acquis que ces perspectives politiques se trouvent au centre des problèmes que soulève le roman. Reste à savoir pourquoi l'œuvre ne donne pas alors une impression plus pessimiste, pourquoi au delà des crimes et des paradoxes douloureux une jubilation se fait sentir, jubilation qui semble naître à la vue de trois ou quatre vies quand même réussies. Reste à savoir, par exemple, pourquoi cette fin écourtée ne semble pas uniquement mettre au point la défaite politique des « *happy few* », comme elle le ferait dans la perspective de Coe. D'autres considérations que celles-ci sont évidemment entrées dans le jugement que Stendhal porte sur ses personnages. Or, ce qui semble faire défaut surtout dans les analyses politiques dont nous avons parlé, c'est une différenciation suffisante entre les caractères des trois protagonistes. Car si tous les trois trahissent effectivement la tentation réactionnaire à laquelle les expose leur sensibilité (et la passivité de Clélia la trahit également), ils diffèrent pourtant profondément les uns des autres, abordent la vie à Parme avec des stratégies fort diverses et se font en fin de compte des destinées dissemblables. En effet, que doit-on penser de ce Mosca qui reste au pouvoir tandis que Fabrice se retire au fond de sa solitude claustrale ? Et quelle valeur faut-il accorder à la transformation que subit celui-ci après le renouement de sa liaison avec Clélia ? C'est sans doute en saisissant mieux la portée de ces différences que nous comprendrons pourquoi le paradoxe de leur collaboration ne suffit pas pour décrire les perspectives du roman. En dépit des compromissions, Fabrice et Mosca, au moins, semblent atteindre avant la fin un équilibre qui leur convient, et l'on pressent que cette fin même, si elle souligne certaines désillusions, contient néanmoins aussi les éléments d'une réconciliation.

En effet, tout dans ce texte nous oblige à revenir à une analyse comparative des premiers rôles. Nous verrons que dans la *Chartreuse* Stendhal a laissé autant que possible le commentaire des thèmes aux actions et aux paroles des personnages, et qu'il a réduit à cet égard la part du narrateur. La seule façon logique de bien saisir sa pensée ici, est ainsi d'analyser les comportements respectifs des trois protagonistes, est de pénétrer le fort et le faible des attitudes qu'ils adoptent face aux questions principales. La subordination du commentaire des thèmes à l'analyse des personnages s'impose donc dans cette étude, malgré les recoupements et les renvois qu'une telle organisation nécessite (la plupart des thèmes se distribuent d'ailleurs assez naturellement entre eux — la politique concernant Mosca plus que Gina, et la religion, Fabrice plus que Mosca) [24]. D'autre part, cette organisation de notre étude par personnages devient essentielle pour comprendre la recherche qui s'y poursuit d'un certain équilibre, sinon d'une véritable synthèse, entre les termes si violemment opposés de l'univers stendhalien — entre la raison et l'imagination, entre l'individu et la société, entre la jeunesse et la maturité, entre le mariage et l'amour. Car comprendre cet équilibre désiré, c'est d'abord savoir saisir la somme des différences et ressemblances entre Gina, Mosca et Fabrice face aux problèmes majeurs. Ce n'est en effet qu'à la lumière d'une comparaison précise entre les stratégies diverses de ces âmes fraternelles que l'on entrevoit la position centrale et modérée, à l'écart de tout extrémisme, que Stendhal s'efforce d'occuper ici.

D'autres ont vu qu'au lieu d'accentuer le désaccord, Stendhal cherche maintenant la réconciliation et les harmonies possibles [25]. Dans la *Chartreuse*, il n'établit plus une aussi grande séparation que dans *Le Rouge et le Noir* entre les êtres exceptionnels et le vulgaire [26]. Le titre même qu'il a tôt fait de substituer à *La Chartreuse Noire*, élimine toute suggestion de discordance et de conflit [27]. Tout dans la description du lac de Grianta, centre affectif du roman, témoigne de cet effort. En face de la branche de Côme « si voluptueuse », celle de Lecco « pleine de sévérité » ; à côté des aspects « sublimes », les aspects « gracieux ». Nature et culture, ordre et hasard. « Tout est noble et tendre (...) rien ne rappelle les laideurs de la civilisation », et pourtant « l'œil étonné aperçoit les pics des Alpes (...) et leur austérité sévère lui rappelle des malheurs de la vie ce qu'il en faut pour accroître la volupté présente » (45-46). Cela ne veut pas dire que Stendhal réussisse ou même vise une synthèse dans le sens du romancier qui prétend connaître une sagesse supérieure aux sagesses conjointes de ses protagonistes, manière dont le modèle classique au dix-neuvième siècle est offert surtout pour les grands romanciers anglais.

---

[24] Cela est d'autant plus justifiable que ce sont ces créations fictives du discours de Stendhal qui fournissent au roman ses structures principales.

[25] Par exemple, F.M. Albérès, *Le Naturel chez Stendhal*, Nizet, 1956, p. 40-1 403.

[26] Les Italiens de la *Chartreuse* se distinguent des Français du *Rouge et le Noir* du fait que tous, même Fabio Conti, semblent avoir reçu en partage un élément de sensibilité passionnée. cf. Geneviève Mouillaud, *Le Rouge et le Noir de Stendhal. Le roman possible*. Larousse, 1973, p. 51-5, 82.

[27] Le premier titre abandonné suggérait une opposition entre la blancheur traditionnellle des vêtements des chartreux et la noirceur. Il était ainsi bien dans la ligne du *Rouge et le Noir*, de l'*Amarante et le Noir*, du *Rouge et le Blanc* (titres provisoires de *Lucien Leuwen*). La substitution par Stendhal d'un titre à tous les égards harmonieux est un indice de ses intentions insuffisamment apprécié.

Destitué à jamais de tout « sentiment des ensembles »[28], il n'y pense même pas. Pour lui, il s'agit plutôt de poser au niveau de l'élaboration structurelle et stylistique, la base de différentes résolutions possibles, qu'il appartiendra au lecteur de compléter selon ses préférences et ses besoins personnels. Le manque de véritable synthèse devient par là une vertu, dans la mesure où le lecteur reste libre de choisir, face aux paradoxes illuminés par l'exposition stendhalienne. Cependant, les résolutions demeurent dans la *Chartreuse* le plus souvent possibles, alors que dans *Le Rouge et le Noir* et dans *Lucien Leuwen* elles ne l'étaient guère[29]. Moins déchirée entre une positivité et une négativité très fortement affirmées, c'est quand même vers la synthèse et vers la réconciliation que *La Chartreuse de Parme* reste orientée. La lucidité que Stendhal y atteint à l'égard de ses propres hantises concourt au même mouvement, de même que le déblocage de certains freins qui agissaient habituellement sur sa pensée. Aussi n'est-ce pas étonnant que *La Chartreuse de Parme* soit en même temps celui de ses romans qui pose le plus ouvertement les jalons de sa propre critique et qui marque le mieux ce qu'aux yeux de Stendhal la littérature pouvait, et ne pouvait pas faire.

Dans le chemin qu'a pris ainsi la pensée de Stendhal, une question surtout s'impose, question désagréable entre toutes pour un passionné de la liberté. Cette question, c'est celle de la nécessité de reconnaître des ordres divers dans l'art et dans la vie, et c'est aussi celle de la nécessité, même pour l'homme le plus épris de liberté, de donner à sa vie un ordre quelconque, sous peine de sombrer dans une anarchie stérile. Dans *La Chartreuse de Parme* Stendhal y a fait face, et, sur le plan esthétique comme sur le plan thématique, ce qui caractérise plus spécialement ce roman de sa maturité, c'est l'exploration intuitive et très personnelle des possibilités différentes de réconciliation entre les deux exigences de l'ordre et de la liberté. Exploration devenue d'autant plus nécessaire que dans cette improvisation, son instinct de la liberté ne s'était jamais montré avec plus d'aisance naturelle.

Cette idée de la *Chartreuse* risque de choquer, car nombreux sont ceux qui se sont accoutumés à ne voir en Stendhal qu'un inconditionnel de la liberté et de la passion anarchiques. Cependant, c'est là sans aucun doute une vue trop simple de cet esprit qui ne détournait volontairement les yeux devant aucun paradoxe de la vie. A y bien penser, l'on se rendra compte qu'il s'est toujours intéressé à la question de l'ordre, ainsi qu'aux problèmes connexes du pouvoir et de l'autorité — et non seulement afin de mieux se révolter. Car n'est-ce pas un ordre qu'il a cherché très jeune dans les mathématiques comme dans l'Idéologie ? Un côté de sa pensée, n'a-t-il pas un tour tout systématique, et ne sait-il pas apprécier jusqu'à la beauté d'un ordre admi-

---

[28] G. Blin, *Stendhal et les problèmes de la personnalité*, J. Corti, 1958, p. 28.

[29] G. Mouillaud (*op. cit.* p. 150) remarque pertinemment que la solution des problèmes du *Rouge et le Noir* suppose « un autre roman qui supposerait un autre monde ».

nistratif [30] ? Quant au pouvoir qui instaure et garantit les ordres, Stendhal était à son égard à la fois réfractaire, soupçonneux et fasciné. Jean Starobinski n'a-t-il pas souligné que l'idée de pouvoir imposer aux autres sa volonté n'a pas été pour peu dans son goût de la psychologie matérialiste [31] ? Son culte de l'énergie a visé de même une réalisation de soi qui donnerait des forces exceptionnelles. L'intérêt que Stendhal portait à la question de l'ordre ne fut ainsi jamais exempt d'ambivalence, en dépit de ce que suggèrent à première vue son goût de l'imprévu, sa carrière désordonnée, ses velléités régicides et le soin qu'il mettait à éviter toutes sortes de responsabilités [32]. Ses attitudes changeantes envers Napoléon le montrent, de même que l'admiration qu'il a toujours portée aux princes si résolus de la Renaissance. Et sous l'Empire ce n'est pas non plus sans y prendre plaisir qu'il a exercé les pouvoirs d'un administrateur [33]. On devait d'ailleurs s'attendre à cette ambiguïté dans un tempérament de révolté comme fut le sien [34] ; le rapport angoissant entre le Père, Dieu et le Roi lui est très tôt devenu sensible [35]. Au fond le problème pour Stendhal n'était pas tant qu'il rejetait à jamais tout ordre et toute autorité, mais que peu lui avaient semblé éviter les abus en remplissant leurs fonctions légitimes. Dans le domaine politique, Henri Imbert l'a abondamment montré [36].

Il faudrait d'ailleurs s'entendre sur cette idée de l'ordre, à laquelle nous avons choisi d'avoir recours. Notre propos n'est pas quelque tentative délirante de découvrir un « homme d'ordre » chez Stendhal — pourtant partisan à ses heures de la manière forte en politique [37]. Lui-même a dénoncé la connotation suspecte que la droite a l'habitude de donner à ce mot [38] comme la part qu'ont souvent dans

---

30 Dans un article récent, Elaine Williamson cite une note écrite à Denon à propos d'un nouvel inventaire envisagé pour le Louvre, où Stendhal conclut : « Notre travail n'aura pas la beauté pittoresque, mais il aura la beauté administrative : la clarté et la brièveté » (« Stendhal et la Hollande (1810-1812) » n° 81, *Stendhal Club,* 15 oct. 1978, p. 16).

31 *L'Oeil vivant,* Gallimard, 1961, p. 214.

32 Sur la tentation régicide, voir, par exemple, *SE,* p. 1398. Stendhal a toujours voulu éviter les responsabilités familiales et domestiques, tout comme la plupart des responsabilités administratives : « Mon bonheur est de n'avoir rien à administrer, (...). Le bonheur pour moi, c'est de ne commander à personne et de n'être pas commandé » (*VHB,* p. 385).

33 Voir par exemple, à Paris en 1811, *J* p. 1007, et l'article cité d'Elaine Williamson. Nul n'ignore qu'à certaines heures il a voulu être préfet.

34 Voir les analyses intéressantes de T. W. Adorno et autres, in *The Authoritarian Personality,* New-York, Harper et Bros, 1950, p. 762.

35 Sur l'identification de son père avec un Roi et un Dieu haïssables dans la *VHB,* voir p. 32, 73, 85-6, 93-5. Dans *Lucien Leuwen* Stendhal reprendra un calembour de Beaumarchais pour dire la lassitude de Lucien envers « la sollicitude paternelle, maternelle, sempiternelle » (p. 1359).

36 *Les Métamorphoses de la liberté,* J. Corti, 1967.

37 Cf. *C,* t. 2, p. 247 : « Mes douze maires de Paris librement élus, je serais insolent, et, à la première occasion, je ferais guillotiner, après de bons jugements bien réguliers, tout homme qui aurait *réellement* tenté de renverser l'ordre. » cf. aussi, *ibid.,* p. 447, 763.

38 « Mes parents, *pensant bien* et fort contrarié de tout ce qui s'écartait de *l'ordre* (l'ordre règne dans Varsovie dit le g[énéral] Séb[astiani] vers 1832) » (*VHB,* p. 50).

les appels à l'ordre les peurs de la vieillesse et des classes possédantes [39]. Ce n'est pas lui qui voudrait parler sans cesse des « dangers de la liberté » comme un journal ministériel [40]. Mais si tout dans ce monde a finalement une dimension politique, l'ordre n'a pas que cette connotation étroitement répressive qui rend le mot si suspect dans les pays aux traditions autoritaires. Certes, l'ordre implique contrainte comme choisir implique renoncer, étant par définition contrôle et « police » d'un désordre [41]. Pouvoir se passer de tout ordre reste néanmoins une chimère, comme nous l'apprennent, par exemple, les études modernes du système nerveux [42]. Et pourvu qu'on prenne le mot dans son acception la plus large, selon les règles d'un classement « polythétique », son utilisation s'impose ici [43]. Car lui seul permet de suivre sur tous les plans du roman, et à travers une grande variété de thèmes et d'idées, le courant profond qui produit à la fin de la *Chartreuse* cette note d'apaisement unique chez Stendhal. L'ordre qui nous occupera donc, c'est autant cet ordre qui se rétablit à la fin des tragédies et des comédies classiques que l'ordre politique pesant sur l'humanité, c'est autant l'ordre que l'on met dans sa vie psychique que celui que l'on met dans sa situation sociale, c'est autant l'ordre que l'on choisit en se mariant que l'ordre qu'un écrivain met dans ses mots et ses pensées — ou même que cet ordre que l'on rejoint dans une chartreuse. A condition donc de ne pas prendre ce mot dans un sens trop étroit, à condition de ne pas préjuger l'issue de l'analyse, à condition de maintenir en vue les nombreux visages que peut prendre la contrainte qu'il implique et de distinguer l'ordre imposé de l'ordre choisi, l'idée d'ordre peut nous servir pour dégager ce qui distingue l'attitude de Stendhal dans ce roman.

Il nous semble alors que si en fait la question de l'ordre est d'une manière ou d'une autre partout présente dans l'œuvre, ce n'est qu'en

---

[39] « La vieillesse est amie de l'ordre et a peur de tout » (*LL*, p. 762).

[40] *VHB*, p. 72.

[41] Soulignons que dans les dictionnaires, l'ordre se définit par opposition au désordre, au chaos, à l'anarchie, à la confusion, non par opposition à la liberté.

[42] Voir, pour un résumé excellent de la recherche actuelle à cet égard et de sa pertinence aux problèmes esthétiques, le livre de E.H. Gombrich, *The Sense of Order, a study in the psychology of decorative art,* Londres, Phaidon, 1979, p. 1-16.

[43] Selon les règles de la logique traditionnelle, on ne peut classer ensemble des objets ou des notions que si certains traits communs sont invariablement présents. Or, depuis Vygotsky et Wittgenstein nous savons combien ces règles sont arbitraires et que le langage surtout reconnaît des classes constituées à partir de ressemblances plus sporadiques, à partir de ce que Wittgenstein a appelé « family resemblances » (*Philosophical Investigations*, traduit par G. E. M. Anscombe, Oxford, B. Blackwell, 1967, p. 31-32 ; L. S. Vygotsky *Thought and Language,* traduit par E. Hanfmann et G. Vakar, Boston, M.I.T. Press, 1962, p. 52-81). La zoologie connaît cet autre système taxonomique sous le nom de classement « polythétique » ; certains anthropologues proposent désormais de s'en servir. Voir Rodney Needham, « Polythetic Classification : Convergence and Consequences », *Man,* sept. 1975, p. 349-369.

Lester G. Crocker souligne la part de la subjectivité dans beaucoup de notions d'ordre (*Diderot's Chaotic Order,* Princeton, Princeton University Press, 1974, p. IX).

1838 que Stendhal a pu en faire l'objet d'une méditation plus posée et plus approfondie. Peut-être parce qu'en écrivant la *Vie de Henry Brulard* il avait de nouveau dû faire face à l'image de son père [44]. Peut-être parce que la question de l'ordre politique avait pris sous Louis-Philippe un tour plus ambigu. Assurément, parce que Stendhal était maintenant un personnage beaucoup plus détendu [45]. Quoi qu'il en soit, *La Chartreuse de Parme* le montre abordant d'une manière plus réfléchie la question des rapports entre l'ordre et la liberté. Car n'est-ce pas la question de la dissymétrie des ordres qui conviendraient à des libertés très différentes que pose au fond le paradoxe politique qui tend à faire des « *happy few* » des collaborateurs réactionnaires ? Ce paradoxe n'est-il pas aiguisé par la révolution que Ferrante Palla attise et par la brutalité avec laquelle Mosca la réprime ? Et n'est-ce pas au fond la question de l'ordre qui est posée encore, mais d'une manière différente, par ces « crimes » violents et incestueux que les protagonistes de la *Chartreuse* côtoient ou commettent ? Bien plus, l'attitude de Stendhal envers ces infractions des ordres conventionnels semble nettement plus circonspecte qu'auparavant. Gina elle-même, qui représente dans la *Chartreuse* tout ce que les passions subversives ont de plus généreux, ne finit-elle pas par se faire une raison et par chercher la sécurité que donne son mariage avec Mosca ? Le poète Ferrante Palla, qui seul veut la révolution, ne commence-t-il pas dans l'exil à douter de ses rêves [46] ? Envers ce Mosca qui se plaît à défendre les intérêts de la cité, Stendhal témoigne un respect inébranlable tel que dans ses autres romans il n'en avait jamais montré ni envers le marquis de La Mole ni même envers François Leuwen [47]. La différence que marque à cet égard la *Chartreuse* devient surtout évidente si l'on compare la fin de Julien Sorel et celle de Fabrice. La sécession de Julien puise sa signification puissante dans une négation si absolue de la Restauration que toute société semble condamnée du même coup, condamnation à laquelle n'échappent que les relations d'amour [48]. Par contre, l'attitude de Stendhal devant la retraite de Fabrice paraît autrement nuancée et complexe. Dans la mesure où elle est un rejet de la société, Stendhal est loin de l'endosser sans restrictions, comme le montre, entre autres choses, la survie triom-

[44] Confrontation qui a d'autant mieux pu aboutir à une sorte de résolution, que dans *Lucien Lewen* Stendhal venait de conclure que même le meilleur des pères finirait toujours par vouloir opprimer un peu son fils (*LL* p. 1359).

[45] Romain Colomb disait de lui en 1841 qu'il « s'était sensiblement modifié, ramolli, pour ainsi dire. Tout en lui avait un caractère plus communicatif, plus affectueux ». Cité par A. Adam, introduction à *La Chartreuse de Parme*. Classiques Garnier, 1973, p. XXXI.

[46] 419 : « Est-ce que je me tromperais ? Dans six mois, je parcourrai (...) les petites villes d'Amérique, je verrai si je dois encore aimer la seule rivale que vous ayez dans mon cœur ».

[47] Dans *Le Rouge et le Noir*, Stendhal congédiait M. de la Mole avec ironie, et dans *Lucien Leuwen* il entendait se débarrasser de François Leuwen par un coup de théâtre brutal. Cf. *infra* p. 152-154.

[48] Shoshana Felman a fort bien signalé ce côté négatif dans la fin de Julien heureux dans sa prison même avant la réunion avec Mme de Rênal (*La « folie » dans l'œuvre romanesque de Stendhal*, J. Corti, 1971, p. 207).

phante de Mosca. En même temps elle est pour Fabrice lui-même un exaucement définitif de ses désirs sans rien de cet élément nihiliste qui perçait dans le bonheur carcéral de Julien. Car si Fabrice se console comme lui de ses malheurs dans une cellule, il est clair que ce n'est pas le seul désespoir amoureux qui l'y pousse et que cet ordre claustral est au fond pour lui la clef d'une plénitude spirituelle qui est sa vocation la plus profonde.

Ainsi dans la *Chartreuse,* chacun joue sa destinée entre des expériences très personnelles de l'ordre et du désordre, de l'ordre et de la liberté. Il y en va de même de la destinée de Parme et de Milan, et il n'y a pas jusqu'au texte qui ne se montre exposé à ce dilemme. Or, si tout comme les libertés, les ordres en question sont divers, ils sont également profondément ambigus — autant l'ordre de la raison que l'ordre cellulaire. « L'Obéissance passive » s'y révélera un ordre que la tyrannie politique entend certes imposer mais qui peut néanmoins devenir source de vertus dans le service amoureux de Clélia[49]. En effet, Stendhal est aussi loin d'avoir renié la liberté qu'il est loin de vouloir imposer un seul ordre uniforme dans quelque sphère de la vie que ce soit. Non, mais il reconnaît cependant plus volontiers dans la *Chartreuse* que beaucoup de vraies libertés ne peuvent se passer d'un ordre et même que la sagesse doit s'accommoder de l'idée que des ordres mystérieux règlent aussi l'existence. La réconciliation passait par cette reconnaissance.

Or, comment se fait-il que l'exploration de ce problème n'a pas pris dans la *Chartreuse* un tour plus angoissé et comment Stendhal a-t-il pu la poursuivre avec une ironie aussi détendue ? La réponse à cette question est sans doute donnée par les perspectives ludiques que le texte établit, perspectives que la critique a parfois remarquées en passant, mais auxquelles elle n'a jamais attaché suffisamment d'importance[50]. Pour nous, c'est la place que Stendhal a donnée aux jeux dans la *Chartreuse* qui traduit le mieux ses intentions profondes et qui explique comment le livre ait pu rester serein tout en développant sans sourciller des paradoxes si troublants.

Mais établissons d'abord à quel point l'idée du jeu est solidement enchâssée dans la contexture de ce roman. Nombreuses et importantes dans l'économie du livre sont les activités sociales qui se rapportent au jeu. Nous n'avons qu'à nommer les diverses représentations théâtrales, les fêtes, les concerts, les parties de chasse et les jeux de société. Bien plus, c'est aux jeux qu'à chaque page a constamment

[49] La prison de Fabrice est nommée celle de « *l'Obéissance passive* » par Fabio Conti et le prince (311). Mais qu'y apprend-il, sinon les vertus de l'obéissance amoureuse à Clélia ? Voir *infra* p. 191-193.

[50] Voir, par exemple, M. Wood, *Stendhal,* p. 168, L. Bersani, *Balzac to Beckett,* New-York, Oxford University Press, 1970, p. 118-121 ; R.P. Blackmur, « The Charterhouse of Parma », *Kenyon Review,* vol. XXVI, 1964, p. 216, F. W. J. Hemmings, *Stendhal,* p. 190.

L'attitude de ces critiques devant les perspectives ludiques du roman est plus ou moins celle de J.-D. Hubert, qui dans son article célèbre avait cru pouvoir en conclure à une dévaluation systématique du réel dans la *Chartreuse* (« Notes sur la dévaluation du réel dans "La Chartreuse de Parme" », *Stendhal Club,* n° 5, 15 oct. 1959, p. 48-9).

recours le langage métaphorique du roman. La politique, on le sait, y est un « jeu d'échecs » (111) et la vie d'un courtisan un jeu de whist (117). Le whist peut même y servir pour expliquer la discipline théologique (137). La cour de Parme est un théâtre où Rassi plaît « par des bouffonneries » (259), où Mosca donne avec Gina une « représentation » quasi-permanente (142). C'est « comme une comédie » que toutes ces « grandes intrigues » amusent parfois Fabrice [51], bien qu'il ait « besoin d'efforts pour jouer le grand seigneur » (187-8). Ernest IV, « tigre » à l'occasion « qui aime jouer avec sa proie » (153), prince qui se pique continuellement « au jeu » contre ses sujets (146, 281), pose et parle « d'un air théâtral » dans les audiences (249). A chaque confrontation entre Gina et la famille royale, Stendhal souligne cette théâtralité [52]. On comprend que Mosca finisse par dire à son amie, « faisons comme au jeu de tric-trac, *allons-nous-en* » (413). Par ailleurs, les conversations au moyen d'alphabets des jeunes amants sont aussi des « jeux d'enfants » (343), comme risquent de le devenir les prédictions de Blanès (172). Même quand l'improvisation fut terminée, Stendhal n'échappa pas au vocabulaire du jeu lorsqu'il pensait à corriger son œuvre [53].

Certes, le cadre italien du roman explique en partie la place que Stendhal a donnée aux jeux ; il savait fort bien la part qu'ils avaient dans la vie quotidienne des Italiens de son temps [54]. Et certains détails, tels les passe-temps princiers, lui ont sans doute été suggérés par des sources historiques [55]. D'autre part, certains thèmes repris des vieux mythes héroïques ont vraisemblablement contribué à ramener ses idées vers le jeu. Le roman n'avait-il pas à dépeindre les rites arbitraires de l'initiation comme de la superstition, rites qui ont plus d'un rapport avec le jeu [56] ? Ce roman n'est-il pas aussi une quête romanesque, où pour avoir su jouer une si belle partie, Fabrice recevra l'amour de Clélia [57] ? Le côté ludique de l'amour et de la guerre

[51] 159. Plus tard, Ernest V « était tellement irrité des horreurs qu'il avait découvertes, qu'il ne voulut pas se mêler de la comédie » (447).

[52] Une fois, Stendhal parlera des « trois acteurs de cette scène ennuyeuse » (423), scène dont Gina dira plus tard à Mosca (429) : « je suis excédée de fatigue, j'ai joué une heure la comédie sur le théâtre, et cinq heures dans le cabinet ». cf. aussi 254, 255.

[53] Dans l'exemplaire Chaper, il écrira de Fabrice (1416) : « Il se fût précipité dans un gouffre pour Napoléon, il avait accepté les grandes vérités qui avaient effrayé le prince comme les règles du whist, et il les croyait par paresse. »

[54] cf. *DA*, t. 2, p. 142, *PDR*, p. 902, 1151, 882 : « cet amour passionné pour le jeu, qui est un des caractères de l'imagination italienne ». Il n'a pas manqué de remarquer les jeux qui subventionnaient les théâtres de la Scala et de San Carlo, « l'Italien étant naturellement joueur » (*VDR*, t. 2, p. 240).

[55] Notamment leurs passe-temps minéralogiques et botaniques, qui ont dû être suggérés par Lalande et par Condillac ; cf. L. F. Benedetto, *La Parma di Stendhal*, p. 420-1.

[56] cf. J. Huizinga, *Homo Ludens*, Gallimard, 1951, p. 29-30, 185-6, et Roger Caillois, *Les Jeux et les Hommes*, Gallimard « Idées », 1967, p. 33-4.

[57] Dans son beau livre, *Le Jeu suprême, structure et thèmes dans « Le Grand Meaulnes »*, M. Maclean rapproche de même la quête et le jeu (J. Corti, 1973, p. 62).

ressort fort justement dans ce roman où des aristocrates occupent le devant de la scène[58]. Reste que l'accumulation de ces thèmes et de ces images, lorsqu'on y ajoute l'aspect volontiers ludique du texte que nous allons étudier dans notre deuxième chapitre, finit par donner au jeu une importance qu'il n'avait ni dans *Armance*, ni même dans *Le Rouge et le Noir.*

Il est d'ailleurs assez étonnant qu'on se soit si peu intéressé au thème du jeu chez Stendhal, alors qu'on a souvent d'instinct recours à l'idée en essayant de décrire son monde. Bien sûr, le mot « jeu » et ses dérivés, comme les autres mots apparentés, ne figurent pas aussi fréquemment dans le lexique de Stendhal que « folie » et ses dérivés. Stendhal attire néanmoins sans cesse notre attention sur l'élément ludique dans la vie humaine. L'amour, l'ambition, le goût du pouvoir, la guerre, la politique, la conversation, la vie littéraire et la vie des cours, certaines sciences et les coups de Bourse — tous lui sont apparus comme des activités et des sentiments où l'esprit du jeu trouvait sa part[59]. « Quelle loterie que toutes les choses de la vie ! »[60]. Et on peut remarquer que c'est plus spécialement dans *De l'Amour*, où il s'agissait de mettre au point ses idées sur l'imagination, que le thème a pris de l'importance pour lui[61] ; on y trouve par exemple des rapprochements fort révélateurs où il prétend que les seules émotions comparables à l'amour sont celles données par le pouvoir et par le jeu[62]. Que sont d'ailleurs au fond ces *Privilèges,* qui peignent si admirablement le mouvement de son imagination, sinon des règles qui transforment l'espace de l'existence humaine en un jeu idéal pour le privilégié ? Comme les règles d'un jeu ils définissent un champ théorique tissu de restrictions et de libertés arbitraires, et il est essentiel de noter qu'à l'intérieur même de cet espace Stendhal n'a pas oublié d'assurer son succès aux divers jeux auxquels il aimait parfois participer[63] :

> Quand l'homme privilégié portera sur lui ou au doigt, pendant deux minutes, une bague (...) il deviendra invulnérable pour le temps qu'il aura désigné.
>
> (Art. 8)

---

[58] Sur la culture aristocratique et le jeu, voir J. Huizinga, *op. cit.* p. 76-7, 151-2, 170-171.

[59] L'amour : *DA*, t. 1, p. 153, 211 ; t. 2, p. 143.
L'ambition : *VDR*, t. 1, p. 126.
Le goût du pouvoir : *DA*, t. 1, p. 201 n.
La guerre : *DA*, t. 2 p. 200 ; *MSN*, t. 2, p. 208 ; *JL*, t. 3, p. 209.
La politique : *C*, t. 2, p. 254.
La conversation : *C*, t. 2, p. 221.
La vie littéraire : *C*, t. 2, p. 153 ; *J*, p. 510 ; *DA*, t. 1, p. 98 ; *VHB*, p. 194.
La vie des cours : *JL*, t. 3, p. 272 ; *RS*, p. 193-4 ; *DA*, t. 1, p. 34.
Certaines sciences : *HPI*, t. 1, p. 10 n, t. 2, p. 28 n.
La Bourse : *DA*, t. 2, p. 267.

[60] *C*, t. 2, p. 298.

[61] Voir les références de la note (59).

[62] *DA*, t. 1, p. 201 n.

[63] *Œuvres Intimes*, p. 1526-7, 1530.

> Le privilégié ne pourra gagner aucun argent, autre que ses soixante francs par jour, au moyen des privilèges ci-dessus énoncés. (Art. 22)
>
> Il jouera parfaitement au wisk (*sic*), à l'écarté, au billard, aux échecs, mais ne pourra jamais gagner plus de cent francs. (Art. 6)
>
> A la chasse, huit fois par an, un petit drapeau indiquera au privilégié, à une lieue de distance, le gibier qui existera et sa position exacte. (Art. 10)

Tout cela ne veut pas forcément dire que les jeux, de quelque nature qu'on veuille les choisir, aient occupé outre mesure le temps de Stendhal. Victor Del Litto a fort bien souligné que si dans sa jeunesse il a joué à la loterie et même parfois fréquenté les maisons de jeu, c'est prudemment qu'il s'y est essayé pour tenter d'équilibrer son budget [64]. Mais s'il n'y a rien en lui du joueur effréné, si son bon sens l'a préservé des vertiges du jeu aléatoire, cela n'empêche qu'il avait des jeux une expérience continue et assez variée. Il aimait la chasse et de temps en temps les échecs [65] ; il s'est livré souvent aux jeux de société courants : whist, bouillotte, boston, pharaon et billard [66]. C'était plus que suffisant pour lui rendre l'esprit du jeu familier et pour lui permettre d'en nourrir sa pensée [67] :

> Le jeu a aussi sa cristallisation provoquée par l'emploi à faire de la somme que vous allez gagner.
>
> Les jeux de la cour, si regrettés par les nobles, sous le nom de légitimité, n'étaient si attachants que par la cristallisation qu'ils provoquaient.
>
> On peut faire une science raisonnable, profonde, et qui cependant n'apprenne rien. Tel est le reversi et la partie intelligible du système de Schelling.

Aussi n'est-ce pas un hasard s'il a écrit *De l'Amour* en invoquant si souvent l'exemple du jeu ; on sait qu'il est allé jusqu'à prétendre que c'est sur des cartes à jouer qu'il l'avait écrit [68]. Car à cette époque il faisait tous les soirs une partie de pharaon chez Judith Pasta, « ravi d'entendre parler milanais, et respirant l'idée de Métilde par tous les

---

64 cf. V. Del Litto, « Stendhal, le jeu et la loterie », *Le Divan,* janv.-mars 1955, p. 4-8. Voir aussi *J,* p. 455-6, 500, 519 et le *Journal* dans l'édition du Cercle du Bibliophile, t. 1, p. 95. C'est surtout vers 1804 qu'il a essayé les maisons du jeu, pour les éviter par la suite.

65 L'on sait qu'il a beaucoup chassé à Brunswick et à Civita-Vecchia ; l'on connaît moins le plaisir qu'il prenait parfois aux échecs. cf. *C,* t. 1, p. 991 ; t. 3, p. 133 ; Y. Du Parc, *Quand Stendhal relisait les « Promenades dans Rome »*, Lausanne, Collection Stendhalienne n° 3, Editions du Grand Chêne, 1959, p. 51-2, 79.

66 *J,* p. 797, 798, 819, 826, 828, *SE,* p. 1428, 1433.

67 *DA,* t. 1, p. 34, *HPI,* t. 2, p. 28 n.

68 Dans les « Fragments divers », *DA,* t. 2., p. 141. Plus tard dans la préface écrite en 1842, il a parlé de programmes de concert et de chiffons de papier (*Ibid.,* t. 1, p. 4-5).

sens »[69]. Pensant aux coups de cette bataille amoureuse, au travail sourd du destin et aux interventions du hasard, le jeu où il cherchait à se consoler a souvent dû paraître commenter ses expériences[70] :

> Ce livre serait moins inintelligible pour qui aurait gagné beaucoup d'argent à la Bourse ou à la loterie. Un tel gain peut se rencontrer à côté de l'habitude de passer des heures entières dans la rêverie, et à jouir de l'émotion que vient de donner un tableau de Prud'hon, une phrase de Mozart, ou enfin un certain regard singulier d'une femme à laquelle vous pensez souvent.

Est-ce alors étonnant s'il a choisi par la suite *Le Rouge et le Noir* comme titre d'un roman ? C'est bien lui qui voyait la vie en damier[71] et nous savons maintenant que ce titre n'a pas pu être pour lui entièrement dépourvu de connotations ludiques[72]. On ne devrait en fait avoir aucune peine à comprendre que cet homme ironique réfléchissant sans cesse sur ses actions, fasciné par l'imprévu mais aussi par les systèmes gagnants, ait beaucoup apprécié l'enseignement qu'offrent les jeux, à la fois réjouissances spontanées des âmes encore jeunes et épreuves en bonne règle où l'on se mesure contre ses adversaires et contre le destin.

Même *Le Rouge et le Noir* cependant développe peu ce thème, tout en ne perdant pas le jeu entièrement de vue[73]. Nous verrons qu'il a plus d'importance dans *Lucien Leuwen*[74], mais ce n'est vraiment qu'avec *La Chartreuse de Parme* qu'il irradie en profondeur l'ensemble d'une œuvre. Ce qui ne veut pas dire que dans ce roman Stendhal ait compté d'avance faire converger sur les jeux tout ce qu'il avait d'essentiel à dire, ni qu'il ait voulu faire un texte qui fût en aucune façon systématiquement ludique. Dostoïevsky à son époque, plus tard Calvino et Nabokov, sont évidemment allés plus loin dans cette voie[75]. Mais cela n'empêche qu'en se développant, son texte lui a vite imposé le thème du jeu, car c'était ce thème qui résumait le mieux l'orientation de son livre face aux problèmes soulevés. En fait, les indices lexicaux, pourtant déjà notables, trahissent à peine toute l'importance qu'ont acquise les perspectives ludiques dans la *Chartreuse*. L'articulation du texte en témoigne d'abord, car Stendhal y joue plus ouvertement que jamais avec l'acte littéraire et ses conventions. Mais c'est en plus la vie entière de chaque protagoniste qui est profondé-

---

69 *SE*, p. 1428.

70 *DA*, t. 2, p. 267. Aussi n'est-ce pas par hasard si, pensant vers cette même époque à l'inscription fameuse qu'il voulait mettre sur sa tombe (« Errico Beyle, Milanese, Visse, Scrisse, Amò »), il se la figurait sur une tablette de marbre « de la forme d'une carte à jouer » (*SE*, p. 1434).

71 *C*, t. 1, p. 482.

72 Voir les notes de G. Dethan, *Stendhal Club*, 15 avril 1978, p. 298, et de T. Müller Kotchetkova, « Le Rouge et le Noir : un jeu de hasard ? », *Stendhal Club*, n° 80, 15 juillet 1978, p. 384, S. Bokobza fait preuve de réserves (*Stendhal Club* n° 82, 15 janvier 1979, p. 163-6), mais en vain, car rien n'empêche que le titre ait plusieurs connotations.

73 cf. par exemple, *RN*, p. 262, 497, 513, 545.

74 cf. *infra* p. 153-154, à propos de François Leuwen.

75 Respectivement, dans *Le Joueur, Le Château des destins croisés,* et *la défense Loujine.*

ment informée par l'esprit du jeu. En effet, si dans le roman Gina, Mosca et Fabrice ne sont évidemment pas les seuls à se livrer aux divertissements, s'ils ne sont pas les seuls non plus à « jouer » leur vie sur cette scène grotesque qu'est la cour de Parme, leur jeu se distingue pourtant radicalement du jeu d'un Rassi et d'un Ranuce-Ernest. Ceux-ci jouent cyniquement des jeux contrefaits — comédies de déférence ou de générosité — où les valeurs du vrai jeu n'ont au fond aucune part. Exclusivement dirigés vers des avantages fort concrets dictés par la peur ou par la vanité, de tels jeux, produits sinistres d'existences incomplètes, ne sont en fait que des hypocrisies parmi d'autres ; ils ont peu à voir avec ces jeux authentiques qui ne servent à rien sauf à transformer la vie en bonheur [76]. Or, non seulement les « *happy few* » sont-ils distingués dans la *Chartreuse* par le goût qu'ils ont du vrai jeu vivifiant, mais encore chacun d'eux aime-t-il des jeux différents et ces préférences trahissent une manière distinctive d'aborder les problèmes qui leur sont posés. Certes, d'autres traits concourent également à donner un tour particulier à leurs personnalités si différentes, mais par rapport aux questions essentielles ce qui résume le mieux leur caractère, c'est finalement le comportement ludique de chacun. Ainsi Stendhal a su tirer tout le parti possible du fait qu'un esprit aussi calculateur que Mosca aimera d'autres jeux que ce rêveur de Fabrice et il a fait preuve d'une intuition vraiment remarquable en distinguant les portées de ces jeux différents. C'est donc surtout en analysant ces préférences ludiques que nous arriverons à saisir les mobiles profonds de ces êtres, et c'est encore en comparant ces préférences que les modalités selon lesquelles Stendhal a envisagé les problèmes du roman ressortiront.

Que le jeu ait fini par s'imposer à Stendhal comme une idée essentielle pour la vie des personnages se comprend d'ailleurs, et pour plus d'une raison. Devant ce monde où l'Histoire semblait dorénavant bégayer, devant cette foire aux illusions qu'était devenue la politique, les hommes ne devaient-ils pas se sentir « joués » par un destin et par des gouvernements arbitraires ? Et, à moins de croire une nouvelle révolution possible, que leur restait-il alors pour survivre dans ce désordre, sinon de jouer eux-mêmes délibérément leur vie [77] ? C'est ainsi que l'ont vu bien des contemporains, et sous Louis-Philippe le jeu est devenu un thème à la mode [78]. Or, si « jouer sa vie » suppose d'abord qu'on veut prendre ses distances et agir sans illusions — une idée qui sera d'importance pour la *Chartreuse* — cela suppose aussi que l'on se donne des règles de vie au lieu de se les laisser imposer. Car, ainsi que l'a montré excellemment Roger Caillois, ce qui donne aux jeux leur sens profond, même à ceux qui semblent les plus spontanés, c'est justement que ces activités combinent « les idées de limites, de liberté et d'in-

---

[76] cf. Roger Caillois, *op. cit., p.* 4-6.
Eugen Fink, « The Oasis of Happiness : Toward an ontology of play », in *Yale French Studies,* n° 41, « Game, Play and Literature », 1968 p. 20-1.

[77] Voir l'essai de M. Butor sur *Le Joueur* de Dostoïevsky (*Essais sur les Modernes,* Gallimard « Idées », 1964, p. 26-30).

[78] cf. *infra* p. 226.

vention »[79]. Le jeu doit être libre sous peine de n'être plus jeu et le joueur garde assurément une certaine liberté d'agir dans les confins de l'espace ludique ; mais ce sont toutefois des restrictions arbitraires qui définissent cet espace même, et le joueur devra consentir à y obéir. A l'anarchie naturelle — ou à une Histoire chaotique — ce que le jeu substitue est ainsi le modèle d'un univers qui serait mieux réglé, mais un modèle qui cherche, tout en éliminant le désordre, non à évincer du même coup toute liberté, mais à la réconcilier mieux que dans la vie quotidienne avec les exigences humaines de l'ordre[80]. Or on voit que cette réconciliation entre l'ordre et la liberté qui est le projet implicite de tout inventeur de jeu, est le même projet que nous croyons discerner au centre des préoccupations de Stendhal dans ce roman. Dans un monde en dérive, quoi d'étonnant alors, si c'est selon l'esprit authentique du jeu que Stendhal voit les meilleurs chercher à régler leur vie ? Une attitude ludique lui a permis cette fois de penser jusqu'au bout et sans broncher les rapports entre l'ordre et la liberté ; nous verrons le texte assimiler l'équilibre qu'il cherche à cet équilibre que le jeu sait instaurer entre la liberté, les règles et le hasard[81].

Le fait que son approfondissement de ces questions n'a pas fini par prendre un tour plus angoissé s'en trouve du même coup expliqué. Une vision ludique l'a aidé à rester serein et ce rapport entre le jeu et le caractère désaigri du roman est confirmé par l'importance que d'autres thèmes connexes ont acquise. Plus que jamais, Stendhal attache un grand prix dans la *Chartreuse* au désintéressement sous toutes ses formes. Or, non seulement est-ce là une vertu que l'éthique du jeu met idéalement en valeur[82], mais le vrai jeu ne va pas non plus sans grâce et Stendhal associe de près ces deux qualités. Dans l'article important où il a révélé la signification que Stendhal attachait à la grâce, Richard Coe a fait valoir que pour lui cette qualité était au premier chef gratuite et désintéressée (alors que la force, son contraire selon Stendhal, ne pouvait que vouloir s'imposer aux autres)[83]. Nous allons voir à quel point *La Chartreuse de Parme* est indissociable de cette idée de la grâce et nous verrons le rapport que le texte établit entre elle, le jeu et le désintéressement. A moins de comprendre ce que ce rapport implique, la morale de la *Chartreuse* risque de nous échapper.

L'ordre, la grâce et le désintéressement n'ont pourtant pas dû être les seules préoccupations qui aient porté la pensée de Stendhal vers le jeu en écrivant *La Chartreuse de Parme*. La fascination des jeux tient tout aussi bien aux possibilités qu'ils laissent entrevoir d'échapper à certaines contradictions fondamentales. L'opposition entre le réel et l'imaginaire et celle, voisine, entre la raison et la folie, sont notamment de celles qui semblent disparaître dans le jeu. Où faut-il

[79] Caillois, *op. cit.*, p. 10, cf. aussi p. 38-42.
[80] *Ibid.*, p. 13-14, 39.
[81] cf. *infra* p. 83-84.
[82] cf. Caillois, *op. cit.*, p. 20-21.
[83] « From Correggio to Class Warfare : notes on Stendhal's ideal of « la grâce », in *Balzac and the Nineteenth Century, Studies in French Literature presented to Herbert J. Hunt*, éd. D. G. Charlton, J. Gaudon et A.R. Pugh, Leicester, Leicester University Press, 1972, p. 241-2.

situer, en effet, cet espace ludique qui semble toucher à tant de choses sans être tout à fait d'aucune ? Faut-il le situer, avec Winnicott et les psychiatres, sur la frontière entre le monde extérieur et la vie autonome de nos fantaisies [84] ? Ou faut-il le situer, avec Caillois et d'autres penseurs, entre le réel et le sacré [85] ? Ces pôles de notre existence, ne serait-ce pas plutôt eux qui sont au fond englobés dans quelque grand jeu cosmique ? Il y a toujours eu des philosophes pour le penser et le statut du jeu dans la métaphysique demeure en tous points ambigu [86]. Ce qui est certain, en tout cas, c'est que dans la *Chartreuse* l'idée que Stendhal se fait de ces oppositions est devenue infiniment plus complexe. Car si la politique est assurément à la base du climat général d'incertitude qui règne dans le roman, climat où s'embrouillent sans cesse le réel et l'imaginaire, il faut bien se garder de sous-estimer l'ampleur du problème. J.-D. Hubert a peut-être conclu trop vite que le jeu y traduit quelque « dévaluation du réel » [87]. Car ce n'est pas seulement à propos de la politique que le réel et l'imaginaire s'y immiscent sans cesse ; le roman regorge d'échanges paradoxaux entre, par exemple, le théâtre et la vie. Fabrice s'échappera du faux théâtre de la cour pour retrouver sur une scène authentique une petite actrice qui a pris son nom (159-160). L'amant de cette actrice, l'acrobate Giletti, est habituellement battu dans les comédies que monte la troupe (161-162), mais dans son duel avec Fabrice ce rôle de souffre-douleur tournera pour lui au tragique, tandis que pour Fabrice ce combat (tout comme son évasion) se dégagera difficilement du théâtral [88]. Par ailleurs, le goût du théâtre marque profondément Gina, comme nous le verrons plus longuement au troisième chapitre. C'est grâce à elle que les comédies *dell'arte* prendront une place toujours plus importante à la cour de Parme (418, 420) ; dans ses grandes scènes avec Ranuce-Ernest et son fils, ce sont explicitement des acteurs rivaux qui s'affrontent [89]. Or, si certains de ces détails semblent mettre l'accent sur l'écart qu'il y a entre les illusions esthétiques et la vie, d'autres par contre semblent plutôt souligner à quel point le réel est toujours pénétré par l'illusion théâtrale. Dans ce labyrinthe, vérité et sincérité apparaissent tantôt du côté de l'imaginaire, tantôt du côté du réel, et dans un très bel article H. W. Wardman a tenté de cerner le problème en parlant non plus d'une rupture entre le réel et l'imaginaire, mais d'une rupture à l'intérieur de l'imaginaire [90]. Assurément,

---

[84] D. W. Winnicott, *Jeu et réalité*, Gallimard, 1971.

[85] Dans un article très suggestif, « Homo Ludens revisited », Jacques Ehrmann a montré comment Caillois, Huizinga et Benveniste ont situé le jeu, pour ainsi dire, entre le réel et le sacré, et ce qu'il y aurait à reprocher à ces analyses (*Yale French Studies*, n° 41, 1968, p. 31-57).

[86] Eugen Fink, *Das Spiel als Weltsymbol*, Stuttgart, W. Kohlhammer Verlag, 1960.

[87] *Art. cit.*

[88] 195 : « il lui semblait vaguement être à un assaut public », cf. *infra* p. 176.

[89] « La duchesse Sanseverina peut entrer, cria le prince d'un air théâtral. Les larmes vont commencer, se dit-il, et, comme pour se préparer à un tel spectacle, il tira son mouchoir » (249), cf. aussi 254-5, 429.

[90] « La Chartreuse de Parme : ironical ambiguity », *Kenyon Review*, 1955, t. XVII, p. 450.

la réalité dans ce roman est mouvante, sinon dévaluée, et cet aspect du texte comprend et même dépasse les considérations politiques que nous avons évoquées. Tout se passe donc comme si devant ces incertitudes Stendhal a fini par chercher une perspective nouvelle, perspective à la fois plus compréhensive et plus neutre, capable d'aller au-delà des contradictions tant entre le réel et l'imaginaire qu'entre la folie et la raison. Cette perspective, il semble que c'est encore le jeu qui l'a fournie, de même qu'il l'avait fournie autrefois à Cervantès alors que lui non plus ne voulait laisser le dernier mot, ni au réalisme de Sancho, ni à l'idéalisme de Don Quichotte [91]. L'exemple ne sera pas oublié dans *La Chartreuse de Parme* et nous verrons pourquoi il est des plus significatifs [92].

Est-ce à dire que, dans sa quête d'un équilibre, Stendhal aurait fini par réellement croire que la pensée ludique permettrait de résorber jusqu'à ces oppositions primordiales de la vie ? Aurait-il entrevu dans le jeu cette anticipation d'une vie meilleure que Schiller y avait cru distinguer [93] ? Il ne faudrait certainement pas aller aussi loin, et dans ce roman nous verrons Stendhal poser aux jeux des limites imprescriptibles. Toutefois, ce roman est certainement un de ceux où l'on décèle comme un écho vague du rêve schillerien et on le fait d'autant mieux que tout en constatant certaines bornes, Stendhal n'oppose pas aussi radicalement qu'on l'a dit le monde du jeu à une réalité malheureuse [94]. Il n'y aura pour lui aucune cloison étanche entre les jeux enfantins de Fabrice à Grianta et le monde social où celui-ci devra s'aventurer. Stendhal souligne plutôt la continuité ininterrompue entre les talents qu'on peut développer dans le jeu et les occupations sérieuses des adultes. Ainsi y aura-t-il dans ce roman un va-et-vient continuel entre le jeu et la réalité ; les deux sphères ne s'excluent que dans certains cas limites dont Fabrice, surtout, fera finalement l'expérience. Ni moyen d'éluder le réel, ni moyen de le transformer pour de bon, le jeu est avant tout pour ces protagonistes — et pour l'auteur — une stratégie qui rend certains problèmes plus abordables.

Un problème se pose pourtant, lorsque nous nous proposons d'approfondir la conception du jeu que nous offre ce roman. Les images ludiques qui parsèment le texte trahissent le tour qu'a intuitivement pris la pensée de Stendhal dans la *Chartreuse*. Grâce à elles nous pouvons nous sentir fondés d'étudier le roman par le biais du jeu afin de dégager ses tendances profondes et de capter ce qui s'y passe de plus indicible. Cependant, les perspectives qui s'ouvrent ainsi à nous ne sauraient être sérieusement utilisées qu'avec l'aide d'une psychologie tant soit peu adéquate des jeux, psychologie susceptible de mettre en valeur les intuitions dont Stendhal fait preuve. Car enfin, il ne suffit

[91] cf. Erich Auerbach, *Mimésis*, Gallimard, 1968, p. 354-364. Voir aussi Huizinga, *op. cit.* p. 23-4, 82-3.

[92] cf. *infra* p. 213-215.

[93] Dans les *Briefe über die ästhetische Erziehung des Menschen* de 1795. C'est une idée du jeu que l'on peut faire remonter à Platon, et qui a été reprise de nos jours par un philosophe comme Herbert Marcuse (*Eros et Civilisation*).

[94] cf. par exemple, L. Bersani, *Balzac to Beckett*, p. 121.

pas de dire avec Eric Berne — si heureux que l'on soit de voir citer cet exemple — que Mosca est une étude modèle de ce que ce critique appelle « le jeu du courtisan »[95]. Il nous faut mieux que de telles redondances, et l'analyse des jeux que nous avons fini par adopter, c'est celle effectuée par Roger Caillois[96]. Une revue de la littérature consacrée aux jeux ne permet pas de douter, en effet, que son système de classification est le seul qui demeure vraiment compréhensif et précis, et cela même si l'on peut trouver trop hétéroclite la nomenclature qu'il a proposée. Rappelons donc dès maintenant aux lecteurs que ce sont quatre formes essentielles de jeux que Caillois a cru pouvoir distinguer : 1) *Agôn* — les jeux de rivalité, les épreuves de force et d'adresse ; 2) *Alea* — les jeux où la part du hasard et du risque l'emporte nettement sur les possibilités offertes à l'adresse du joueur ; 3) *Mimicry* — les jeux plus ou moins théâtraux, où « le sujet joue à croire, à se faire croire ou à faire croire aux autres qu'il est un autre que lui-même »[97] ; 4) *Ilinx* — les jeux qui visent un effet de vertige : « une tentative de détruire pour un instant la stabilité de la perception et d'infliger à la conscience lucide une sorte de panique voluptueuse »[98]. Caillois souligne avec raison que tous ces jeux peuvent être joués, soit naïvement, soit d'une façon plus délibérée, et d'autre part, que si certaines combinaisons entre eux sont possibles, il y en a qui ne le sont pas[99]. Surtout parce que c'est la contribution des jeux à l'essor des civilisations qui intéresse Caillois, il a souligné en outre que d'un point de vue idéal, chaque type de jeu est menacé d'une dégénérescence particulière — tel l'*alea* qui invite à la superstition[100]. Nous verrons que cette classification et les commentaires dont il les accompagne cadrent parfaitement avec les intuitions de Stendhal et qu'ils nous seront d'une aide inespérée pour comprendre les personnages de la *Chartreuse*. Ils le seront surtout en ce qu'ils précisent les avantages et les dangers que présente chaque sorte de jeu et qu'ils illuminent mieux par conséquent les réussites et les échecs de chaque protagoniste, que celui-ci aime jouer aléatoirement comme Fabrice, ou qu'à l'exemple de Mosca il préfère les jeux « agonistiques ». Une telle catégorisation ludique des personnages ne trahit nullement l'esprit de Stendhal, depuis toujours fasciné par la théorie des tempéraments.

On voit que ce n'est pas forcément à quelque désinvolture morale que nous oblige à conclure le caractère ludique du texte. Ce trait prononcé peut indiquer tout aussi bien la présence d'une structure très raffinée de distinctions morales. Nous croyons en fait que si l'on a si souvent hésité sur la signification de la *Chartreuse*, si l'on a si souvent fini par vouloir y célébrer quelque vague « poésie de l'indifférence morale », c'est surtout parce que l'on se méprend facilement sur la stratégie fondamentale de ce texte, stratégie qui représente une modi-

[95] Eric Berne, *Des jeux et des hommes*, Stock, 1966, p. 52. Les analyses analogues, souvent admirables, d'Erving Goffman ne conviennent pas non plus à notre travail (*La mise en scène de la vie quotidienne*).
[96] *op. cit.*
[97] *Ibid.*, p. 61.
[98] *Ibid.*, p. 67.
[99] *Ibid.*, p. 48, 57-8, 65.
[100] *Ibid.*, p. 101 et suiv., p. 111.

fication sensible de la manière habituelle de Stendhal dans ses romans. En effet, il nous semble que si on lit la *Chartreuse* comme on lit *Le Rouge et le Noir,* la portée de ce texte nous échappe forcément. C'est autre chose que Stendhal a voulu y faire, en ayant recours à une voie plus que jamais « oblique » et en refusant systématiquement de faciliter notre lecture. La stylisation de ce texte nous le montre, ainsi que le rôle beaucoup moins décisif qui est accordé ici aux intrusions du narrateur. Plus souvent que ce n'est le cas dans les autres romans, ce ne sont que la simple juxtaposition des événements et le jeu de détails apparemment fortuits (détails que les critiques passent le plus souvent sous silence) qui permettent au lecteur de deviner la pensée stendhalienne. Car nous espérons montrer que la stratégie de Stendhal a ici eu pour but de mieux cacher l'auteur, et de rendre son récit dans un certain sens plus objectif. Ce n'était qu'à cette condition qu'il pouvait faire dialoguer des points de vue si divers sans rompre l'effet d'harmonie, ce n'était qu'à cette condition qu'il pouvait faire converger une perspicacité sévère et le lyrisme du bonheur. La vraie réconciliation passait forcément par là. Peu de critiques ont entrevu que l'essentiel de ce roman est dans la manière dont Stendhal a su joindre une critique mesurée des faiblesses de ses protagonistes à la tendresse sans démenti dont il les entoure [101].

Notre analyse s'attaquera donc d'abord aux traits qui rendent ce texte si insaisissable et qui ont donné naissance à trop de lectures partielles. Ce faisant, nous essaierons du même coup de faire justice du vieux préjugé selon lequel une certaine incohérence trahirait dans la *Chartreuse* ses origines improvisées. Qu'il y ait dans ce roman dicté à la diable certaines contradictions minimes de détails, on a pu le montrer sans difficulté [102]. L'étonnant c'est qu'il y en a bien moins qu'on ne l'a dit et que ce texte supporte fort bien une lecture qui le traite comme une œuvre longuement mûrie. Si un critique de la *Chartreuse* peut donc toujours aspirer à réussir une description qui serait plus compréhensive et qui expliquerait la présence de maints détails ignorés, rien ne lui servirait cependant de prétendre à quelque idéal pseudo-scientifique. Une œuvre aussi riche et aussi nuancée exige des réponses personnelles et passionnées, qui sont seules capables de découvrir ses visages moins connus. Pour la même raison, nous ne consentirons pas non plus à nous enfermer dans une seule méthode d'approche, fût-ce celle fournie par la théorie des jeux. Surtout lorsque l'indétermination y règne, un texte aussi fouillé exige du critique qu'il sache varier constamment ses points de vue, et même dans la théorie des jeux, ce que nous avons cherché est beaucoup moins quelque clef unique ou quelque science complète qu'un langage qui serait avant tout suggestif, susceptible de capter l'indicible et d'indiquer un peu

---

[101] Ceux qui l'ont vu le mieux, mais sans y avoir suffisamment insisté à notre avis, et sans avoir analysé la technique qui l'a rendu possible, sont d'une part R. N. Coe et H. W. Wardman, dans les articles cités sur *La Chartreuse* et d'autre part, R. M. Adams, *Stendhal, notes on a novelist,* New York, Minerva Press, 1968.

[102] cf. R. Rheault, « Inadvertances et imprécisions dans « La Chartreuse de Parme », *Stendhal Club,* n° 73, 15 oct. 1976, p. 15-61.

mieux ces choses qui sont capitales justement parce qu'elles affleurent à peine entre les mots.

Il y a d'autres risques d'ailleurs que ceux de la subjectivité que nous n'avons pu, ni voulu éviter, aucune étude ne pouvant tout faire. L'analyse habituelle de ce roman souligne avant tout la confrontation entre les « *happy few* » et leurs ennemis. Or, puisque cette analyse nous semble déformer l'œuvre en confondant trop les vies des protagonistes, nous avons cru bon d'axer notre analyse sur une comparaison entre Gina, Mosca et Fabrice qui nous semble mieux dégager les lignes de force du roman. Cette décision est certes criticable, dans la mesure où elle nous oblige à sacrifier un peu l'étude de certains personnages secondaires. Clélia surtout figurera nécessairement dans cette lecture avant tout pour ce qu'elle peut représenter sur le chemin qui mène Fabrice à sa chartreuse. Pourtant, il nous semble qu'il n'y a pas là, après tout, un très grand mal, puisqu'on a déjà su élaborer au sujet de ces personnages des appréciations bien plus décisives que sur le sens profond du roman. A supposer que nous ayons parlé plus longuement de Clélia ou de Ludovic, nous ne croyons pas que le lecteur serait mieux renseigné sur la dynamique qui gouverne en profondeur le récit et qui engendre les détails incidents de l'histoire. Il complètera facilement lui-même à leur égard les perspectives que nous suggèrent nos trois protagonistes.

CHAPITRE II

Le jeu du texte

I. LE JEU DES MOTS

S'il faut se garder de confondre la *Chartreuse* avec les autres romans de Stendhal, c'est sans doute, d'abord, à cause d'une certaine qualité de ton qui trahit ce qu'il y a en lui de plus essentiel, mais qui demeure malaisément définissable. Car s'agirait-il surtout, comme le pensait Jean Prévost, d'un « parfait naturel » que Stendhal aurait enfin atteint, naturel qui permettrait au lecteur de se sentir d'autant plus complice qu'il aurait l'impression de n'avoir « aucun effort à faire » [1] ? Cette aisance est en effet indubitable et constitue une partie importante de ce que le texte cherche à nous communiquer. Mais les difficultés s'accumulent dès que nous nous demandons de quoi, précisément, le roman voudrait nous rendre complices et ce que veut dire une franchise si charmante qui, pour parler même des paradoxes les plus troublants, n'abandonne guère le ton du bonheur naïf. On pourrait dire que cette facilité de lecture est au demeurant plus apparente que réelle, qu'elle est tout autant piège que charme souverain. L'apparence de naturel n'explique au fond pas l'énigme ; elle n'aboutit au contraire qu'à la faire mieux ressortir, et notre première tâche sera d'expliquer comment tant de limpidité finit par cacher l'auteur. Sur le plan esthétique comme sur le plan moral, il semble que réconcilier la liberté avec l'ordre a exigé de Stendhal une modification subtile de ses stratégies et une attention accrue aux conditions du jeu littéraire.

Cette qualité particulière de *La Chartreuse de Parme* est indiquée par la manière dont ses thèmes évoluent, et nous commencerons notre analyse du texte en scrutant de près l'agencement de quelques-uns d'entre-eux. Nous arrêtera tout d'abord cette série fondamentale d'images connexes qui scande le récit entier de la *Chartreuse*, celle qui rappelle sans cesse devant nos yeux l'opposition du jour et de la nuit, de la blancheur et de la noirceur, de la lumière et de l'obscurité, celle qui joue aussi constamment sur les voyances nocturnes et diurnes. Ces images nous intéresseront d'autant plus que Gilbert Durand en a vu l'importance mythique, tout en réduisant leur portée à une significa-

[1] *La création chez Stendhal*, Mercure de France, 1959, p. 351. Certaines pages de ce chapitre ont déjà paru dans *Stendhal-Balzac, Actes du XIe Congrès International Stendhalien,* Presses Universitaires de Grenoble, 1978, p. 189-197.

tion trop schématique [2]. Justement, il nous semble essentiel d'accorder plus d'attention à la manière dont elles fonctionnent dans le texte et de rétablir les dimensions ironiques et ludiques que les analyses de Durand ont quelque peu occultées. Nous verrons que par la souplesse de son jeu littéraire, Stendhal renouvelle avec génie le potentiel expressif de ces images rebattues. Il le fera, en n'attachant à aucune d'elles une seule signification stable et restreinte ; il laissera plutôt ce réseau d'images s'adapter selon les besoins du récit. Par leur apparition assez irrégulière dans des contextes extrêmement variés, elles s'enrichissent d'une association abondante d'idées, susceptible d'étayer dans les scènes-clefs de subtils rajustements et revirements de sens. Chaque image se charge de valeurs paradoxales au point de pouvoir suggérer, par son seul retour, toutes ces tensions primordiales de la vie que l'analyse peut à peine résumer.

Ce réseau d'images est malheureusement trop riche pour être suivi tout au long du roman ; contentons-nous de l'examiner en détail jusqu'au retour de Fabrice à Grianta après ses premières expériences à Parme, quitte à indiquer dans les pages ultérieures quelques réapparitions particulièrement importantes.

Le premier titre abandonné du roman, *La Chartreuse Noire,* suggérait déjà un contraste entre la blancheur et l'obscurité. Et lorsqu'au début Napoléon entre dans Milan, les Lombards, « peuple endormi » (25), sortiront de la nuit : « On était plongé dans une nuit profonde par la continuation du despotisme jaloux de Charles-Quint et de Philippe II ; on renversa leurs statues, et tout à coup l'on se trouva inondé de lumière » (26). Tout au long du début, cette nuit est ainsi assimilée à l'esclavage, au despotisme, à l'ignorance, à la superstition, au mensonge, au manque de passion et de courage, à la vieillesse. La lumière devient par contrecoup le symbole de la jeunesse, du renouvellement, de l'aventure, de l'héroïsme patriotique, de l'amour et de la beauté — bref, des valeurs les plus émotives. Mais voici que s'opère un élargissement de sens, et qui sera pour le roman de la plus grande portée : l'ignorance entretenue par le clergé à Milan est opposée à la lumière de « *l'Encyclopédie* et Voltaire [qui] éclataient en France » (26). Aux valeurs émotives du jour s'ajoutent ainsi les valeurs rationnelles du siècle des Lumières dans ce qui est effectivement un Age d'Or trop bref où une alliance entre toutes les valeurs s'effectue dans la lumière. Une telle union ne peut cependant guère durer. Avec les *tredici mesi* revient la nuit, et la mère de Fabrice « ne quitta pas le noir » (33). Puis lorsque Napoléon reconquiert la ville, le bonheur ne sera plus le même, car dans cette nuit intermédiaire les Milanais ont appris la haine. Ce retour n'est donc plus illuminé par le soleil ; son symbole est plutôt la pâleur des déportés revenus des bouches de Cattaro, lumière affaiblie, chez eux comme chez tous les Milanais, par la connaissance renouvelée de la nuit du despotisme [3].

[2] G. Durand, *op. cit.*, p. 44, 84-7, 222-8.

[3] 33. La pâleur de Fabrice dans la nuit de son désespoir rependra ce motif (486).

Cependant, sans jamais les oublier, Stendhal ne maintiendra pas en permanence ces premières associations du jour et de la nuit. L'épigraphe en tête du deuxième chapitre nous avertit d'une transformation radicale à venir dans la valeur accordée à la nuit, laquelle deviendra prochainement source de lumières mystiques et de vérités surnaturelles, ce qui ouvre la voie à la nuit comme source et protectrice des valeurs amoureuses (38) :

> ... Alors que Vesper vient embrunir nos yeux
> Tout épris d'avenir, je contemple les cieux,
> En qui Dieu nous escrit, par notes non obscures,
> Les sorts et les destins de toutes créatures.

Ce revirement paradoxal est souligné par la première phrase du chapitre, qui ramène l'association initiale entre le jour et les vérités de la raison : « Le marquis professait une haine vigoureuse pour les lumières ». Suit l'introduction à Blanès, dont les études nocturnes des étoiles sont littéralement des études d'une lumière secrétée par la nuit. La nuit revalorisée est ainsi devenue une source de vérités magiques, antérieures en quelque sorte aux sciences expérimentales du siècle des Lumières, que le bon abbé ignore à peu près[4]. Le texte ne tardera d'ailleurs pas à exploiter dans un sens tout autre cette revalorisation de la nuit. Nous sont présentées les aventures de Fabrice avec ses camarades sur le lac « quand la nuit était bien noire » (39). Cette complicité entre la nuit et l'aventure, que le lecteur rencontre pour la première fois, sera constamment exploitée tout au long du roman[5] ; ici, un rapport est génialement suggéré entre les entreprises nocturnes de Fabrice en tant que quêtes de choses désirables et cachées (les poissons pris en bas aux lignes) et la quête nocturne que poursuit Blanès de connaissances mystérieuses[6]. La délicatesse du rapprochement est d'autant plus admirable que l'association des jeux enfantins de Fabrice avec la science astrologique se trouvera avoir d'autres significations extrêmement importantes pour le sens du roman[7].

En compagnie de Blanès et de ses camarades, Fabrice a donc très tôt également fait l'expérience d'une nuit protectrice des amitiés heureuses. Cet aspect de la nuit est rappelé un peu plus loin par les séances astrologiques du petit clan de Grianta (47, 95-6), et elle s'enrichira peu à peu d'une dimension amoureuse à travers l'emprisonnement de Fabrice près de Waterloo (53-4), son séjour auprès d'Aniken à Zonders (91-2), les visites de Mosca à la Scala (115), avant d'aboutir à sa liaison nocturne avec Clélia. En attendant, la souplesse de Stendhal dans le maniement de ces images est de nouveau soulignée par un retour discret à l'aurore héroïque du début, quand Fabrice annonce son départ pour la France « à six heures du matin » (48), revirement de sens accompagné presque aussitôt par un retour au contraste avec la nuit de l'esclavage, de l'ennui et de la vieillesse : « Ne trouves-tu pas que

---

[4] Nous reviendrons sur les distinctions assez particulières qui permettent à Stendhal de classer l'astrologie avec certaines sciences ; cf. *infra* p. 61.
[5] cf. 47, 50, 73, 166, 208-9, 237-8, 381.
[6] cf. aussi, Durand, *op. cit.* p. 53 n.
[7] cf. *infra* p. 83-84.

ces vieux murs noircis, symboles maintenant et autrefois moyens du despotisme, sont une véritable image du triste hiver ? Ils sont pour moi ce que l'hiver est pour mon arbre » (50). C'est à peu près la dernière fois que nous verrons une aurore héroïque, puisque désormais l'Age d'Or s'éloignera dans le passé [8]. Tout au contraire du début, le jour de la raison ne donnera qu'une lumière de plus en plus triste, tandis que le bonheur et la folie trouveront dans la nuit la sécurité et l'illumination qu'il leur faut. Tout en constatant cette tendance et sa justesse par rapport à l'évolution du roman, gardons-nous cependant de trop schématiser. La raison de Mosca appartient au jour, et elle restera de poids, même en face des illuminations de la nuit.

Faut-il commenter en aussi grand détail tout l'épisode de Waterloo ? Nous en avons déjà assez dit sur l'oscillation entre différentes valeurs que le texte produit autour de ces images, quitte à remarquer que Stendhal ne se croit nullement tenu d'avoir incessamment recours au jeu, ni de l'utiliser toujours dans les mêmes perspectives ou par rapport au même registre de faits. Il ne se privera ainsi pas de souligner la déconfiture morale de Fabrice à Waterloo en le faisant finir par combattre des Français auprès de l'auberge du Cheval Blanc sur un cheval noir qu'il a volé (83-4), tout comme il nous donnera plus tard les propos des Parmesans sur la « nuit blanche » que passe souvent le prince au château à craindre « quelque nouvelle conspiration des plus noires » (113-114). Par ces détails et d'autres [9], Stendhal entretient autour de ces images un climat constamment instable de paradoxe, et maintient « en jeu » une muliplicité de sens. Vérifions-le pour terminer cette analyse — en nous arrêtant aux seuls jeux de lumière — sur le retour de Fabrice à Grianta.

Les premiers pas de ce rite de passage entre l'adolescence et la maturité se font, comme il se doit, de nuit, et la prise de conscience initiale de Fabrice est suivie par une aurore qui est la beauté même (166). Ses méditations seront interrompues lorsque surgit devant lui le château de son père, et l'importance de cette confrontation est soulignée par l'image de l'édifice « noirci par le temps » (169), avec tout ce que cette couleur suggère déjà au lecteur. Bientôt la lanterne allumée dans le clocher de Grianta lui annonce la présence de son ami le mage qui tire ses connaissances de la nuit : symbole mystique de la « lumière nocturne » que font valoir les détails donnés par Stendhal sur l'éclairage spécial qu'exigent les études de l'abbé (170). Mais aussitôt, Stendhal fait encore dévier ces images vers un autre sens connexe mais distinct. Blanès annonce la fin prochaine de sa vie « comme la petite lampe quand l'huile vient à manquer » (171), fin dont Fabrice lui-même au terme de sa vie repassera les étapes essentielles [10]. La nuit est maintenant devenue image de la mort, et la lumière peut-être symbole de l'innocence morale, puisqu'à la petite flamme qu'est désormais la vie sans

[8] A l'exception peut-être du jour qui se lève sur Gina se préparant à lutter pour la libération de Fabrice (283).

[9] Voir Gina et Mosca cherchant à tout prix à cacher leurs passions et leurs jalousies dans l'obscurité (115-6, 153, 163), et d'autre part, la noirceur de la vieillesse pour les âmes jeunes (145, 153).

[10] En choisissant comme Blanès la solitude et le silence ; cf. *infra* p. 201.

tache de Blanès répond la fin de Fabrice « vêtu de blanc » que le bon abbé lui prédit (172). Bien plus, pendant toute cette visite Fabrice ne pourra voir son ami « *de jour* » (173), comme après cette réunion il ne le reverra plus. Avant le jour, pendant cette nuit seule, Blanès peut lui transmettre des messages essentiels, la nuit en tant qu'image de la mort venant renforcer ainsi le caractère initiatique de cette obscurité (171) : « Il est en mon pouvoir de te dire plusieurs choses avant que la nuit soit tout à fait remplacée par le jour ». Les idées de la mort et de la noirceur morale de son père ayant été reprises en sourdine (173), la nuit initiatique est aussitôt suivie d'une journée que Fabrice doit passer seul en méditation silencieuse, « comme si déjà il fût arrivé à sa dernière limite » (175), tandis qu'entre les maisons du village « blanchies » pour la fête religieuse, défilent les jeunes filles « vêtues de blanc » (176, 174). Au retour de la nuit, Fabrice et Blanès devront se quitter.

Si l'on considère les transformations successives opérées par Stendhal dans les connotations de ces images, depuis la réunion impossible au début du roman de toutes les valeurs dans la lumière jusqu'aux paradoxes accumulés désormais autour de la nuit, de la noirceur et de la lumière nocturne, la virtuosité de son jeu est saisissante. Et plus tard, ce courant d'images se prêtera à d'autres variations des thèmes. Le goût de Fabrice pour la nuit mystique, son refus progressivement plus décidé de l'illumination théâtrale que nous verrons Gina rechercher [11], pourront être suggérés par la violence imprévue que provoque chez lui le cortège à flambeaux qu'on lui impose dans l'épisode de la Fausta [12], par le « petit habit noir et râpé de simple prêtre » qu'il portera à l'heure de sa gloire ecclésiastique (457), par son abandon immédiat, une fois Clélia retrouvée, des sermons prêchés aux lumières en faveur de la « lumière nocturne » du mysticisme amoureux (474-5, 487). Après son arrestation, Clélia résumera involontairement ce trait en supposant à tort Fabrice malheureux, « seul dans sa chambre et en tête à tête avec sa petite lampe », loin des lumières éclatantes du bal, reflet dérisoire et sinistre des fêtes heureuses de Milan, où Gina brille au moment d'apprendre la nouvelle : « Clélia jetait des regards d'horreur sur la magnifique illumination des salons du ministre de l'intérieur » (274).

Par anticipation et par rappel, le retour de ces images contribue ainsi à l'agencement d'un récit complexe dont on a souvent remarqué le caractère assez imprévisible. A première vue, une telle technique paraît tout à fait conventionnelle, semblable à ce qu'on observe, par exemple, dans le retour constant de murs et d'échelles dans un roman comme *Le Rouge et le Noir*. Une nuance particulière semble pourtant distinguer son utilisation dans la *Chartreuse*. D'abord nous avons montré que nous n'avons pas affaire ici à quelque système linéaire de significations stables, même si plusieurs de ces connotations paradoxales tournent autour de la nature problématique de la raison et de la vérité. C'est pourquoi, malgré les alluvions des significations antérieures

[11] cf. *infra* p. 106, 177-178.

[12] 239 : « *Tue ! tue tout ce qui porte des torches* ! »

qu'elles apportent, en surgissant sur une page ces images ne laissent pas prévoir leur fonction et leur valeur dans une scène donnée, et c'est pourquoi elles gardent une disponibilité exceptionnelle à se prêter à tout développement nouveau de l'action. Ces images ne sont donc plus des supports redondants de sens comme il arrive si souvent dans les romans plus réalistes ; les différentes suggestions qu'elles véhiculent et les rapprochements paradoxaux qu'elles effectuent entre elles sont tous essentiels pour la compréhension du texte. Des paradoxes si innombrables s'accumulent et s'attachent discrètement à ces images qu'elles semblent acquérir une force indépendante et devenir capables d'engendrer presque à elles seules une conclusion au roman à la fois mystérieuse et satisfaisante, conclusion qui ne se laisse pas réduire aux dilemmes de quelque « complexe spectaculaire » ou au conflit éternel entre la jeunesse et la vieillesse [13]. Car en effet, que se passe-t-il, au fond, lorsqu'à la fin Fabrice essaie tragiquement d'avoir à lui le fils né de son amour nocturne avec Clélia ? Essentiellement, par suite d'un désir néfaste d'en finir avec tous les paradoxes de la vie, l'irruption tragique de la lumière du jour dans une nuit mystérieusement illuminée par l'amour. Et d'où provient d'ailleurs toute cette situation si contradictoire que Fabrice n'arrive plus à supporter ? Au fond, de l'interprétation ludique que Clélia a donnée à son vœu de ne plus jamais revoir Fabrice, interprétation qui joue de nouveau sur la dialectique des voyances nocturnes et diurnes qui est également enracinée dans ce réseau d'images. Ce sont donc bien ces images qui ont aidé à engendrer cette fin, et c'est intentionnellement que nous disons engendrer, car ce qui distingue leur utilisation dans la *Chartreuse*, c'est qu'elles laissent entrevoir un jeu littéraire où l'auteur consent désormais sans complexe à ce que les mots d'une page engendrent ceux de la prochaine, mots qu'il adaptera par la suite selon les besoins du récit. C'est cette attitude consentante envers ce qui est sans doute une condition fondamentale de tout travail littéraire, qui a permis à Stendhal d'exécuter ces variations de virtuose tout le long de son roman.

Nous retrouverons cette attitude de Stendhal dans son maniement de plusieurs thèmes qu'il nous faudra examiner plus loin, tels l'eau et les bateaux, les chevaux et les arbres [14]. Vérifions cela toutefois ici sur deux motifs de moindre importance, ceux des cordes et des séquences numériques. Le dispositif curieux qui permet à Blanès d'ouvrir au moyen d'une corde la porte de son clocher paraît assurément un détail adventice du rite de passage de Fabrice à Grianta (170) jusqu'à ce qu'on observe que les cordes et les fils se multiplient au cours du roman. Ainsi dans la scène de pêche nocturne sur le lac que nous avons déjà évoquée (39), ainsi à la tour Farnèse où ce sont ces cordes qui servent à mettre les abat-jour en place (319), où des « fils dorés » retiennent les oiseaux de Clélia (313), où une corde permettra à celle-ci de nourrir Fabrice (333) et rendra finalement possible son évasion (351). Stendhal n'aura pas tort d'écrire que dans la citadelle la vie de Fabrice semble « ne tenir qu'à un fil » (325) et le lecteur ne s'étonne plus d'entendre Ferrante dire qu'il est lui-même « sûr de finir par la corde » (365). A

---

[13] cf. Durand, *op. cit.*, p. 222-8, et F.W.J. Hemmings, *Stendhal*, p. 200-203.
[14] cf. *infra* p. 72-74, 168-169.

considérer les épisodes de Grianta et de la citadelle, épisodes qui ont tous les deux un côté mystique, force nous est de reconnaître alors que Stendhal a d'instinct su retrouver les rapports symboliques qui associent depuis toujours les cordes et les fils aux rites initiatiques [15]. Mais aussi et surtout nous sommes obligés de reconnaître que son imagination a su exploiter successivement toutes les connotations diverses de ces mots, depuis les rapports qu'ils ont avec la défaite et la captivité, avec le danger et l'aventure, jusqu'aux rapports qu'ils ont également avec les idées de dépendance ombilicale, avec les espoirs de libération, autant spirituelle que physique. Plus précisément, Stendhal en composant a gardé l'image de cordes disponible, pour y faire appel selon les besoins du récit, l'invoquant tantôt pour une présentation plaisante de l'amant de Marietta en danseur de cordes (161), tantôt pour un symbole de la plus grande portée, comme lorsque dans un sonnet Ferrante imaginera « Fabrice se laissant glisser le long de la corde, et jugeant les divers incidents de sa vie » (397).

Comme les cordes, les séquences numériques dans la *Chartreuse* n'ont pas manqué d'attirer l'attention des critiques [16]. En effet, dans certains endroits du récit, l'insistance de Stendhal sur certains nombres, qu'il s'agisse de la prophétie « des treize » (34, 38, 40) ou du nombre de marches dans l'escalier de la citadelle [17], fait peut-être inévitablement penser à quelque système ésotérique. Comment s'y refuser après tout, lorsque c'est Blanès seul qui sait interpréter la prophétie, lorsque par la suite ce sont les numéros 3 et 7 que Stendhal ne cesse de multiplier et de combiner pour l'apparition de l'aigle napoléonien [18], pour les séjours divers de Fabrice en prison [19], pour sa pénitence à Saint-Pétrone [20], pour la durée de son bonheur avec Clélia [21] ? Une lecture attentive nous montre cependant qu'une telle conclusion méconnaîtrait de nouveau la manière dont Stendhal aborde le roman. En fait, dans les premiers chapitres la prophétie « des treize » se prête à des fonctions multiples. Elle présage la fin de l'Age d'Or napoléonien ; elle souligne le rapport dangereux qui existe entre la superstition et les mentalités réactionnaires ; plus indirectement, elle suggère aussi que les signes les plus simples de l'Histoire, telle la retraite des Français en 1813, sont loin de secréter eux-mêmes leur sens [22]. Et il est évident que l'imagination de Stendhal (qu'intéressaient depuis longtemps les treize mois de réaction [23]), pressentant le besoin de motifs superstitieux, s'est attachée à l'écho entre 1813 et ces treize mois, pour

[15] Voir Mircea Eliade, *The Two and the One,* New-York, Harper Torchbooks, 1969, p. 165-7, 169. Voir aussi Durand, *op. cit.*, p. 156-8.

[16] Durand, *op. cit.*, p. 87 n.

[17] De 380 marches (271) ou de 390 marches (280), l'escalier est « dit *des trois cents marches* » (327). Remarquons qu'un prince y passa jadis 17 ans, que les prisons sont à 30 pieds de la plate-forme, qu'il y a trois portes de fer dans le corridor qui mène à la cellule de Fabrice (309).

[18] Fabrice voit l'aigle passer à « six heures moins sept minutes » (49).

[19] 33 jours à Waterloo (53), 9 mois à la tour Farnèse (362).

[20] Après avoir récité les sept psaumes de la pénitence, Fabrice trouve sept cierges allumés devant la madone de Cimabué (213).

[21] trois ans (488).

[22] cf. *infra* p. 60, 61-62.

[23] *VDR*. t. 2 p. 89 n.

ne cesser ensuite d'utiliser spontanément des variations sur ces premiers signes numériques selon les nécessités de chaque nouvelle page (les connotations magiques du sept expliquent sans doute l'adjonction de ce numéro). La série de notations numériques le montre bien, à la suivre sans aucun égard aux contextes. Les *tredici mesi* (32) amènent la prophétie « des treize » (34, 38, 40) ; puis Fabrice voit son aigle passer à « six heures moins sept minutes » (49). Ce début est suivi par les 33 jours de prison à Waterloo (53), par la naissance de Clélia en 1803 (100), par les 3 ans que Fabrice passera à Naples (136), par les 13 semaines de pénitence de Landriani (149) ; ensuite il y a retour aux combinaisons de sept et de trois pour l'initiation de Fabrice à Grianta (173), pour l'action de grâce qu'il fait à Bologne et pour son séjour à la tour Farnèse [24].

L'attitude de Stendhal envers l'attraction de mots qui guide ainsi les caprices de son imagination est si consentante dans la *Chartreuse* qu'il finit par nous avouer comment ses mots et ses images s'engendrent. Il l'avoue implicitement, en se permettant plus de jeux de mots qu'il ne l'a jamais fait ; il l'avoue vers la fin explicitement, en précisant la portée morale de ce jeu. Le lecteur aura-t-il remarqué déjà que dans l'oscillation incessante et paradoxale entre différentes valeurs ces images acquièrent une ambiguité telle que dans une page donnée le lecteur ne sait plus très bien si ce sont des jeux de mots qu'il faut chercher ? Parmi les exemples cités on peut le constater déjà lorsque Stendhal écrit que dans la citadelle la vie de Fabrice ne tient « qu'à un fil » (325). Il y en a bien d'autres et nous ne prétendons pas rendre compte de tous. La sagesse mystique et primitive que Blanès, tout « inéclairé » qu'il est, tire de la nuit, établi en haut de son clocher, provoque sur-le-champ un jeu de mots qui laisse pressentir les rapports si importants que le roman établira entre cette sagesse et la hauteur (39) : « Le marquis del Dongo le méprisait tout simplement, parce qu'il raisonnait trop pour un homme de si bas étage ». Les chevaux de Fabrice, qu'il nous faudra étudier plus tard [25], pousseront de même Mosca à jouer plaisamment sur ses souvenirs de Don Quichotte et de Rossinante en appelant l'escapade de Fabrice à Grianta « cette espèce de course au clocher que vous venez de faire avec ce cheval maigre » [26]. Ludovic aussi, mais Fabrice surtout, se montrent enclins à ce genre de caprice verbal [27]. En songeant au Spielberg celui-ci jouera sur deux idées de la douleur en se disant, « l'on m'attachera à chaque jambe une chaîne pesant cent dix livres : et quelle douleur pour la duchesse ! » [28]. Aux paroles d'un douanier soupçonneux annonçant qu'il

---

[24] cf. *supra*, les notes (17) et (20).

[25] cf. *infra* p. 168-169.

[26] 185. S'il y a évidemment d'abord dans cette phrase l'idée du retour à la terre natale, nous pouvons être sûrs que ce cheval maigre rappelle délibérément Rossinante, puisque Mosca prononce la phrase juste avant de parler de Don Quichotte (186), et puisque l'influence de Cervantès sur la *Chartreuse* se fait particulièrement sentir dans ces épisodes du roman. cf. *infra* p. 213-215.

[27] Ludovic menace un chirurgien qui refuse de croire que Fabrice se soit blessé « en tombant d'une échelle » de « tomber sur lui précisément avec un couteau ouvert à la main » (209).

[28] 176. Le point d'exclamation souligne l'intention ludique.

« s'élève une difficulté », Fabrice répondra à part soi qu' « il va s'élever ma fuite » (201). Il n'y aura donc rien d'inattendu à ce qu'il éclate de rire parce qu'après le combat sanglant à Sanguigna on voudrait lui appliquer des sangsues (196), ou à ce qu'il compose pour la Fausta un sonnet jouant sur ses faux cheveux rouges et sur les flammes qui brûlent pour elle dans son cœur (229). Parfois c'est un vrai calembour qui éclate, comme lorsque dans le mouvement de folie que lui donne la perspective d'accomplir sa vengeance, Gina s'écrie à Ludovic que « La promenade devant la citadelle eût été remplie de monde si l'on eût coupé le cou à Fabrice... Tout le monde l'appelle *le grand coupable* »[29]. Parfois, c'est sans doute involontairement que surgit un double-entendre, comme lorsque Mosca réfléchit qu'en se retirant à Naples, « Fabrice et moi nous aurons un cheval de selle à nous deux » (295). Cette fois l'auteur s'est proposé après coup d'ôter l'équivoque, mais on voit que les paradoxes suscités par l'attraction de mots produisent une ambiance incertaine qui ne nous laisse pas toujours décider si c'est délibérément ou non que tel effet ludique surgit. C'est ce qui arrive dans les pages suivant l'arrestation de Fabrice, où nous avons vu Clélia réfléchir sur le contraste tragique entre la situation du prisonnier « en tête à tête avec sa petite lampe » et les lumières de la fête donnée chez le comte Zurla (274). Accablée par cette idée, son imagination ne peut plus lâcher l'image (275), si bien que lorsqu'elle finit par se dire du mur de la tour Farnèse, « Combien il va m'être odieux encore maintenant que je connais l'une des personnes qu'il cache à la lumière ! » (277), le lecteur hésite. Faut-il n'y voir que l'image rebattue ? N'y faut-il pas saisir aussi une allusion paradoxale à l'illumination mystique que recevra quand même Fabrice dans la nuit de sa prison, tout caché qu'il est de la lumière diurne de la liberté et encore de ces lumières de fête qu'aime tant Gina ? Ce ne serait là tout au plus qu'un paradoxe, mais on voit que tant de connotations diverses se pressent dorénavant autour de ces images que les jeux de mots authentiques ne sont pas loin. Peut-on s'étonner alors que Stendhal joue plaisamment sur le caractère « funeste » que prendra aux yeux d'un amant jaloux Fabrice habillé en noir apparaissant derrière un tombeau (234), et qu'ailleurs l'auteur établisse un contraste implicite entre la voyance nocturne de Blanès et la « nuit blanche » que le prince passe souvent au château à craindre « quelque nouvelle conspiration des plus noires » (113-4) ? En général Stendhal n'a jamais si volontiers consenti à ce que la liberté du jeu verbal se prêtât constamment à des jeux de mots, et il est tout à fait dans la logique de ce jeu que la fin du roman soit déclenchée par l'interprétation ludique que Clélia donne à son vœu[30].

Le rapport est clair entre cette multiplication des jeux de mots dans la *Chartreuse* et l'évolution ludique des images que nous avons décrite. Car c'est grâce à une coïncidence de son ou d'orthographe provoquant

[29] 389. C'est Stendhal qui souligne.
[30] Ce vœu de ne plus jamais revoir Fabrice jette rétrospectivement une lumière assez ironique sur les vers qu'elle vient de se réciter (464) :
« Non, vous ne me verrez jamais changer,
Beaux yeux qui m'avez appris à aimer. »

le heurt fortuit de deux significations disparates que les calembours et les jeux de mots se produisent. Et si Ricardou a pu signaler — après William Empson — le caractère créateur de ces aiguillages du discours, c'est parce que ces coïncidences fructueuses du langage montrent de la façon la plus explicite l'aptitude des mots à engendrer spontanément d'autres mots et d'autres significations dans l'évolution d'un discours [31]. Or Stendhal sait parfaitement ce qu'il fait en consentant à ce jeu, et aux jeux de mots qui en sont l'indice le plus frappant. Nous allons voir que nul autre de ses romans ne manifeste une prise de conscience aussi systématique de sa propre existence linguistique. Tout se passe comme si l'artiste virtuose voulait partager avec nous la satisfaction détendue et ludique qu'il tire de son acte verbal. L'apparition vers la fin du roman d'un personnage qui se signale par son goût des calembours est ainsi le résultat spontané mais logique de cette conscience dans le jeu. A propos des dangers de l'empoisonnement, Mosca nous apprend tout à coup qu'il a « fait venir un cuisinier français, qui est le plus gai des hommes, et qui fait des calembours ; or, le calembour est incompatible avec l'assassinat » (430). Mais qui est au fond ce Français, dont le métier le rend encore par jeu de mots aussi épicurien que Mosca [32], mais dont le langage bouffon le distingue cependant de tous ces Italiens dont les actions meurtrières risquent de faire mal comprendre la portée morale du roman ? Mais nul autre que notre auteur lui-même qui se grise de son jeu littéraire, notre auteur qui reste si français malgré son air de boucher italien.

Si l'apparition de ce personnage met tout le jeu de son texte en évidence, il est cependant également manifeste que ce jeu a un sens précis pour Stendhal. Car il est revenu quelques pages plus tard sur cette incompatibilité du calembour avec l'assassinat (439), et c'est en fait une des clefs les plus précieuses de son attitude morale envers le roman dans son ensemble. Pour l'apprécier, il nous faudra toutefois jeter rapidement un coup d'œil rétrospectif sur son goût persistant pour les jeux de mots, avant de revenir à son cuisinier pacifique.

Il les avait en effet toujours aimées, ces gentillesses parfois vertigineuses du langage, et dans sa jeunesse ce goût fut suffisamment naïf pour choquer André Gide lorsque celui-ci lisait le *Journal* [33]. Dans la *Vie de Henry Brulard,* ce n'est pas sans nostalgie qu'il s'est souvenu de la force de cette tentation, rappelée en vrac avec le patois de Grenoble. Malgré les apparences, lui aussi a connu la tentation d'un langage plus riche, comme le montrent encore, peut-être, ses emprunts baroques à

---

[31] J. Ricardou, *Problèmes du nouveau roman,* Editions du Seuil, 1967, p. 13-14, 48. William Empson, *Seven Types of Ambiguity,* Londres, Chatto et Windus, 1963, chapitre 3.

Jusqu'à tout récemment, il n'y avait aucun essai satisfaisant de classification qui arrivait à distinguer suffisamment les calembours des autres jeux de mots, et nous n'essaierons pas de le faire ici. A l'avenir, il faudra sans doute adopter les définitions parfois nouvelles qui viennent d'être proposées par Patrick Hughes et Paul Hammond dans leur étude, *Upon the Pun,* Londres, W. H. Allen, 1978.

[32] Sur Mosca épicurien et hédoniste, voir *infra* p. 149-150.

[33] Voir R.N. Coe, « André Walter lecteur de Stendhal », *Stendhal Club,* n° 53, 15 oct. 1971, p. 70.

l'italien et à l'anglais. D'une part, il se rappelle donc dans son autobiographie la découverte de ce qui était pour un écolier l'esprit, et le début de ses longs efforts un peu trop voulus pour se le donner [34]. Par la suite, le goût lui est resté en s'affinant, mais tendra avec la maturité à écarter les vrais calembours au profit de jeux de mots moins fracassants [35].

Cependant, il y a plus. Car l'intérêt, même pour l'enfant, de ces coïncidences énigmatiques est aussi qu'elle lui laissent entrevoir dans le carcan du langage enseigné par ses maîtres, d'autres voies et d'autres possibilités. On rit à une libération si inespérée, comme l'a signalé Freud, et comme en témoignent tous les écoliers en déformant comme Henri les noms des pédants qu'on leur inflige. En reconsidérant cette enfance et sa situation si difficile, Stendhal a eu parfaitement raison de rapprocher ses grimaces verbales et ses grimaces physiques [36], et de faire sien l'admirable calembour révolutionnaire qu'il a inventé ou cru entendre lancé par une pauvresse grenobloise, « Je me révorte ! Je me révorte ! » [37]. Un tel cri rappelle irrésistiblement la façon brillante dont il a su résumer tout un côté de *Lucien Leuwen* — la résistance intime de Lucien même à ce meilleur des pères, lequel tient aussi un peu de Dieu — en faisant s'exclamer le jeune héros, « Ici je serai (...) tout à fait à l'abri de la sollicitude paternelle, maternelle, sempiternelle ! » [38]. Psychologiquement, une des qualités essentielles de ces aiguillages du discours est donc pour Stendhal de lui permettre de s'échapper de, ou tout au moins prendre ses distances envers, quelque situation difficile. Il l'a assurément reconnu, car nous avons vu que dans la *Chartreuse,* c'est surtout devant l'idée d'un danger que ce Fabrice si admirablement léger a recours aux jeux de mots. Moyens d'assurer son équilibre dans une situation troublante en se montrant supérieur, les jeux de mots aident parfois également Stendhal à se déguiser et à élaborer un code secret devant ses ennemis. On sait que c'est ce qu'il fait en jouant sur le nom de sa ville préférée, Milan, pour donner des noms secrets à Napoléon — soit qu'il profite de l'homonymie avec un oiseau rapace qui peut remplacer l'aigle de Napoléon, soit qu'il profite de l'homophonie avec Mille Ans [39]. La soif de la liberté et

[34] *VHB*, p. 89. cf. aussi, par exemple, *J,* p. 624, 693.

[35] Voir *RS*, p. 28, l'appréciation loufoque portée par un maître imprimeur sur les *caractères* de la tragédie que lui envoie un collègue aspirant à l'honneur des lettres. Voir aussi, *ibid.*, p. 194, où il ne veut voir dans la cour de Louis XIV qu'un jeu « de *pharaon* ».

[36] *VHB,* p. 45-6, 49-51.

[37] *VHB*, p. 49. On pourrait croire qu'il ne s'agit là que d'une transcription phonétique, si Stendhal n'avait pas auparavant noté l'expression en marge de la scène décrivant l'enterrement de sa mère (p. 35). Et cela sans l'attribuer expressément à la pauvresse grenobloise, laissant ainsi flotter une ambiguïté fort instructive sur la véritable identité du *je* qui se *révorte* (révolte/avorte).

[38] *LL,* p. 1359. En faisant cette boutade, Stendhal se rappelait-il l'avoir lue chez Beaumarchais (*Le Barbier de Séville,* acte II, sc. XIV) ? N'importe, il en extrait toute la portée antireligieuse que Beaumarchais n'avait pas relevée, dans ce roman où Lucien a déjà dit à son père, « *Pater meus, transeat a me calix iste !* » (p. 1161).

[39] *J*, p. 1183 ; *Théâtre,* t. I, p. 242. Il y a aussi, bien sûr, le souvenir de la libération napoléonienne de Milan.

l'amour du masque, la violence des contradictions qu'il ressentait et son désir d'unité, poussaient ainsi Stendhal à se saisir des possibilités linguistiques qu'ouvrent les calembours et les jeux de mots.

Si Stendhal s'intéresse donc, et plus qu'il ne paraît d'abord, à ces ambiguïtés un peu louches du langage, c'est aussi parce qu'il est un intellectuel qui ne cesse de réfléchir sur son propre discours. Mais il se distingue évidemment des grands explorateurs du calembour créateur en ce qu'il a finalement refusé la tentation qu'offrent les jeux de mots de se griser des richesses lexicales. Devant le caractère arbitraire, conventionnel et inadéquat du « noir sur du blanc », sa tactique est autre [40]. Elle est autre par suite d'une volonté en dernière analyse politique de communiquer avec ses lecteurs malgré le néant des paroles, en faisant confiance à leur imagination. Mais elle est autre aussi, parce qu'à l'époque en France, les jeux de mots étaient depuis longtemps proscrits dans les genres sérieux, comme en témoigne Fontanier dans les *Figures du Discours* [41]. Stendhal le savait parfaitement [42], mais, ce qui nous intéresse plus spécialement ici, il était parfaitement conscient du caractère spécial de cette proscription dont souffraient les jeux de mots en France. Il savait surtout que les Anglais, depuis toujours amateurs forcenés de ces barbarismes, étaient bien plus libres à cet égard. Le trait l'a frappé, non seulement chez Shakespeare, mais également chez un ami comme Edouard Edwards, « mauvais sujet sur le pavé de Londres, travaillant pour les journaux, visant à faire quelque calembour célèbre » [43]. Ce qui, nous allons le voir, n'est pas sans rapport avec la liberté souriante et l'attitude compréhensive de la *Chartreuse.* Car si dans *Le Rouge et le Noir* les jeux de mots surgissent, on a l'impression que c'est vraiment un peu malgré l'auteur, tout à la gravité du drame qu'il nous présente [44], tandis que dans la *Chartreuse,* tout se passe comme si Stendhal avait finalement trouvé la forme et le ton qu'il cherchait depuis longtemps, où il pouvait enfin donner un cours plus libre à cet amour du jeu linguistique qu'il avait appris à tenir si sévèrement en bride, et qu'il admirait chez Shakespeare.

Ce qui nous ramène au cuisinier de Mosca qui est amateur de calembours et par conséquent incapable d'assassinat. Cette incompatibilité du calembour et de l'assassinat que Stendhal discerne, nous donne une indication essentielle sur la manière dont il envisage son roman, où se

---

[40] *C*, t. 2, p. 97-8.

[41] Ed. G. Genette, Flammarion, 1968, p. 347 : « Notre langue semble même les repousser comme à-peu-près indignes (...). Aussi n'en trouve-t-on presque point d'exemples dans nos bons écrivains. »

[42] *SE,* p. 1467.
PDR, p. 970.

[43] *SE,* p. 1437. Ailleurs il est revenu sur le plaisir qu'Edwards prenait à « faire de la gaieté » (*ibid.*, p. 1468).

[44] Voir, par exemple, *RN*, p. 401, le jeu sur « éteindre ». Cependant, il ne se prive pas de jouer, en veine d'humour noir, sur « l'amour de tête » de Mathilde, et choisit avec Boni/face un prénom en l'occurrence cocasse pour ce malheureux La Mole en faveur duquel une reine fit jadis preuve d'un si grand « amour de tête ». Car si l'attitude de Stendhal envers le jeu des mots est différente dans *Le Rouge et le Noir,* l'attraction des mots y joue forcément aussi un rôle restreint. cf. Y. Ansel, « Stendhal littéral », *Littérature,* mai 1978, p. 79-98.

multiplient calembours et assassinats. Nous avons vu que depuis son enfance, les jeux de mots ont été pour lui un moyen instinctif de prendre ses distances envers une situation difficile, ainsi qu'en témoignent encore ici les jeux de mots de Fabrice. Et dans la *Chartreuse,* se laisser aller à ces jeux correspond à son intention arrêtée de savoir, tout en restant sérieux et passionné, remettre parfois le sérieux et même les passions débridées à leur place, de garder quand même un jugement amusé et malicieux sur ces personnages qu'il aime. Attitude parfaitement illustrée par la perspective ironique qu'établit sur les amours de Clélia son interprétation cocasse d'un vœu fait à la Madone. Le jeu de mots est ainsi dans la *Chartreuse* la marque de cette vraie gaieté du cuisinier français, gaieté qui empêche l'esprit libre, soit d'être entièrement aveuglé par les passions, soit d'être étouffé dans le cercle vicieux des émotions haineuses et méprisantes que risquait toujours de provoquer, selon Stendhal, la vue de la laideur humaine et de l'injustice politique [45].

Pour conclure, ce rapport entre les jeux de mots et la vraie gaieté signale en outre les rapports entre le style de la *Chartreuse* et cette comédie aérienne que Stendhal admirait chez La Fontaine et chez Shakespeare, et qu'il a voulu différencier de la comédie de Molière [46] :

> Quelque chose d'aérien, de fantastique dans le comique, quelque chose qui donne des sensations analogues à celles que produit la musique. (...). Pour que ce genre de gaîté me plaise il ne faut pas que le bel esprit ivre songe à tous moments qu'il fait de jolies choses. (...). Je veux que l'auteur soit un homme heureux par une grande imagination qui s'amuse, qui soit dans un doux délire. (...). Alors ce genre de gaîté détaché de la terre et de ses soucis me semble un très bon genre (...). Cela s'avoisine au genre de plaisanterie de La Fontaine. Falstaff est tout à fait dans ce genre.

La comédie de Shakespeare et de La Fontaine — et on sait que Stendhal cite ce dernier dans la *Chartreuse* (425) — est l'apanage d'une riche imagination se grisant au jeu de ses propres caprices et tirant sa gaieté de sa jouissance de soi. Elle est ainsi plus libératrice et plus vraiment consolante que la comédie de Molière, laquelle est par contre satirique et par conséquent obsédée des autres, et risque toujours de ne soulever que l'indignation [47]. La gaieté shakespearienne des comédies est la vraie gaieté que Stendhal cherche dans la *Chartreuse,* et justement, il ne lui a pas échappé que l'Anglais Shakespeare, bien plus que Molière, s'est presque excessivement adonné aux jeux de mots ; constamment il préfère, selon Stendhal, « un jeu de mot gai, un calembour à la plus haute réflexion » [48]. Stendhal ne se voudrait pas autre dans la *Chartreuse,* qu'on pourrait utilement comparer avec des pièces comme *Peines d'Amour Perdues* et *Comme il vous plaira* [49]. Il y cherche un style où tout le jeu littéraire traduit en sourdine une morale sub-

---

[45] *CA,* t. 4, p. 366 ; *RS,* p. 107-108 ; *LL,* p. 1072, 1392.
[46] *JL,* t. 3, p. 24-5. Cf. aussi *HPI,* t. 2, p. 56 n-57 n ; *VHB,* p. 337.
[47] *Mélanges, I, Politique,* p. 230 ; *J,* p. 1186 ; *RS,* p. 32.
[48] *Le Rose et le Vert,* in *Romans et Nouvelles,* Cercle du Bibliophile, p. 322.
[49] cf. aussi, *infra* p. 218, sur Shakespeare et la *Chartreuse.*

tile et consolante qu'il faut se garder de confondre trop rapidement avec les passions des personnages.

Les rapports de la *Chartreuse* avec la comédie « gaie » est un sujet sur lequel nous aurons à revenir. Ce qu'il nous faut souligner dès maintenant, c'est qu'on se tromperait en voulant expliquer le caractère ludique du texte par le fait accessoire que Stendhal l'a en grande partie improvisé oralement, le dictant à son secrétaire. Car sur le plan linguistique, rien ne permet de distinguer absolument une littérature orale d'une littérature écrite, même pas la tendance, dans une littérature orale, à répéter des éléments fixes pour faciliter la mémorisation [50]. Et si une certaine répétition insistante se manifeste dans la *Chartreuse,* comme nous aurons à le constater, c'est en fait à d'autres poussées que ce trait doit être attribué [51] ; l'effet d'une communication orale que donne souvent la manière de Stendhal doit être rattaché plutôt à cette tradition littéraire, fort en évidence au dix-huitième siècle, qui cherche à donner un tour « parlé » aux textes [52]. Tout au plus pourrait-on admettre que l'improvisation orale ait pu contribuer à rendre Stendhal cette fois exceptionnellement conscient du rôle joué par l'attraction des mots dans l'engendrement de son récit. Mais nous serions plus enclins à penser que la *Chartreuse* doit surtout aux circonstances de sa composition le fait que Stendhal ait pu aller plus loin dans la prise de conscience de ses propres hantises. Ne nous a-t-il pas à peu près avoué que plus son improvisation était rapide, plus il faisait de découvertes sur soi, la rapidité seule lui permettant de saisir les révélations successives de sa conscience à ses moments de plus grande lucidité [53] ?

Cependant, si nous avons souligné jusqu'ici la liberté souriante avec laquelle Stendhal a exploité les suggestions verbales qui naissaient de son texte, il nous faudra maintenant faire ressortir la préoccupation accentuée avec les problèmes de l'ordre dont cette improvisation débridée s'est doublée. Car ce texte qui ne cesse de faire des retours sur lui-même ne manque pas de réfléchir sur l'art de l'improvisation et justement, c'est tout autant que les possibilités ouvertes par cette liberté, les restrictions qui rendent un tel art possible que la *Chartreuse* se charge de nous rappeler. En effet, le roman regorge d'exemples des arts italiens — *commedie dell'arte,* opéras et sonnets [54] Et cela est d'autant plus pertinent qu'à certains égards la *Chartreuse* cherche elle-même à se faire l'écho du goût italien, allant jusqu'à se présenter par moments comme un opéra ou comme une comédie *dell'*

---

50 J. Vansina, *Oral Tradition,* Londres, Routledge et Kegan Paul, 1965, p. 55.

51 cf. *infra* p. 75-85.

52 Comme l'observe G. Mouillaud, *op. cit.,* p. 29.

53 C'est ce que le contexte rend clair, par exemple, lorsqu'il écrit dans la *Vie de Henry Brulard* (p. 394) : « Tout ceci sont des découvertes que je fais en écrivant ». Dans la musique, Stendhal admirait précisément la rapidité qui permettait de conserver l'allure des émotions et des idées (*VDR,* t. 2, p. 84 n).

54 *commedie :* 418, 420-429.
sonnets : 229, 394, 397, 464.
opéras : 110, 149.

arte et jusqu'à introduire toujours plus de sonnets [55]. Or, en nous parlant des arts italiens, Stendhal nous parle d'arts improvisés, et qu'est-ce qu'il nous fait comprendre implicitement à leur sujet ? D'une part, comme toujours, que l'improvisation aide les Italiens à atteindre une expression plus transparente de leurs passions. Mais d'autre part aussi que l'improvisation ne saurait produire tous ses effets que là où il y a un cadre fixe et conventionnel qui lui sert de repoussoir. Car est-ce un hasard si les arts privilégiés par le texte nous offrent tous sans exception des formes fortement stylisées ? Et *La Chartreuse de Parme* semble elle-même rechercher cet équilibre distinctif suggéré par ces arts. Stendhal n'a-t-il pas tenu à ouvrir son roman et à le fermer — trait négligé par à peu près tous les critiques — sur une note plus spécialement stylisée ? Nul autre de ses romans ne trahit une intention si délibérée de faire naître le récit et de le faire mourir sur le ton nettement conventionnel d'un conte — d'un conte héroïque à la première page, d'un conte d'enfants à la dernière [56]: « Les prisons de Parme étaient vides, le comte immensément riche, Ernest V adoré de ses sujets qui comparaient son gouvernement à celui des grands-ducs de Toscane ». Ne nous a-t-il pas ainsi suffisamment averti de l'orientation différente que prenait son roman à l'égard de l'ordre littéraire et de la convention ? Pour éviter toute possibilité de méprise, il nous faudra cependant nous étendre quelque peu sur la réflexion esthétique qui se dégage du roman.

2. LE JEU REFLECHI

En insistant sur la conscience dont la *Chartreuse* fait preuve des problèmes posés par le langage et par la littérature, ce n'est pas un tour faussement moderne que nous voudrions donner à ce texte. D'une part, nous chercherons donc à éviter, soit de surestimer l'importance de traits réflexifs, soit d'oublier qu'ils peuvent servir à des effets très divers, soit de priser exclusivement dans l'œuvre ce qui aurait l'air de rappeler l'absence fondamentale à laquelle tient une certaine modernité [57]. D'autre part, il ne faudra pas non plus nous étonner naïvement de constater qu'au beau milieu du dix-neuvième siècle les œuvres n'ont pas cessé de produire des replis interrogatifs sur elles-mêmes, et cela,

[55] Gina se mettra deux fois à chanter (247, 389) et paraît devant ses domestiques « comme une actrice applaudie » (257). cf. *infra* p. 107-111.
La *commedia* transparaît dans la présentation de Giletti et de Riscara en Arlequin et en Polichinelle (162, 263), sans parler des coups de pieds donnés à Rassi (359-360).

[56] 493. cf. aussi, 25, les premières phrases.

[57] Sur les effets divers auxquels ils peuvent servir, voir Erving Goffman, *Frame Analysis*, Harmondsworth, Penguin Books, 1975, p. 382, 397, 474-5 ; Jonathan Culler, *Structuralist Poetics*, Londres, Routledge et Kegan Paul, 1975, p. 150 ; Lucien Dällenbach, *Le récit spéculaire*, Editions du Seuil, 1977 p. 79 n, 152 n.

à l'occasion, jusque chez Balzac [58]. En effet, nous savons que depuis toujours les chefs-d'œuvre de tous les arts ont eu tendance à engendrer des dédoublements critiques d'eux-mêmes [59], et cela d'autant plus naturellement, comme Erving Goffman nous l'a montré, que tout cadre servant à définir une réalité quelconque contiendra inévitablement une certaine réflexion sur lui-même [60]. Or, s'il est effectivement vrai qu'au dix-neuvième siècle le courant plus radicalement réflexif du roman s'est effacé pour un temps devant le courant plus réaliste [61], l'essentiel alors est de ne pas sous-estimer l'aptitude dont on a quand même fait preuve, de savoir bénéficier des apports de l'illusionnisme tout en n'en étant que très peu dupe [62]. Le comportement du public au théâtre jusqu'aux innovations des années naturalistes est fort instructif à cet égard [63] et *La Chartreuse de Parme* est tout à fait de son temps par l'équilibre qu'il saura maintenir entre deux possibilités du roman : il l'est, en ne détruisant jamais radicalement l'illusion référentielle qui lui permet de parler de l'Histoire [64] ; mais il l'est aussi en ce qu'il contient effectivement des replis critiques fort illuminants sur lui-même, comme le font, dans les mêmes années, des œuvres aussi différentes que *Notre-Dame de Paris* et *La Peau de chagrin* [65].

Plus qu'un autre d'ailleurs, au début du siècle, Stendhal devait écrire des textes qui rappellaient sans cesse leur littéralité, même si le langage n'avait pas chez lui cette « obsédante matérialité » qu'il aurait chez Flaubert [66]. En dehors de son égotisme irrépressible, ne devait-il pas aux Idéologues une conscience aiguë des problèmes du langage, et une idée de l'art comme d'un dialogue fragile entre des sub-

[58] Pas plus que de le constater à l'égard de la peinture de la Renaissance et de son théâtre. Cf. Robert J. Nelson, *Play within a Play*, New Haven, Yale University Press, 1958 ; E. Goffman, *op. cit.*, p. 406-408. A propos de Balzac, voir, par exemple, S. Felman, « Folie et discours chez Balzac : " L'illustre Gaudissart " », *Littérature,* fév. 1972, p. 34-44.

[59] Voir J. Culler, *op. cit.*, p. 191-2 ; Jean Verrier, « Le récit réfléchi », *Littérature,* fév. 1972, p. 58 ; Charles Rosen, *Schoenberg*, Londres, Fontana-Collins, 1976, p. 28-9.

[60] *Op. cit.*, p. 85.

[61] Rappelons que depuis *Don Quichotte,* le courant réflexif dans le roman a fini par produire ce qui est véritablement un genre. La meilleure étude de ce courant et de ce genre réflexifs est le livre de Robert Alter, *Partial Magic,* Berkeley et Los Angeles, University of California Press, 1978.

[62] A propos de Stendhal, Geneviève Mouillaud nous l'a rappelé (*op. cit.*, p. 57).

[63] On oublie son refus de voir s'éteindre complètement les lumières de la salle pendant la représentation, ou de garder pendant la durée d'une scène ce silence que les modernes croient naturel, sans chahuts et sans applaudissements. cf. E. Goffman, *op. cit.*, p. 131-2, et Gösta Bergman, *Lighting in the Theatre,* Stockholm, Almqvist et Wiksell, 1977, p. 256-261, 302-304.

[64] Car, comme l'observe R. Alter, c'est surtout parce qu'au dix-neuvième siècle, le roman voulait parler de l'histoire que le genre réflexif s'est effacé (*op. cit.*, p. 85-93).

[65] Voir, par exemple, J. Seebacher, « le système du vide dans " Notre-Dame de Paris " », *Littérature,* fév. 1972, p. 95-106 ; J. Verrier, « Le récit réfléchi », *Ibid.*, p. 67-8.

[66] Sartre, « La conscience de classe chez Flaubert ». *Les Temps Modernes,* juin 1966, p. 2125.

jectivités radicalement isolées [67] ? N'était-il pas aussi plus proche que Balzac des romanciers les plus ironiques du siècle précédent, de ceux qui comme Fielding n'ont cessé de dénoncer l'artifice à mesure même qu'ils créaient des illusions nouvelles [68] ? Même si, pour les raisons que nous allons voir, Stendhal n'a pas tout à fait désespéré du langage, même si lui et ses maîtres les Idéologues n'ont jamais poussé le scepticisme linguistique jusqu'au point qu'il atteint de nos jours, toujours est-il qu'ils n'ont pas un moment douté de l'arbitraire des mots et de toute littérature, qu'ils n'ont jamais cru le langage innocent [69]. Le culte de la simplicité stylistique et du récit qui n'attirerait pas incessamment l'attention sur lui-même n'était ainsi pas chez lui, comme on pourrait le croire, l'expression de quelque foi naïve en la parole pleine et adéquate, mais plutôt le résultat d'une stratégie délibérément choisie pour limiter les confusions et les dégâts que l'arbitraire des mots occasionnait fatalement. Car ce qui distigue finalement de la théorie moderne la réflexion linguistique de Stendhal et des Idéologues, c'est qu'ils n'ont jamais vu la vie entière que dans et à travers le langage seul, c'est qu'ils n'ont jamais pensé y voir le foyer unique des possibilités humaines d'expression et d'action [70]. A leurs yeux, dans une situation donnée les autres actions humaines déterminaient la valeur du langage presque tout autant qu'elles en étaient le sujet. Pour Stendhal, refuser d'être le jouet de la duplicité du langage, ce n'était donc pas forcément se trouver contraint de fouiller toujours plus son style, c'était au contraire comprendre que si l'instrument était si imparfait et dépendait si entièrement des conventions, alors tout revenait en fin de compte à la façon dont un personnage réel s'en

---

67 « Nous sommes *emprisonnés dans nos propres sensations* et encore plus emprisonnés dans les jugements que nous en tirons », *PDR*, p. 1722.

68 Sur Fielding, voir R. Alter, *op. cit.*, p. 39-42, 120-122.

69 Sur le langage comme convention arbitraire chez Stendhal, voir, par exemple, *JL*, t. 3, p. 55 ; *RNF*, p. 73 n, et chez les Idéologues, cette somme qu'est le livre de J.M. de Gérando, *Des signes et de l'art de penser considérés dans leurs rapports mutuels*, Goujon fils, Fuchs, Henrichs, an VIII, t. 1, p. 125, 239. Sur la philosophie du langage chez les Idéologues on peut consulter H.B. Acton, « La philosophie du langage sous la révolution française », *Archives de Philosophie*, juil.-déc. 1961, p. 426-449.

Puisque nous connaissons toujours imparfaitement la théorie des signes chez Stendhal et ce qu'elle doit aux Idéologues, nous signalons aux stendhaliens qu'il a dû connaître le livre de Gérando, puisqu'il loue sa grammaire en 1818 (*JL*, t. 3, p. 95-6). Il l'a certainement rencontré, car en 1806 Edouard Mounier habitait chez lui (*C*, t. 1, p. 266, 286). Si Stendhal ne parle de lui à d'autres moments qu'en le dépréciant, il est probable que c'est parce qu'il partageait les préventions des autres Idéologues de la *Décade* et d'Auteuil contre ses tendances éclectiques et spiritualistes, comme contre ses attaches anti-révolutionnaires et son ralliement à Napoléon (cf. J. Kitchin. *Un journal « philosophique » : La Décade*, Minard, Lettres Modernes. 1965, p. 132-3 ; Henri Gouhier, *Les conversions de Maine de Biran*, Vrin, 1947, p. 161-3). Autant de raisons qu'avait Stendhal pour ne pas avouer qu'il l'avait lu, bien qu'il y ait des analogies frappantes entre certaines idées de Stendhal et celles de Gérando. Voir, par exemple, sur les qualités respectives de la peinture et de la musique, *HPI*, t. 2, p. 128-9, 144 et *Des signes...*, t. 2, p. 391-6.

70 Sur les problèmes que soulève pour le structuralisme la tendance à tout faire remonter au langage, voir Fredric Jameson, *The Prison-House of Language*, Princeton, Princeton University Press, 1974, p. 101-216.

servait par rapport à un lecteur au fait de ces conventions[71]. D'où l'attitude à la fois sceptique et cavalière dont il a fait preuve devant le langage. Or, nous verrons que cette importance décisive que Stendhal accordait toujours au contexte, aux situations et aux dispositions respectives tant de l'énonciateur que du destinataire, se laissera voir de nouveau dans la *Chartreuse.* Les limites de son scepticisme linguistique s'y font connaître par son refus de transcrire les vers de Ronsard, dans la seule épigraphe en tête d'un chapitre, où le poète semble dévaluer irrémédiablement la littérature par rapport aux signes dont se sert Dieu[72] :

> *Car lui, en desdaignant, comme font les humains,*
> *D'avoir encre et papier et plume entre les mains,*
> Par les astres du ciel qui sont ses caractères,
> Les choses nous prédit et bonnes et contraires.

Pour Stendhal, si l'art était mensonge et exigeait la crédulité, c'était néanmoins « un *beau mensonge* »[73].

Stendhal ne conteste donc pas systématiquement l'illusion référentielle de ses romans, tout en inscrivant toujours des éléments qui en soulignent la littéralité. Mais est-ce vrai que la *Chartreuse* est de tous ses récits celui où les replis interrogatifs sont le plus en évidence, celui où se trouve poussée le plus loin la réflexion sur sa propre existence ? Et à supposer un moment que cela soit exact, pourquoi cela serait-il arrivé ? A vrai dire, il nous faudra toute cette étude pour y répondre, puisque c'est l'ambiguïté accrue des perspectives morales et politiques qui en est l'explication principale, mais quelques suggestions préliminaires quant à ce qui en 1838 a pu pousser Stendhal plus loin dans cette voie ne seront pas déplacées ici.

---

[71] Voir de Gérando, *Des signes...,* t. 1, p. 125. Chez Stendhal, cela explique pourquoi il ne craint pas d'utiliser des clichés et de faire appel à tout moment aux expériences que son lecteur aura dû avoir. C'est ainsi qu'il peut écrire, « Parmi les Italiens la louange de Raphaël est un lieu commun *permis ;* car on s'adresse à l'âme plus qu'à l'esprit, et une phrase sans nouveauté peut exprimer ou faire naître un sentiment » (*PDR,* p. 790), et « Malgré beaucoup de soins pour être clair et lucide, je ne puis faire des miracles ; je ne puis pas donner des oreilles aux sourds ni des yeux aux aveugles » (*DA,* t. 2, p. 266). cf. aussi J. Starobinski, *L'œil vivant,* p. 229.

[72] 38 cf. Ronsard, *Œuvres complètes,* éd. G. Cohen, Bibliothèque de la Pléiade, s. d., t. 1, p. 277.

Nous soulignons les vers omis, auxquels Stendhal paraît s'être arrangé pour substituer, sans doute avec l'aide d'amis, les vers suivants :

> « Car lui, du fond des cieux regardant les humains,
> Parfois mû de pitié, lui montre le chemin ; »

En effet, nous n'avons trouvé aucune trace de cette variante importante dans les éditions antérieures de Ronsard et dans les anthologies de l'époque, telles celles de Sainte-Beuve et de Nerval. On ne peut éliminer toutes les possibilités d'une erreur involontaire de la part de Stendhal, mais l'explication la plus probable demeure pour nous qu'un ami l'aurait aidé, à la fois à trouver cette épigraphe si importante et à la modifier par la suite. Cela semble d'autant plus vraisemblable qu'un autre changement ajuste aussi mieux ces vers à la situation de Fabrice enfant ; là où Ronsard a écrit, « Attaché dans le ciel je contemple les cieux, » Stendhal a mis « Tout épris d'avenir... ».

[73] *Journal,* Cercle du Bibliophile, t. 5, p. 59. cf. aussi *C,* t. 3, p. 30.

Remarquons donc d'abord que le thème de l'art faisait lui-même partie du sujet de la *Chartreuse*, et que ce n'avait pas été le cas dans les autres romans. Car, portrait de l'Italie contemporaine, le roman devait faire aussi le portrait des arts qu'on y cultivait et qui trahissaient si parfaitement l'état de la société. Stendhal a donc repris ses anciennes analyses des rapports frustrants avec l'art qu'avaient alors les Italiens. Nous voyons un nombre étonnant de personnages, soit s'essayer à la création littéraire, soit monter sur la scène, soit improviser en musique. Cela est vrai de Gina, de Clélia, des prisonniers du prince, pour ne rien dire de Ludovic et de Ferrante Palla (110, 420, 394, 436, 378, 207, 124). Fabrice lui-même écrit et improvise des vers (202, 229, 393, 398, 472), peint (392) chante (434) et finit avec ses sermons par triompher d'un ténor illustre (476). Ludovic ira jusqu'à se l'imaginer « au milieu d'un champ avec une écriture de corne dans une main et un pistolet dans l'autre » (207). Stendhal souligne qu'ils aiment tous la poésie et que c'est leur sensualité et leur inspiration passionnée qui les font rechercher des images frappantes [74]. Cependant, par là même ils courent constamment le danger de trop s'adonner à des allégories éculées [75], et Stendhal suggère que ce goût d'images emphatiques peut nourrir la paresse intellectuelle et les illusions [76]. Bien plus, la censure politique les gêne constamment, ainsi que la disjonction fatale dont ils souffrent entre la langue littéraire et les idiomes vulgaires. Trop souvent, ils finiront ainsi par tomber dans une imitation stérile de ces anciens qu'ils ont pourtant raison d'aimer avec passion [77]. Seuls les poètes de l'opposition politique réussissent à écrire avec force comme Ferrante Palla [78], seuls les improvisateurs de la *commedia dell'arte* arrivent à s'exprimer avec franchise [79]. Et c'est surtout la musique qui leur permet d'échapper à la plupart de ces entraves dont ils souffrent et d'exprimer leurs passions avec justesse.

Le sujet exigeait donc que s'inscrivent dans la *Chartreuse* les problèmes de l'art et de ses rapports avec la vie. Et par rapport au texte même du roman il n'était guère possible que cette insertion restât gratuite, puisque la *Chartreuse* ne cache pas qu'elle voudrait elle-même imiter ces arts italiens dans ce qu'ils avaient de meilleur [80]. C'est aussi,

---

[74] 49-50, 114-115. Tous admirent la poésie de Ferrante Palla, aussi bien Mosca (124) qu'Ernest V (422).

[75] Stendhal le laisse entendre lorsque Fabrice a recours à une image allégorique tirée de Monti (49-50). Sur les défauts de leur goût pour les images frappantes, voir aussi *HPI*, t. I, p. 42-3.

[76] Quels que soient par ailleurs à ses yeux les mérites de Monti, du Tasse et de l'Arioste, c'est certainement ce que Stendhal suggère, avec bienveillance, en parlant des premiers goûts littéraires de Fabrice, lesquels sont admirablement passionnés, mais trahissent quand même un peu trop sa paresse.

[77] C'est ce que suggère la poésie de Ludovic (208-9, 397). Le mauvais sonnet sur Fabrice s'évadant comme « un ange arrivant sur terre les ailes tendues » doit être de lui ; voir sur ce point notre article « L'armée ou l'église : sur les ressorts latents du dilemme héroïque chez Stendhal », *Stendhal Club*, n° 83, 15 avril 1979, p. 252, note (111). Cf. aussi *HPI*, t. 1 p. 171, *CA*, t. IV, p. 268.

[78] cf. *VDR*, t. I, p. 144 ; *CI*, t. I, p. 121-2.

[79] Voir les scènes entre Gina et Ernest V, 418-421.

[80] cf. *supra* p. 50-51, et *infra* p. 85-92.

somme toute, pourquoi Stendhal y parle plus souvent de la littérature italienne que de la peinture ou même de la musique. Cependant le thème de l'art italien et du langage n'aurait sans doute pas pris toute l'extension que nous allons voir, s'il n'y avait pas eu d'autres considérations qui poussaient le texte à chercher par où il pouvait se dédoubler. Surtout, ces interférences qui se multiplient dans la *Chartreuse* entre le réel et l'imaginaire ont dû contribuer à ce mouvement. Nous les avons évoquées dans notre premier chapitre et nous avons remarqué comment dans ce roman le réel est plus que jamais pénétré par l'illusion théâtrale, comment toute chose semble se prêter avec un arbitraire absolu, pour le meilleur comme pour le pire, à quelque interprétation symbolique [81]. Nous avons vu que sur le plan politique la sape de toute notion d'autorité légale a fait de l'art de gouverner plus que jamais une affaire de savoir manipuler les images trompeuses [82]. Blanès lui-même n'est pas étranger à ces tactiques, puisqu'il exploite le prestige attaché à ses veillées dans le clocher pour maintenir bon ordre dans son village (38-39). Les signes sociaux auxquels on devrait pouvoir se fier — les passeports, les uniformes, les ordres écrits — ne laissent désormais plus d'être soupçonnés et contestés [83]. Devant ce monde rempli comme jamais auparavant de chimères et de paradoxes, on comprend que le récit de Stendhal ait fini par vouloir s'interroger constamment, que l'auteur ait dû insister, comme Cervantès, à la fois sur la nécessité de la forme qui seule pouvait faire voir ces paradoxes, et sur les limites inhérentes à cette forme.

Mais ces perspectives ne sont pas les seules qui soient venues se greffer sur les motifs fournis par l'art italien, et d'autres préoccupations ont vraisemblablement ajouté à la nécessité d'enchâsser plus de perspectives critiques. La première concerne la place toujours plus importante qu'a fini par prendre dans les romans de Stendhal, de *Lucien Leuwen* à *Lamiel*, le personnage ironique d'âge mûr [84]. Le fait que ce personnage a dans la *Chartreuse* l'importance et l'autorité de Mosca nous semble plein de conséquence pour les rapports entre Stendhal et son texte. Muni de ce personnage, Stendhal a dû se sentir moins pressé d'intervenir lui-même pour commenter les perspectives morales, puisque pour le moins les exigences de la raison se trouvaient déjà suffisamment représentées par le ministre [85]. Or, le problème formel qu'il avait dès lors à résoudre était de trouver un style qui lui permît de prendre équitablement ses distances, non seulement envers les personnages romanesques, mais aussi envers ce réaliste prestigieux. Et pour nous en tenir pour le moment à cet aspect du problème, il est probable que cette possibilité d'un recul plus net a encouragé chez lui une attitude plus ironique envers l'agencement technique de son roman. D'autre part, puisque les dédoublements critiques ont, comme

---

[81] cf. *supra* p. 17-18, 32-33.
[82] cf. *supra* p. 17.
[83] Voir toutes les aventures de Fabrice avec les passeports, et, d'autre part, plus spécialement, 85-86, 97-100, 266-268.
[84] Evolution soulignée par Grahame C. Jones, *L'ironie dans les romans de Stendhal*, Collection Stendhalienne, Lausanne, Editions du Grand Chêne, 1966, p. 14.
[85] Sur la présence de Stendhal dans la *Chartreuse*, voir *infra* p. 92-101.

l'a fort bien observé Jean Ricardou, l'avantage de mieux unifier un récit complexe, il est également assez probable que la variété et l'étendue même de son canevas l'ont poussé à les développer [86]. Si l'on ajoute que sa haine des formes ampoulées que Stendhal voyait chez ses contemporains ne cessait d'augmenter vers la fin des années trente, on comprend qu'il envisageât toutes les questions de forme d'une façon toujours plus cavalière en apparence, mais au fond plus lucidement ironique [87].

Voilà sans doute suffisamment de raisons pour que la *Chartreuse* engendre des réflexions constantes sur elle-même, et cela d'une manière que l'on peut croire assez spontanée. Cependant, nous n'avons pas encore montré qu'en ceci la *Chartreuse* va effectivement plus loin que les autres romans de Stendhal. Il a toujours aimé donner des effets de perspective en multipliant les niveaux du récit, et des traits réflexifs se montrent également dans un roman comme *Le Rouge et le Noir*. Là, par exemple, l'action se trouve dédoublée, à la fois par l'avertissement sinistre que constitue pour Julien la feuille volante annonçant la mort de Louis Jenrel et par la réplique en raccourci représentée par l'histoire tragique de Marguerite de Navarre [88]. Geneviève Mouillaud et d'autres ont déjà étudié ces points critiques où *Le Rouge et le Noir* se pense devant sa propre image, tandis que l'auteur cherche à inventer son réalisme [89] ; on peut facilement repérer des effets analogues dans *Lucien Leuwen* et même dans les *Chroniques* [90]. Stendhal se montre ainsi fort enclin à utiliser les « modèles réduits » dont Lévi-Strauss nous a parlé [91]. Ils peuvent lui servir à rehausser les temps forts du récit, mais ils renforcent aussi aux yeux du lecteur l'idée que celui-ci se fait de la liberté et de l'autorité de l'auteur [92]. Surtout chez Stendhal ils ne cessent de nous rappeler les médiations qui sont nécessairement survenues entre l'histoire telle qu'il nous la donne et ses origines écrites ou vécues [93]. Cependant, dans *Le Rouge et le Noir* et dans *Lucien Leuwen* il ne faudrait pas surestimer l'importance de ces effets par rapport au caractère du récit lui-même. Ils y fournissent tout au plus des occasions possibles pour une critique de toute littérature ; ils ne nous obligent pas à réfléchir sur les moyens spécifiques des récits mêmes où ils se trouvent enchâssés [94]. Ce n'est donc pas la réapparition en soi de traits similaires dans

---

[86] cf. J. Ricardou, *Le nouveau roman*, Editions du Seuil, 1973, p. 75.

[87] Sur ce que le style de la *Chartreuse* devait représenter pour Stendhal par rapport à ses contemporains, cf. *infra* p. 218-220, 222-224.

[88] *RN*. p. 240, 504.

[89] G. Mouillaud, *op. cit.*, p. 17-25, 35-7, 47-8.
L. Gromley « " Mon roman est fini " : fabricateurs de romans et fiction intratextuelle dans " Le Rouge et le Noir " », *Stendhal Club*, 15 janv. 1979. p. 129-138.

[90] Voir dans *Lucien Leuwen*, le roman enchâssé *Edgar, ou le Parisien de vingt ans*. p. 1077-8. Cf. B. Didier, « Stendhal chroniqueur », *Littérature*, fév. 1972. p. 11-25.

[91] *La Pensée sauvage*. Plon. 1962, p. 36.

[92] E. Goffman, *op. cit.*, p. 400.
R. Alter. *op. cit*. p. 16-17 (à propos de Cervantès).

[93] R. M. Adams, *Strains of Discord*, Ithaca, Cornell University Press, 1958, p. 94.

[94] cf. L. Dällenbach, *Le récit spéculaire*, p. 77-8.

la *Chartreuse* qui nous autoriserait à juger cette œuvre plus réflexive — que l'on pense à ces répliques réduites de l'intrigue que sont la généalogie des del Dongo [95] et l'histoire d'inceste qui fit construire la tour Farnèse (131), que l'on pense aux rappels voilés d'Alexandre Farnèse dont la vie suggéra d'abord cette intrigue à Stendhal (131, 231) ou à la référence à Sterne, ce maître du récit réfléchi (33). Tout cela ne va pas plus loin que les dédoublements dans les romans antérieurs [96]. Les différences qui comptent sont ailleurs et touchent de près aux intentions particulières qu'avait Stendhal dans ce roman. La *Chartreuse* est d'abord un récit plus stylisé qui ne cache pas ses affinités avec la littérature chevaleresque et dont le début et la fin, comme nous l'avons vu, attestent son désir d'être lu comme un conte et non comme un simple miroir de la réalité [97]. C'est aussi pourquoi Stendhal peut s'y permettre un nombre exceptionnel de pastiches littéraires [98]. Ensuite ces fameux présages et prédictions qui répètent, en la simplifiant, l'action essentielle, signalent l'artifice du récit d'une façon plus systématique que ceux qu'on trouve dans *Le Rouge et le Noir* [99]. Car dans la *Chartreuse* il ne s'agit pas d'un avertissement que Stendhal donne une fois pour toutes au lecteur, comme lorsque Julien apprend la mort de Jenrel. Au contraire, Fabrice essaiera continuellement de vérifier le progrès du récit sur les prédictions données par Blanès, et attirera par là notre attention sur ses aventures en tant que structure littéraire. Et surtout nous verrons que les présages de la *Chartreuse* ne sont pas sans rapport avec le style même du roman. La répétition insistante qui s'y manifeste reçoit en large mesure d'eux le sens qu'elle doit avoir [100]. De la même façon, ce que Stendhal nous dit du langage et des arts italiens ne rappelle pas seulement d'une manière générale les problèmes inhérents à toute entreprise esthétique ; cela porte, au contraire, de la façon la plus pertinente — comme le faisait le cuisinier amateur de calembours — sur la stylisation même que ce texte recherche. Pour n'être pas rigidement systématiques, toutes les réflexions suggérées par ces dédoublements ont pourtant une cohérence essentielle que nous allons maintenant tenter de dégager.

D'autres se sont rendu compte, ces dernières années, que Stendhal poursuit dans *La Chartreuse de Parme* une méditation soutenue sur

---

[95] Rappelons que cette généalogie annonce non seulement sa destinée militaire mais aussi sa destinée ecclésiastique. Fabrice apprend à en déchiffrer les détails en apprenant le latin (34). Lorsqu'il est libéré de la tour Farnèse et rétabli dans ses droits de coadjuteur avec succession, la généalogie sera traduite (450) — un équivalent plus souligné de la remarque de Julien Sorel « mon roman est fini ». Fabrice repoussera l'attribution qu'on lui fait de cette traduction qui a préfiguré sa destinée (456) ; sa destinée ultime sera autre. Après cela, doit-on s'étonner que cette autre destinée soit en quelque sorte consacrée par le portrait qu'Annetta Marini fait faire de lui dans les dernières pages du livre (478) ?

[96] Ce sont ce que L. Dällenbach appelle des « mises en abyme mineures » (*op. cit.*, p. 140).

[97] cf. *supra* p. 51.

[98] Par exemple, 49-50 et 114-5, mais aussi des sonnets italiens.

[99] Voir, sur cet effet des prédictions, J. Ricardou, *Le nouveau roman*, p. 35.

[100] cf. *infra* p. 80-82.

les signes [101]. Comme nos conclusions sont cependant différentes quant aux dernières étapes de cette méditation et quant à ses rapports avec le roman en général, il nous faudra en reprendre l'analyse. Cette méditation est axée sur une comparaison entre divers signes culturels et les signes « naturels ». Sa direction générale est paradoxale et reste sans synthèse, renforçant l'impression que donne tout le roman d'un monde trop encombré de signes, où l'action devient toujours plus difficile [102]. Dans la mesure où l'on peut résumer cette méditation cependant, la direction qu'elle prend est la suivante [103]. Elle nous confronte d'abord aux signes « naturels », qui paraissent échapper à l'interprétation, pour nous faire parcourir ensuite tous les paradoxes suscités par le langage. A la fin elle nous renvoie au monde de l'indicible, mais ce faisant elle n'oublie pas de suggérer, ce qui pour nous est capital, qu'aux yeux de Stendhal, et surtout dans ce roman, un certain privilège s'attache à des aspects particuliers de la communication littéraire.

Pendant l'enfance et l'adolescence de Fabrice, Stendhal attire donc notre attention sur le langage des paysages et des étoiles, par lequel on dirait que cherche à se manifester quelque principe spirituel ou quelque ordre fondamental [104]. Fabrice, nous le savons, voit des présages partout ; il considère même plutôt comme des présages les prédictions données par Blanès (187). Or il est clair que les signes « naturels » que Blanès étudie sont particulièrement séduisants pour l'imagination vive des Italiens. Dans un monde aussi plein de signes trompeurs, ils semblent être des symboles plus concrets et plus sûrs de vérités incontestables, vérités qu'on ne saurait saisir peut-être que dans le silence de la méditation solitaire ou dans la voyance mystique des amoureux, savoir nocturne et élevé que nous avons vu le roman opposer systématiquement à la connaissance diurne de la raison. Autrement dit, ces signes semblent indiquer des vérités propres à être contemplées, non utilisées, ce que sait au fond Blanès, tandis que Fabrice se trompera d'abord en essayant d'en tirer des leçons pratiques [105].

---

101 Surtout V. Kogan, « Signs and Signals in La Chartreuse de Parme », *Nineteenth Century French Studies*, 1973, Vol. 2, p. 29-38. Voir aussi, W. J. Berg, « Cryptographie et communication dans " La Chartreuse de Parme " », *Stendhal Club*, 15 janv. 1978, p. 170-182 ; P. Brooks, « L'invention de l'écriture (et du langage) dans " La Chartreuse de Parme " », *Ibid.*, p. 183-190.
Aucun de ces articles ne voit l'importance déterminante que Stendhal attache à la pratique et au contexte lorsqu'il considère les pièges du langage.

102 L'action efficace a peu besoin de paroles, comme le savent le caporal Aubry, le valet du cheval maigre et le prince (72, 182, 270), faisant écho aux idées de Stendhal (*CI*, t. 2, p. 8-9).

103 Les épigraphes qu'arborent les deux parties du roman ne sont pas tout à fait sans rapport avec cette évolution. Celle de la première partie va des signes « naturels » aux signes littéraires (21) ; celle de la deuxième du langage politique aux cris confus (245).

104 Voir 46 : « Le langage de ces lieux ravissants » et 45 : « Tout est noble et tendre, tout parle d'amour ».

105 172. Blanès ne veut pas préciser l'avenir de Fabrice, ce qui serait « une infraction à la règle » ; il ne fait que lui indiquer les signes divers qu'il a vus, pour l'avertir contre divers pièges moraux, sans déterminer leur interprétation.

Pourtant, s'ils font rêver ainsi d'une sagesse non médiatisée par le langage, il s'avère évidemment que ces phénomènes, à les considérer comme signes, sont en fait incapables de sécréter par eux-mêmes un sens, comme le sont également dans le roman les signes les plus élémentaires de l'histoire, tels la retraite de 1813 et la bataille de Waterloo [106]. Aussi exigent-ils une interprétation, et cette interprétation, nous la voyons sujette à l'erreur même chez Blanès, sujette au caprice pur chez son élève Fabrice [107]. Car leur interprétation suppose le langage, et nous voilà confrontés avec la nécessité et les pièges du langage.

Le passage au langage, comme le souligne Blanès, introduit leur message dans le monde des actions humaines [108] : « Toute annonce de l'avenir est une infraction à la règle, et a ce danger qu'elle peut changer l'événement ». Nous retrouvons l'assertion de Stendhal que traduire un message en paroles, à plus forte raison le coucher par écrit, c'est produire quelque chose qui peut avoir une certaine existence indépendante, qui peut avoir des conséquences, être utilisé pour le meilleur et pour le pire. Cette vieille histoire de Vespasien del Dongo détournant la lettre hostile de Galéas Visconti que Fabrice raconte à Mosca est là pour le montrer [109]. Reste qu'il nous est difficile, dans la mesure où notre besoin d'ordre nous pousse à considérer ces signes, de refuser leur traduction en langage. L'épigraphe ronsardienne l'admet, en soulignant que les astres ne peuvent être les caractères d'une écriture que pour Dieu seul, que pour nous une traduction additionnelle est nécessaire. Même, nous devinons par une autre habitude de Fabrice, celle de prendre des livres pour des prédictions, que pour les hommes l'écrit est peut-être la forme suprême de l'ordonné. Ce qui est fondamental pour le romancier [110].

Dans le roman, le latin donne un exemple concis des problèmes posés par le langage. Certes, entre tous les langages, le latin occupait même à cette époque une situation particulièrement artificielle par rapport à l'individu. Mais puisque tout le langage est plus ou moins aliénant pour Stendhal, toujours « une force que l'on cherche hors de soi » [111], le latin pouvait éclairer d'autant plus nettement le problème général. Blanès a raison quand il dit, « Que sais-je de plus sur un cheval (...) depuis qu'on m'a appris qu'en latin il s'appelle

[106] cf. V. Kogan, *art. cit.*, p. 31-2. La division de l'opinion publique à propos de chacun de ces événements, et la facilité avec laquelle elle se prête à être manipulée par les intéressés, montrent l'opacité de ces signes.

[107] 40, 172-3. Blanès sait qu'il peut se tromper, et ne semble pas prévoir le bonheur que Fabrice trouvera en prison.

[108] 172. Cf. *supra* note (105).

[109] 186. Stendhal est souvent revenu sur cette idée, comme dans *Le Rouge et le Noir*, p. 324, et dans *Lucien Leuwen* (p. 1273) : « Après avoir fait parler le télégraphe, le télégraphe parlera contre moi... Pourquoi toucher à cette machine diabolique ? »

[110] Stendhal lui-même avait utilisé les livres ainsi (*VHB* p. 318). Sur l'écrit et l'ordonné, cf. *infra* p. 82.

[111] *CI*, t. 1, p. 117.

equus »[112]. Cette convention arbitraire n'apprend rien par elle-même sur la réalité, encore moins sur les réalités surnaturelles ; le langage des mathématiques est d'un plus grand secours à l'astrologue (39). A l'époque, le privilège social qui s'attache au latin sert même admirablement les forces de la répression obscurantiste[113]. Mais le début du roman montre que les livres, qu'on ne lit guère à Milan, sont les instruments nécessaires du progrès intellectuel (26), et Blanès sous-estime sûrement aux yeux de Stendhal l'importance de tout langage, même du latin, séduit comme il est par la connaissance plus directe dont font rêver les signes « naturels » (39) :

> On peut juger du mépris qu'avait pour l'étude des langues un homme qui passait sa vie à découvrir l'époque précise de la chute des empires et des révolutions qui changent la face du monde.

Blanès enseigne certes à Fabrice ce qu'il peut y avoir d'illusion et d'escroquerie dans l'étude des langues par rapport aux connaissances scientifiques[114], mais il néglige précisément que la pratique décide en fin de compte de l'utilité de ces conventions arbitraires. Même le latin peut être subversif puisqu'il permet de lire « ces vieux auteurs qui parlent toujours de républiques » (34). Même le latin, comme toute discipline intellectuelle, pour arbitraire qu'il soit par rapport au monde, peut aiguiser l'esprit. Dans le roman, la théologie est donnée en exemple de ces sciences secondaires qui n'ont de valeur que par le modèle qu'elles offrent à l'esprit d'un système rationnel, complexe et autonome, sciences que Stendhal distingue si nettement des sciences plus positives et utiles[115]. Fabrice ne perdra pas son temps en apprenant le latin pour l'étudier[116]. L'exemple du latin montre donc que le passage nécessaire au langage dépend entièrement de la pratique et des circonstances quant aux conséquences qu'il aura. En lui-même le langage ne donne pas accès à la vérité, mais il est l'instrument de la raison, laquelle peut assurément en donner. Blanès a donc raison de soupçonner la parole, mais il a tort de la dévaluer aux yeux de Fabrice.

Dans les péripéties qu'aggravent ses identités empruntées, face aux réalités de Waterloo qui ne correspondent guère à ses prévisions livresques, Fabrice nous montre que cette éducation l'a laissé incapable de voir clair dans les rapports entre la parole et le monde. D'une part il s'attend à ce que le monde et l'histoire révèlent directement leur

---

[112] 39. Dans les *Mémoires sur Napoléon* (p. 105), Stendhal a rappelé, justement avec l'exemple d'*equus*, la subversion, par la réintroduction du latin, de l'examen critique libre dans les Ecoles Centrales et dans la Polytechnique.

[113] Stendhal rappelle dans la *Chartreuse* que l'église catholique se sert du latin pour empêcher l'examen personnel (212).

[114] Fabrice dira (167) : « Un certain nombre d'imbéciles et de gens adroits conviennent entre eux qu'ils savent le *mexicain*, par exemple ; ils s'imposent en cette qualité à la société qui les respecte et aux gouvernements qui les paient. »

[115] Cf. *HPI*, t. I, p. 10, t. 2, p. 28 n.

[116] 137 : « Dans mon exil j'ai découvert que je ne sais rien, pas même le latin, pas même l'orthographe. (...) j'étudierai volontiers la théologie à Naples : c'est une science compliquée. »

sens sans avoir à passer par la traduction en paroles [117] ; d'autre part il croit et craint qu'il n'y ait un lien réel entre ces signes linguistiques que sont les noms et l'identité personnelle [118]. C'est peut-être encore une des raisons pour lesquelles il s'intéressera à cette Marietta qui a pris son nom ; nous ne voyons pas d'autre explication à ce détail curieux (160) : « Ah ! pensa-t-il, elle a pris mon nom, c'est singulier ; malgré ses projets il ne quitta le théâtre qu'à la fin de la pièce ». Elle porte son nom ; serait-elle donc une femme qui lui est destinée ? Cependant la source de confusions qu'a été pour lui la bataille de Waterloo a déjà commencé à lui enseigner l'utilité de l'écriture dans l'interprétation de la réalité vécue (93) : « Pour la première fois de sa vie il trouva du plaisir à lire. »

A partir d'ici, ses aventures nous font apprendre les ambiguïtés du langage et de l'écriture en diverses circonstances, aussi bien sur le plan politique que sur le plan personnel. Stendhal attire notre attention sur le danger que représente le prestige de l'écrit. Car cela permet d'en faire le moyen de la fraude et des faux renseignements [119], et cela permet d'en faire l'arme efficace d'une agression [120]. Mais Stendhal n'oublie pas que l'écriture peut tout aussi bien servir le progrès et la protestation [121], qu'elle peut fournir un refuge [122] et réaliser une commémoration qui console [123]. Cette ambiguïté naît évidemment du défaut absolu de rapports nécessaires entre le langage et la vérité, entre le langage et la sincérité. Le cas de Ludovic le montre bien, quand Fabrice se dit de ses sonnets [124] :

> Les sentiments étaient assez justes, mais comme émoussés par l'expression, et ne valaient pas la peine d'être écrits ; le singulier, c'est que cet ex-cocher avait des passions et des façons de voir vives et pittoresques ; il devenait froid et commun dès qu'il écrivait. C'est le contraire de ce que nous voyons dans le monde, se dit Fabrice ; l'on sait maintenant tout exprimer avec grâce, mais les cœurs n'ont rien à dire.

Si le mérite des poèmes de Ferrante Palla, seul grand artiste du roman, semble indiquer au contraire que l'authentique passion et le sens de la responsabilité morale sont inhérents aux grandes œuvres,

---

117 93 : « ce qu'il avait vu, était-ce une bataille ? et en second lieu, cette bataille était-elle Waterloo ? ».

118 Par exemple, quand il endosse l'identité du hussard voleur mort en prison. Cf. V. Kogan, *art. cit.* p. 31.

119 Voir l'espionnage du marquis del Dongo (36), la lettre contrefaite envoyée par la marquise Raversi à Fabrice (262-3), la traduction de la généalogie attribuée à Fabrice (450-1), les dépêches de Napoléon (70), le journal ultra fondé par Mosca (139).

120 Voir la lettre anonyme du prince à Mosca (152), les dépositions contre Gina et Ferrante Palla (428), la sentence rendue contre Fabrice que Rassi garde (417).

121 Le prince et Rassi craignent les sonnets satiriques et les épigrammes (114, 252, 297), et Mosca dira, « Ce n'est pas à nous à détruire le prestige du pouvoir, les journaux français le démolissent bien assez vite » (151).

122 Réfugié à Locarno, Fabrice se consolera en écrivant (392).

123 Voir les sonnets envoyés à Clélia (393-4) et ceux écrit en l'honneur de l'évasion de Fabrice (397).

124 208. Comme Julien (*RN*, p. 603), Fabrice lui-même utilisera la même lettre pour deux destinataires différents (221).

cela ne fait qu'ajouter au paradoxe, et ne contredit en rien le manque de rapport inévitable entre ces qualités et l'expression linguistique.

Des éclairages différents accentuent ainsi les problèmes du langage et de l'écriture. Nulle conclusion ne s'esquisse, mais l'impression générale n'est pas aussi négative qu'on pourrait le croire, puisqu'il est clair que ce ne sont pas les signes culturels en eux-mêmes qui déterminent les conséquences de leur emploi, mais les hommes et leurs circonstances personnelles et sociales. Le langage se montre tellement à la merci de l'interprétation et de la manipulation des hommes — des autres — que Stendhal finit par rêver d'une solution magique. Aussi y a-t-il une logique implicite à ce qu'il accorde à Fabrice vers la fin de la deuxième partie quelque expérience de ces langues secrètes qui l'ont toujours hanté. Nous ne négligeons pas les autres raisons qui poussaient Stendhal à associer toujours l'amour et les langues secrètes [125] ; nous disons seulement qu'ici l'évolution générale de sa méditation sur les signes est aussi parfaitement servie par cette association. Nous savons combien Stendhal a aimé jouer avec les codes et qu'il a ajouté des messages chiffrés à *La Chartreuse de Parme* comme au *Rouge et le Noir* [126] ; Fabrice aussi aura à en utiliser. Mais les codes qui entament les conventions linguistiques n'apportent pas de solution au problème. Leur secret est affiché par le fait même d'être chiffré, ce qu'atteste la crainte dont Ludovic fait preuve de voir les messages de Gina au prisonnier interceptés (341-342), et ce dont Stendhal lui-même était sans doute très conscient en imprimant des messages codifiés [127]. En plus, les codes ne changent rien au fond de la question ; la pratique est tout, et Fabrice pourra évidemment mentir dans ses messages nocturnes à Gina (345), tout comme son père avait l'habitude de mentir dans ses dépêches chiffrées aux Autrichiens (36). Le langage des gestes et des yeux que Fabrice et Clélia emploieront à la citadelle, à mi-chemin entre les signes « naturels » et les signes culturels, conviendrait mieux (323-4). Stendhal a toujours insisté sur la relative authenticité du langage des gestes [128] et sur le fait qu'à l'encontre de la parole, avec cette pantomime rien n'est créé qui aurait une vie indépendante, et dont le sort serait imprévisible. Le prince en est très conscient, comme l'était Julien Sorel [129]. Mais dans leur exploration successive des différents langages, Fabrice et Clélia feront l'expérience de l'indigence de la communication gestuelle (330) ; ils ne peuvent pas se passer de la parole qui « eût doublé les moyens de conversation en ce qu'elle eut permis de dire des choses précises » [130]. C'est seulement lorsqu'ils auront accompli la transition à la parole qu'ils auront la possibilité de se servir de ce qui est sans doute le langage

[125] Cf. Durand, *op. cit.*, p. 208-210.

[126] 70, 396, 451, 465 ; *RN*, p. 527. Que ces notes en bas de page ne soient nullement ajoutées par inadvertance est montré en marge d'une note de *Lucien Leuwen* (p. 1533, note pour la page 1019) : « Note à *print* ».

[127] R. M. Adams, *Stendhal : notes on a novelist*, p. 36 : « the acts of concealing and revealing were, for Stendhal, almost identical ».

[128] *RN*, p. 392 : « Julien réussissait peu dans ses essais d'hypocrisie de gestes (...) ».

[129] 252 : « On ne peut, se dit-il, ni répéter ni tourner en ridicule un geste (...) ». *RN*, p. 395 : « Les signes ne peuvent pas figurer dans un rapport d'espion aussi avantageusement que les paroles ». Cf. *DA*, t. I, p. 123.

[130] 324. Cf. *J*, p. 1188.

idéal pour Stendhal : quelque langage public qui n'attire pas l'attention sur son caractère chiffré, mais où l'on peut introduire des messages dissimulés. Car c'est ainsi que les amants apprendront par la suite à tirer parti de vieux poèmes, de commentaires religieux et de sermons (393-394, 464, 487), réalisant cet idéal dont Stendhal a rêvé [131] :

> Il est sans doute parmi nous, quelques âmes nobles et tendres (...). Que ne puis-je écrire dans un langage sacré compris d'elles seules ! Alors un écrivain serait aussi heureux qu'un peintre ; on oserait exprimer les sentiments les plus délicats (...).

On devine que si Stendhal a cru la peinture et la musique particulièrement aptes à atteindre cet alliage parfait d'ouverture et de discrétion, c'est aussi parce que dans ce genre de projet la parole risque quand même toujours de trahir, puisqu'elle explicite un sens [132]. Par contre, les signes de la peinture figurative semblent représenter immédiatement une chose, que ce soit une forêt ou un chaudron, sans l'intervention d'un sens explicite, et doivent ainsi paraître au grand public exclure la possibilité de tout message secret. De son côté, la musique utilise des signes si totalement ambigus qu'on n'aurait aucune chance d'y découvrir le message — Fabio Conti n'est après tout pas si bête d'y avoir pensé (339).

Solution magique, en effet, à quelques problèmes suscités par le langage. D'autant plus que Stendhal se rend parfaitement compte qu'une telle utilisation secrète des langages publics nécessite, soit l'entente préalable de l'énonciateur et du destinataire, soit, dans les arts, une sympathie rare. L'important pour nous, c'est que ces expériences de Fabrice et de Clélia préparent bien la transition aux termes extrêmes de cette méditation sur les signes. En même temps que le théâtre et la musique envahissent de plus en plus le texte, celle-ci semble effectivement évoluer dans deux directions qui s'entremêlent sans s'exclure. D'une part, il y a un retour évident, tout langage dépassé, vers le monde de l'incommunicable auquel appartenaient les signes « naturels » du début. Dans son désespoir (456-457), dans sa retraite finale, Fabrice se voue au silence [133]. Tandis que les prédictions s'accomplissent, il s'abandonne à la contemplation du monde, sans essayer d'en traduire et d'en utiliser les signes. En même temps, à partir déjà du premier emprisonnement de Fabrice, les personnages écrivent et citent toujours plus souvent des œuvres littéraires. L'évasion de Fabrice est célébrée par les poèmes de Ludovic et de Ferrante Palla [134], Gina fait lire une fable de La Fontaine à Ernest V (425), et le nouveau goût de Fabrice pour la création littéraire est frappant (202, 229, 393, 398, 472). Un retour s'esquisse ici à l'association entre le

---

131 *PDR*, p. 880. Voir aussi *J*, p. 1212-3, où Stendhal note chez Chateaubriand l'idée que la littérature a moins la possibilité d'être un langage secret que les autres arts. Sur l'idée que le signe verbal était plus « souillé par l'usage » que les signes de la peinture et de la musique, voir *HPI*, t. 1. p. 165 n.

132 Voir les difficultés détaillées à la page 398.

133 Cf. *infra* p. 201-203.

134 397. Il nous semble évident que le poème le moins réussi soit celui de Ludovic. Cf. *supra* note (77).

bonheur solitaire, les rêves et l'écriture qui, nous le savons, remonte loin chez Stendhal[135]. Dans *Le Rouge et le Noir,* aussi, tous les vers que Julien avait sus revenaient en prison à sa mémoire — même s'il n'y voyait qu'un « signe de décadence » et vers la fin s'abstiendra d'écrire, ce qui révèle justement la différence entre les deux romans[136]. Car en dépit de l'échec apparemment définitif du langage devant un monde et des émotions ineffables, enregistré dans ces dernières pages, Stendhal paraît bien ainsi accorder quelque privilège dans la *Chartreuse* à certaines formes de littérature, en particulier, semble-t-il, à certaines qualités illustrées par la poésie. Ces qualités ne sont pas toujours au premier abord celles que nous rangeons habituellement parmi les préoccupations de Stendhal.

Précisons un peu mieux d'abord cette place de la littérature et plus spécialement de la poésie dans la *Chartreuse.* Dans *Le Rouge et le Noir* les citations de vers sont assez fréquentes ; mais elles ne se multiplient pas avec le déroulement de l'histoire, et il s'agit le plus souvent de vers légers et piquants[137]. Dans la *Chartreuse* par contre, les deux épigraphes de la première partie sont plus lyriques que celles du *Rouge et le Noir,* et on dirait que dans la deuxième partie ces envols poétiques vont s'établir à l'intérieur même du texte. Ce rapport entre la disparition des épigraphes et la prolifération dans le récit de poèmes et de paraphrases de poèmes semble être confirmé par le fait que Stendhal a pris sa dernière épigraphe, en tête de la deuxième partie, dans le texte même qu'elle introduit (245, 412). Or le décalage produit par toute citation littéraire dans un texte, à plus forte raison par toute citation ou paraphrase de vers dans un texte en prose, tend à rompre l'illusion romanesque pour placer momentanément les événements à une distance esthétique plus grande du lecteur. Cela est d'autant plus vrai lorsqu'il s'agit de poèmes comme ceux qui sont cités dans la *Chartreuse.* Tous les traits qui les distinguent, soulignons-le, tendent à accentuer, d'une manière ou d'une autre, le caractère unique du langage littéraire. D'abord, les poèmes qui surviennent à propos de l'amour et de l'évasion de Fabrice, tout comme la fable de La Fontaine, ont pour fonction évidente de tenter un résumé particulièrement dense de la situation morale[138]. L'effet de « distanciation » ainsi produit est accru dans le cas de l'évasion de Fabrice parce que les deux poèmes suggérés par l'aventure montrent que tout événement se prête à des résumés moralement et littérairement très différents (397). En tant que récapitulations, le caractère de ces poèmes ren-

---

135 R. M. Adams, *op. cit.*, p. 96 ; V. Brombert, *Stendhal : fiction and the themes of freedom*, New-York, Random House, 1968, p. 93 ; G. Mouillaud, *op. cit.* p. 217-8.

136 *RN*, p. 679, 681-2. Plus tôt, dans les montagnes, il lui plaisait d'écrire.

137 *RN*, p. 295, 357, 525, 534, 578, 596, 678-9.

138 Dans *Le Rouge et le Noir,* les vers servent plutôt à accentuer quelque observation passagère. Dans la *Chartreuse,* la complexité même du récit, le risque que ses lecteurs perdraient de vue l'évolution de certains thèmes lui faisaient sans doute sentir un besoin grandissant de synthèse alors qu'il menait son œuvre à terme. Ces poèmes posent justement la question de la signification spirituelle des aventures de Fabrice là où elle risque d'être négligée au cours des péripéties (358, 393, 397).

force par là une idée de la littérature comme synthèse exemplaire et comme inscription d'une commémoration. Bien plus, sur le plan de la forme, la quête d'une synthèse implique la quête d'un ordre et d'une structure, préoccupation dont la poésie, même paraphrasée, fait évidemment preuve mieux que toute autre littérature. Mais les poèmes italiens qu'on évoque pour nous font également ressortir d'autres tendances littéraires. Ils font valoir une littérature hautement stylisée, permettant un jeu serré de mots et de paradoxes qui n'entretient qu'un rapport manifestement oblique avec la réalité. Ce sont des exemples frappants d'une littérature qui ne se veut pas reproductrice, mais créatrice. En plus, le jeu serré de ces constructions lyriques sert précisément à désigner une zone de mystères incommunicables analogue à celle où Fabrice pénètre de nouveau dans cette dernière partie du roman [139]. L'épigraphe ronsardienne avait déjà préparé cette association entre la poésie lyrique et l'incommunicabilité des plus hautes valeurs. Cette poésie semble ainsi suggérer qu'une certaine littérature est capable au moins d'approcher de cet idéal que nous avons déjà évoqué : de parler à des âmes choisies de choses secrètes ou même à peu près indicibles dans un langage qui reste néanmoins public. Or, c'est par l'exploitation de toute l'ambiguïté du langage dans un système fortement structuré que la poésie s'en montre capable, et c'est ce qui fait parler, entre autres choses, de sa musicalité. Que la part de la musique augmente dans la *Chartreuse* à mesure que la poésie fait mieux valoir toutes ses qualités esthétiques n'est sûrement pas accidentel.

La méditation sur le langage et sur la littérature semble ainsi aboutir dans la *Chartreuse* à la valorisation de certaines qualités et fonctions de la littérature : de la littérature comme commémoration et comme essai de synthèse, de la littérature comme recherche d'un ordre au moyen de la stylisation distanciante, de la littérature comme alliage tout musical et poétique d'ouverture et de suggestion discrète. Que cette valorisation implicite ne soit nullement fortuite est confirmé par l'épigraphe que Stendhal a placée en tête de son livre où c'est la poésie inspirée par ces « luoghi ameni » qui est mise en honneur (21). Toutefois, il est certain qu'aujourd'hui nous ne nous attendons plus à voir Stendhal priser certaines de ces qualités, tant nous nous sommes accoutumés à l'idée de sa réticence devant la poésie, tant nous avons pris l'habitude de souligner exclusivement chez lui son culte de la liberté et de l'improvisation, sa recherche d'une transparence immédiate, son attitude cavalière devant les textes et sa contestation de leur autonomie, son peu d'aptitude à la synthèse. Mais en fait la *Chartreuse* tout entière devrait nous encourager à nuancer cette idée trop simple que nous nous faisons souvent de lui, à nous rappeler d'autres aspects de sa pensée qu'il ne faudrait quand même pas entièrement négliger.

Prenons dès ici, par exemple, la vérité évidente que Stendhal voudrait voir une transparence immédiate, aussi peu déformante que possible, entre les formes esthétiques et la vie et ses passions. Cela est

139 Comme l'a bien vu Durand, *op. cit.*, p. 210.

certain, mais cela risque du même coup de nous donner une idée trop naïve de sa conception de l'art. Quelque effort qu'il ait mis pour atteindre cet idéal d'un naturel transparent, il se rendait quand même compte que traduire les émotions en une œuvre d'art, c'était forcément les objectiver dans une certaine mesure, et les placer à une certaine distance psychologique, tant de l'auteur que du public. Les fameuses interventions devraient nous le rappeler, mais on retrouve cette constatation même là où on s'y attendrait le moins, même au sujet de la musique. Car, à ce propos, il a observé que c'est justement la création d'un analogue à moitié détaché de nous qui permet de découvrir dans la musique des nuances inaperçues de notre émotion vécue et qui rend possible la consolation que la musique apporte[140] :

> Un jeune Italien plein d'une passion, après y avoir réfléchi quelque temps en silence, pendant qu'elle est plus poignante, se met à chanter (...) et il choisit, sans y songer, parmi les airs de sa connaissance, celui qui a quelque rapport à la situation de son âme ; (...). Cet écho de son âme le console ; son chant est, si l'on veut, comme un miroir dans lequel il s'observe : son âme était irritée contre le destin, il n'y avait que de la colère ; elle va finir par avoir pitié d'elle-même.
>
> A mesure que le jeune Italien se distrait par son chant, il remarque cette couleur nouvelle qu'il donne à l'air qu'il a choisi ; il s'y complaît, il s'attendrit.

C'est aussi pourquoi il savait que l'essentiel pour l'artiste le plus sincère n'était pas de « voir dans son vers, par exemple, l'émotion qu'il avait en le faisant et qu'il lui rappelle, mais bien celle qu'il exprime, et de la manière qu'il l'exprime » [141], et pourquoi il disait que « je ne puis travailler que loin de la sensation » [142]. Aussi ne doit-on pas s'étonner de trouver dans la *Chartreuse* que Fabrice essaiera de mettre quelque distance entre lui et les désagréments subis à la douane sur le Pô, en songeant à en tirer un sonnet comique (202). Car en traduisant l'événement en une forme esthétique, tout comme lorsqu'il a recours aux calembours, c'est une attitude plus lucide et humoristique que Fabrice pourra intuitivement atteindre. Pour Stendhal, le véritable enjeu dans une œuvre d'art donnée était ainsi de trouver l'équilibre souhaitable entre l'émotion, la transparence et le recul esthétique.

De même, on croirait qu'un écrivain apparamment aussi peu soucieux de la mise au point définitive de ses textes [143] ne concevrait guère l'œuvre d'art comme monument commémoratif. Mais à la réflexion, on s'aperçoit que là encore ce serait trop simplifier. Qu'est-ce que *De l'Amour*, qu'est-ce que le début de la *Vie de Henry Brulard*, sinon des mémoriaux élevés à ses amours ? « Quel être n'aime pas qu'on se souvienne de lui ? » [144]. Car Stendhal, qui a rêvé aux formes qu'aurait son

---

[140] *VDR*, t. 1, p. 9-10. Voir aussi *ibid.*, t. 2, p. 150 n - 151 n, où nous voyons Stendhal évoquer l'équilibre idéal entre la transparence et la distanciation.

[141] J, p. 710.

[142] *J*, p. 1241. Ce qu'il a fait, effectivement, en écrivant sur l'Italie en France et sur la France en Italie.

[143] Surtout à ses débuts, lorsqu'il laisse à Crozet, par exemple, le soin de maintes corrections (*C*, t. 1, p. 814-6, 818-823).

[144] *VHB*, p. 56.

propre tombeau, comprend parfaitement ces hommes de la Renaissance qui ont commandé de belles œuvres pour perpétuer leur souvenir [145]. Connaissant trop bien lui-même les défaillances de la mémoire, n'a-t-il pas fait preuve d'une véritable manie d'inscriptions commémoratives — sur les montres, sur les bretelles et jusque sur les pantoufles [146] ? Dans les romans, supports plus solides pour la gloire littéraire, les notes chiffrées en bas de page ne servent pas uniquement à mystifier le lecteur ; ce sont aussi des inscriptions incorporées aux livres pour commémorer les amitiés, les amours et les événements politiques [147]. Ne comptait-il pas être lu en 1880 ? D'ailleurs, lui qui rapportait largement les effets de l'art précisément au mécanisme de la mémoire ne pouvait guère être insensible à ses virtualités commémoratives [148]. Même si d'autres préoccupations somme toute plus fortes effaçaient souvent dans son esprit mobile ce désir très réel de dresser des monuments durables, il faut toujours en tenir compte.

Il n'y a donc pas vraiment lieu de croire que la mise en valeur de ces fonctions littéraires soit accidentelle dans *La Chartreuse de Parme,* même si certaines vont à l'encontre de nos conceptions habituelles de sa pensée. Or Stendhal aurait-il donc été plus conscient qu'on ne le dit aujourd'hui de l'autonomie de l'œuvre par rapport à son auteur et à ses autres écrits ? Un peu plus quand même que certains ne le croient, et on serait étonné s'il en était autrement, chez un écrivain du dix-neuvième siècle qui comptait surtout sur ses romans pour être lu dans un avenir lointain [149] : « une fois que la mort a fait commencer la postérité pour un grand homme, que lui font dans sa tombe toutes les faussetés, toutes les contradictions des hommes ? (...) les chefs-d'œuvre immortels s'avancent en silence au travers des siècles à venir. » Et la *Chartreuse,* son roman qui prend le plus clairement conscience de soi, est peut-être l'exemple où d'autres préoccupations ont le plus visiblement coexisté avec le culte de l'égotisme foncier, où c'est une œuvre parachevée, capable d'accéder à une survie indépendante, que Stendhal a manifestement visée. Si les notions qui se dégagent du privilège accordé à la poésie paraissent entrer en conflit avec l'improvisation égotiste à bride abattue, sans forme ni fin, il n'en est au fond pas vraiment ainsi. En fait ces notions ne servent qu'à reconnaître les limites qui s'imposent à cette ouverture et à cette liberté, l'équilibre et les conventions qui les rendent possibles, ainsi que dans les comédies *dell'arte.*

Le roman se termine sur le ton quelque peu distant et abstrait de la fable, mais en fin de compte ce n'est ni un poème, ni un conte, mais bien un roman que Stendhal a écrit. Car selon lui, la poésie a le désavantage majeur de ne pas pouvoir peindre le mouvement libre des

---

145 Cf. *HPI,* t. 1, p. 40 ; *J,* p. 1127-9, 1143-4.

146 Voir G. Genette, *Figures II,* p. 167-8. Cf. *J,* p. 1102, 1243, 949.

147 Voir dans *La Chartreuse,* par exemple, les souvenirs des Montijo, de Giulia et des troubles à Trieste (70, 465, 451, 396).

148 Cf. l'article important de R.N. Coe, « Stendhal and the Art of Memory », in *Currents of Thought in French Literature. Essays in Memory of G. T. Clapton,* Oxford, Blackwell, 1965, p. 145-163.

149 *HPI,* t. 2, p. 234.

hommes dans le monde, et d'être incapable de faire valoir la part de la raison. Seul le roman en est vraiment capable, et en même temps il a cet avantage de pouvoir inclure la poésie. Ainsi s'esquisse sur le plan de la forme une notion idéale d'équilibre entre la liberté et l'ordre, dans ce langage du romancier qui peut glisser avec aisance du langage public de la raison au langage secret du lyrisme. Remarquons aussi, puisqu'il s'agissait pour Stendhal de peindre un monde qui se noyait dans l'abondance des signes et des illusions symboliques, que seul le romancier est capable de faire les reculs et les déplacements successifs qui sont nécessaires pour faire apparaître les différents contextes en vertu desquels les illusions et les signes sont ce qu'ils sont. Il s'ensuit que dans ce monde de perceptions instables, seul le roman saurait les évaluer et réévaluer au fur et à mesure, rendant justice tant à la vérité qu'aux chimères.

La réflexion critique dont le roman se double nous paraît ainsi très riche, et d'une cohérence fondamentale. Ce qu'il ne dit pas, mais qui semble évident, c'est le caractère profondément ludique de l'attitude de Stendhal devant le texte de cette œuvre. Il ne manque que son explicitation théorique, même si la caricature de Gros qui survient à l'improviste dans les premières pages (26-27) et le cuisinier amateur de calembours en sont, en effet, des avertissements spontanés. Certes, il faut admettre qu'ailleurs non plus, Stendhal n'a guère développé l'idée de l'activité littéraire comme jeu. Quelques indices suggèrent pourtant qu'il s'agit là d'un retard de sa théorie sur ce qu'il sentait instinctivement. Pour lui, atteindre la gloire littéraire, c'était toujours tenir un billet gagnant « à la loterie »[150] ; il lui arrivait de parler de « ces jeux de ma plume »[151] et d'appeler des « jeux de l'imagination » les arts littéraires[152]. Dans la *Vie de Henry Brulard* et dans *Lucien Leuwen,* ce sont des termes de chasse qu'il emprunte pour décrire le travail du romancier[153]. Peu de chose, sans doute, étant donné les pseudonymes cocasses, les codes, les ironies et un titre ludique comme *Le Rouge et le Noir.* Nous croyons pourtant que par son style et par ses thèmes, la *Chartreuse* montre qu'il n'aurait fallu que quelque hasard de conversation ou de lecture pour que Stendhal cristallisât sur une idée de l'art comme jeu, tant il avait l'œil averti pour l'élément ludique dans d'autres activités.

La désinvolture de son jeu avec les mots ne suffit pourtant pas pour caractériser son attitude ludique dans la *Chartreuse.* Cette attitude doit aussi être rapprochée de l'attitude du joueur devant les contraintes que son jeu lui impose. Car celui-ci accepte, par exemple, de n'utiliser que les cartes données pour en faire ce qu'il peut dans le champ restreint du jeu[154]. Et si dans la *Chartreuse* Stendhal se comporte comme tout écrivain en cherchant à tirer parti dans l'espace clos de l'œuvre, de la matière verbale fournie par sa culture, en fait

[150] *C,* t. 2, p. 153 ; *VHB,* p. 194.
[151] *SE,* p. 1469.
[152] *RN,* p. 217.
[153] *VHB,* p. 329 ; *LL,* p. 1537.
[154] Cf. R. Caillois, *op. cit.,* p. 7-10, 40-1 ; C. Lévi-Strauss, *La Pensée sauvage,* Plon, 1962, p. 126.

ce qui est plus spécialement remarquable, c'est la franchise avec laquelle il consent à ces conditions ludiques. Comme nous l'avons vu, la méditation dans le récit sur l'art et sur les signes ne fait pas seulement ressortir le caractère libre et indirect des rapports de l'œuvre avec la réalité ; elle fait valoir en même temps l'utilité de ses conventions arbitraires et nous propose ainsi implicitement un espace esthétique analogue à celui du jeu. Et cette adoption par Stendhal à l'égard de la forme d'une attitude profondément ludique est également moralement solidaire des perspectives qu'implique plus généralement le roman. Car c'est cette attitude ludique qui lui a permis d'atteindre face à toutes les contradictions de la vie et de l'art un point de vue plus équilibré et plus compréhensif, en reconnaissant le besoin d'ordre. Sur le plan de la forme, on le voit au soin qu'il a pris pour contrebalancer un effet d'extrême imprévisibilité par une notion d'ordre et de continuité. D'où, surtout, le relief qu'il a donné à ces fameux présages. Or nous allons voir que c'est justement dans le contexte des présages que Stendhal fait valoir l'idée du jeu pour la première fois dans le roman. Sa recherche d'un équilibre formel s'assimilera ainsi de façon très précise à l'équilibre qu'on trouve dans l'espace du jeu entre la liberté, les règles et le hasard.

3. L'ORDRE DU JEU

La réflexion esthétique qui se dégage du roman nous ramène donc aux structures que se donnera son improvisation, à l'ordre nécessaire que Stendhal a fini par reconnaître. Tâche d'autant plus essentielle qu'on a si souvent cru pouvoir signaler un certain décousu dans la *Chartreuse.*

Par rapport aux autres romans, la richesse exceptionnelle et l'ambiguïté des thèmes devaient peut-être faire naître cette impression. Mais plus essentiellement, elle est sans doute due aux complexités de l'intrigue et à l'augmentation du nombre de points de vue [155]. Entre autres choses, il en est résulté dans ces chapitres très longs une certaine complication des perspectives temporelles, d'autant plus que Stendhal donne un si grand poids ici aux pèlerinages sentimentaux et aux souvenirs du bonheur [156]. Cependant, on exagère souvent le manque d'unité dans l'organisation du roman. Du point de vue de la symétrie, par exemple, on oublie la boucle qu'esquisse le roman, le-

155 Sur l'augmentation du nombre de points de vue, cf. G. Blin, *Stendhal et les problèmes du roman,* J. Corti, 1954, p. 162-3. Dans le chapitre sept, par exemple, nous nous identifions tour à tour avec ceux de Fabrice, de Gina, de Mosca et de Ranuce-Ernest.

156 J.-L. Seylaz observe que les chapitres de la *Chartreuse* sont en général beaucoup plus longs que ceux du *Rouge et le Noir.* La moyenne pour la *Chartreuse* est de dix-sept pages, avec un de trente-quatre. Dans *Le Rouge et le Noir,* la moyenne est de cinq à sept pages, sans grandes exceptions (« " La Chartreuse de Parme " : quelques réflexions sur la narration stendhalienne », *Etudes de Lettres,* Lausanne, sér. III, t. 1, 1968, p. 282-5, 287-8). Sur les perspectives temporelles dans la *Chartreuse,* voir aussi P. Creignou, « Illusion et réalité du bonheur dans " La Chartreuse de Parme " », *Stendhal Club,* n° 64, 15 juillet 1974, p. 310-334.

quel tient à susciter un écho ironique entre la première page et la dernière, en faisant répondre à la conquête d'une ville par Napoléon, conquête à peu près sans lendemain, la prise d'une autre ville moins brillante mais plus durable par Mosca, ancien soldat de l'empereur. De même, on a trop vite conclu sur la parole de Stendhal, lorsqu'il répondait aux critiques de Balzac, à l'inutilité de l'épisode de la Fausta, qui clôt la première partie du récit [157], alors que cet épisode résume admirablement l'impasse morale où Fabrice se trouve bloqué à la fin du premier volet de sa carrière. Nous montrerons dans notre cinquième chapitre pourquoi l'épisode est des plus nécessaires [158]. Mais ces exemples entament à peine la question, et l'ordre fondamental qui nous concerne ici, l'ordre qui a le plus préoccupé Stendhal, ce n'est pas celui fourni par l'intrigue et par la succession causale des événements, mais un ordre organique qui nous semble d'une autre espèce.

On a suffisamment commenté le retour de certaines images — d'églises, de fêtes, d'orangers et de cellules — pour que soit devenu évident le rôle essentiel joué par les images dans l'unification de ce récit. Alors que l'intrigue provoque la dispersion, ce sont elles qui resserrent les liens entre les épisodes, et bien plus, ce sont elles qui nous communiquent l'essentiel, souvent, nous le verrons, sans autre commentaire explicite. L'intrigue en elle-même ne nous dit-elle pas au fond beaucoup moins sur le sens général du roman que ne le fait l'intrigue du *Rouge et le Noir* [159] ? En fait la disposition profonde de Stendhal pour l'organisation thématique d'un récit, par le retour constant des images, disposition qu'a surtout déterminée le caractère si réitératif de son monde imaginaire, est devenue manifeste dans *Lucien Leuwen,* où lui manquaient les détails tout faits d'une intrigue [160]. Le bonheur de la *Chartreuse* en tant que structure vient de la rencontre de cette prédisposition avec une histoire et un décor qui s'y prêtaient harmonieusement. Dans la *Chartreuse* nous avons donc déjà vu comment, à partir des premières pages, Stendhal ne cesse de jouer avec les contrastes entre la lumière et l'obscurité. Or tout le long du roman il jouera de même, et en y mettant autant de souplesse, avec d'autres images qu'il s'est données. Parfois celles-ci sont dès le début associées, telles la chasse, les chevaux et la solitude, parfois elles sont systématiquement opposées, telles les fêtes et les prisons [161]. Ces divers groupes se développent ensuite, se scindant, se croisant et se renforçant ici, mais là se prêtant à des renversements parodiques, comme nous l'avons vu à propos de la lumière. Or, si beaucoup de ces images sont celles que Stendhal se plaît à répéter inlassablement d'œuvre en œuvre, ce qu'il faut toutefois souligner, c'est que dans ses meilleures pages il sait en tirer des connotations et des échos bien plus divers qu'on ne le croit. Ici, ce qu'il nous faudra maintenant montrer, en qui

---

[157] « *Faut-il conserver la Fausta, épisode devenu trop long ?* » (*C*, t. 3, p. 398). Cf. aussi la note sur l'exemplaire Chaper, 1418.

[158] Cf. *infra* p. 183-186.

[159] C'est aussi ce que presque tout le monde a reconnu intuitivement avec Durand, en prêtant une attention particulière aux images.

[160] Cf. Maurice Bardèche, *op. cit.*, p. 293.

[161] Cf. *infra* p. 178-180.

vant les fils délicats qui relient trois images apparemment sans rapport, c'est la variété de sens qu'elles parviennent à véhiculer tout en se renvoyant suffisamment d'échos pour contribuer à l'harmonisation du récit.

Dans le décor de la *Chartreuse,* les arbres acquerront une importance considérable — à Grianta, à Parme, à Waterloo, mais aussi à la chartreuse où Fabrice finira sa vie. Leur présence rappelle Cervantès et l'Arioste, où les aventures des héros se déroulent aussi à l'ombre de grands bois menaçants ou protecteurs. Mieux qu'auparavant, l'imagination de Stendhal s'est emparée des virtualités poétiques de l'image. Si on se rappelle les arbres tondus de Verrières, en lisant qu'à Grianta ils forment des bouquets « plantés par le hasard, et que la main de l'homme n'a point encore gâtés et forcés *à rendre du revenu* », Stendhal ne se contentera pas de cette symbolisation de la liberté [162]. La vie de Fabrice est aussi assimilée au marronnier planté l'hiver de sa naissance, marronnier dont les feuilles printanières lui feront signe de quitter le « triste hiver » du despotisme paternel pour renaître dans l'action de Waterloo (50). Plus tard l'admirable épisode de son rite de passage à Grianta se terminera sur une nouvelle visite à cet arbre et sur l'élagage de sa branche cassée (180). On s'est plu à souligner la part de l'inconscient stendhalien dans cette image, pour ne finir par y voir qu'un « arbre de Jessé » et une prémonition de la mort de Sandrino dans la branche qui a été cassée [163]. Mais de telles lectures doivent en tout cas rester secondaires, puisque le mouvement du chapitre lui-même, qui est celui d'un rite à la faveur duquel un adolescent essaie de mettre derrière lui les puérilités et les malheurs de l'enfance, nous invite plutôt à y reconnaître le symbole parfait d'une belle croissance continue [164]. Stephen Gilman l'a vu, et les paroles de Stendhal le disent clairement [165]. Des méchants ou un orage ont endommagé la branche, « accident sans conséquence ; une fois coupée, elle ne nuisait plus à l'arbre, et même il serait plus élancé, sa membrure commençant plus haut » (180). Remarquons le *sans conséquence* et la *hauteur* future bien accordée à l'élévation spirituelle qu'atteindra Fabrice [166]. Comment voir dans cette branche qui *nuisait* à l'arbre, élaguée par Fabrice lui-même, un symbole de son fils, même quand Fabrice se rendra responsable de sa mort [167] ? Il est vrai que toute croissance se paie d'une manière ou d'une autre ; c'est seulement dans ce sens que la branche élaguée préfigure ce qu'il en coûtera à Fabrice d'atteindre sa véritable destinée spirituelle. Au fond il serait plus juste de voir dans cette branche cassée un symbole de la haine qui sévit entre lui et son père, haine dont Fabrice vient précisément de réduire les effets à de justes proportions, en mettant les choses de

---

162 45. Cf. *RN,* p. 223.

163 Durand, *op. cit.,* p. 53-4 ; S. Felman, *op. cit.,* p. 236 n - 237 n.

164 Sur ce rite, cf. *infra* p. 99-100.

165 S. Gilman, *op. cit.,* p. 46. Cf. aussi J. Wayne-Conner, « L'arbre de Fabrice et l'abbé Blanès », *Le Divan,* oct.-déc. 1954, p. 493-500.

166 Sur la *hauteur* qu'atteindra Fabrice, cf. *infra* p. 168-171. A la page 45, la description du paysage de Grianta rapproche les grands arbres et les clochers.

167 Cf. *infra* p. 199-201.

l'enfance derrière lui. Cependant, les arbres peuvent aussi être protecteurs, comme Gaston Bachelard nous le rappelle [168], et l'improvisation stendhalienne fera suivre la scène où Fabrice assure la croissance vitale de son marronnier par une autre où il se cachera « dans le tronc creux d'un énorme châtaignier » (181). Déjà, les arbres lui ont servi de refuge à Waterloo (60, 73, 75), et ils le protègeront encore lors de son évasion le long du Pô (206-208). Si Stendhal place la fin monacale de sa vie « dans les bois voisins du Pô » (493), l'entourant ainsi de nouveau d'arbres protecteurs, ce sera précisément afin de ne pas exagérer la portée de sa destinée ultime par un site exposé, plus élevé et plus héroïque [169].

Au creux maternel de l'arbre où Fabrice se réfugie à Grianta répond le bercement dans le creux maternel des barques que Gilbert Durand a analysé à propos des promenades sur le lac avec sa tante [170]. La richesse du texte se retrouve dans le fait qu'ici encore, Stendhal adapte une même image avec souplesse à plusieurs thèmes. Car les barques deviennent aussi pour Fabrice les symboles de la liberté et de l'aventure (39-40, 46, 49, 97, 205), opposées à la vie quotidienne de Grianta et des cours (47, 177-8). La dégradation de la vie héroïque est brillamment résumée par ce renversement ironique qui fait succéder aux nouvelles apportées en bateau du débarquement de Napoléon (49) les nouvelles également apportées en bateau de l'assassinat du prince arrangé par Gina (408). Un trait plus subtil souligne que Fabrice montre la même aptitude à être porté sur l'eau qu'à être porté à cheval ; il est dans sa nature de flotter, de planer au-dessus des choses, tandis que Gina est sujette à tomber dans l'eau [171]. Il réussit les transitions, les passages. Les barques l'aideront à s'échapper des gendarmes (206-208). Elles l'aideront aussi, dans le contexte initiatique du retour à Grianta, à accomplir la traversée nocturne d'un lac où l'on n'exige aucun passeport, lac de la mort initiatique [172]. Ces transitions d'une aérienne douceur dans les creux maternels des barques nous préparent enfin à retrouver un dernier écho de cette série d'images dans l'espèce de cage flottante qui se fermera sur Fabrice dans la tour Farnèse.

On oublie que la cage étrange de cette tour (310-311) est préfigurée au clocher de Blanès par « la cage de planches qui formait son observatoire » (170). Ce rappel est plus pressant que la vague analogie entre la cage de Fabrice et celle où se trouvent les oiseaux de Clélia [173]. A Grianta comme à Parme, c'est l'imagerie classique des initiations spirituelles qui a engendré dans l'imagination de Stendhal ces cages,

---

[168] G. Bachelard, *La Terre et les rêveries du repos*, J. Corti, 1948, p. 313 ; *L'Eau et les rêves*, J. Corti, 1942, p. 99-100.

[169] Cf. *infra* p. 204-205.

[170] *op. cit.*, p. 183-5. Sur l'association onirique entre l'arbre maternel, le berceau, la barque et l'eau, voir Bachelard, *L'Eau et les rêves*, p. 99-100, 178-9.

[171] Cf. *infra* p. 105-107.

[172] 165. Voir Bachelard à propos de l'eau et du bateau des morts (*L'Eau et les rêves*, p. 99-109). Fabrice fera la traversée déguisé en serviteur de sa famille — geste instinctif, déjà, d'humilité devant le rite de passage.

[173] Cf. Durand, *op. cit.*, p. 188.

symboles antiques des ventres terriens et maternels où l'initié devait séjourner avant de renaître [174]. Mais en plus, Blanès et Fabrice y accomplissent leurs rites de passage en planant, si l'on peut dire, au-dessus de la réalité. Ainsi se révèle, par cette même suggestion d'une transition aérienne dans quelque creux protecteur, la continuité entre ces cages flottantes et les barques de Fabrice. En effet, Bachelard nous rappelle que dans la rêverie, il n'est pas rare que les bateaux s'envolent dans l'air [175], et c'est dans un véritable hamac de matelot que Stendhal nous montre le geôlier Grillo endormi sous la cage de Fabrice (329) : « une peau de bœuf suspendue au plancher par quatre cordes, et entourée d'un filet grossier ». Ne subsiste-t-il pas même dans ces cages flottantes un écho lointain des creux des arbres protecteurs qui nous ont tout d'abord occupés ici ? Imaginons la légère rupture onirique qui se serait produite dans la trame du récit si cela avait été dans une cage de fer au lieu d'une cage de bois que Stendhal avait placé Fabrice.

La claustrophilie constitue évidemment un des fils oniriques qui relient ces trois images [176]. Mais une analyse de la structure du roman exige qu'on accorde surtout l'attention à la diversité des résonances qu'elles suscitent entre elles tout en unifiant le récit par leur retour constant. Et cette sorte de texture d'images récurrentes est présente à chaque moment de l'histoire. Sans doute, dans les romans, en est-il toujours plus ou moins ainsi. Mais dans la plupart des romans du dix-neuvième siècle — et dans les autres romans publiés de son vivant par Stendhal — cette répétition des images cherche le plus souvent à se dissimuler. Et ce qui est remarquable dans la *Chartreuse*, c'est que cela n'est plus du tout le cas, c'est que Stendhal semble plutôt souligner la fonction essentielle de ce retour d'images dans l'ordonnance de son récit. Nous allons voir à quel point cela est vrai.

Certes, l'accord entre le décor et l'action, problématique dans *Lucien Leuwen*, est si heureux dans la *Chartreuse* qu'on ne saurait aller jusqu'à ne voir qu'une structure de surface dans l'intrigue elle-même. Mais on ne se défait pas facilement, pour autant, de l'impression que la structure profonde est celle fournie par ces images répétées, et que les autres éléments structurants ont presque pour but essentiel d'enrichir celles-ci progressivement. Ces nuances, car il s'agit de nuances, sont plus faciles à sentir qu'à démontrer. Du moins, ce que nous savons de la maladresse de Stendhal à inventer une intrigue et de ses méthodes d'improvisation ne contredit en rien cette impression. Peut-être l'utilisation de chapitres plus longs n'est-elle pas étrangère au rôle que joue la répétition d'images dans l'organisation de la *Chartreuse*. Soutenue par les échos et par les refrains qu'elles finissent par susciter, la voix du narrateur pouvait assurer l'unité en dominant d'autant mieux et le changement des points de vue et les rebondissements continus de l'action.

[174] Sur ces cages et cabanes symboliques (la cage de Fabrice est aussi une « cabane », 310), voir M. Eliade, *Rites and Symbols of Initiation*, New-York, Harper Torchbooks, 1965, p. 35 6, et S. Vierne, *Rite, roman, initiation*, Grenoble, Presses Universitaires, 1973, p. 33-4.

[175] *L'Air et les songes*, p. 174 ; *L'Eau et les rêves*, p. 62.

[176] Durand, *op. cit.*, p. 183-9.

Le rôle joué par la répétition que nous commençons à entrevoir, suggère une structure essentiellement cyclique. Cela est confirmé à d'autres niveaux du récit. Sur le plan des thèmes, on n'a pas manqué d'observer que le roman est rythmé par les cycles entrecroisés de la jeunesse et de l'âge[177], par des bonheurs toujours perdus et retrouvés[178]. La vie est ici une suite d'échanges entre la prospection et la rétrospection[179], entre les exils et les retours aux amis de cœur. Que de fois les cœurs de Gina, de Mosca, de Fabrice ne mourront-ils pas pour renaître ensuite[180] ? Le grand cycle des jours et des nuits, le marronnier de Fabrice qui subit les transformations successives apportées par les saisons, sont les symboles majeurs de ce rythme (50). L'ouverture du roman le prépare savamment. Le rythme auquel, pendant une vingtaine de pages, se succèdent les occupations et les réoccupations de Milan par les Français et par les Autrichiens, rythme marqué par le symbolisme solaire, instaure le mouvement de flux et de reflux qui gouvernera la structure profonde du roman, le seul chez Stendhal où la fin fasse quelque écho au début.

On pourrait retrouver de même une forte tendance au circulaire dans la structure des rapports qui lient les protagonistes — cela dit sans vouloir attacher à une telle spatialisation des rapports affectifs plus de valeur scientifique qu'elle n'en peut avoir. N'y a-t-il pas comme une reprise, un peu cachée par l'entrée tardive de Mosca, de la chaîne amoureuse d' *Andromaque :* Mosca aime Gina qui aime Fabrice qui aime Clélia ? Mais ce n'est qu'un des visages que présente la structure dans les moments les plus pénibles. En effet, dans chaque maillon de cette série circulent, à des degrés différents, des charges aussi bien positives que négatives, puisque les affections réciproques ne sont en aucun point absentes. Mosca est aussi aimé par Gina, Gina par Fabrice et Fabrice par Clélia. Ces réciprocités sont en plus renforcées chaque fois par d'autres intérêts majeurs des personnages. Mosca fait de Gina une auxiliaire utile dans ses luttes avec les princes. Par Mosca autant que par Fabrice, Gina cherche à satisfaire son goût du pouvoir[181]. La carrière de Fabrice dépend de Gina, et sa destinée spirituelle de Clélia. Ainsi pourrait-on se figurer la structure essentielle de leurs relations — nous négligerons ici les relations secondaires entre Mosca et Fabrice, entre Gina et Clélia — comme une suite de larges anneaux entrecroisés. Le remarquable dans cette structure des rapports personnels, c'est que si elle converge un peu sur Gina et sur Fabrice, au fond elle n'a vraiment pas de centre, puisque d'un point de vue différent chaque personnage parvient à dominer tout aussi bien la série — Mosca par son pouvoir politique et par sa pers-

---

[177] Voir les réflexions de Gina et de Mosca, 44, 109, 154, et les pages de F. W. J. Hemmings, *op. cit.*, p. 200-1.

[178] Cf. M. Bardèche, *op. cit.*, p. 361.

[179] Cf. P. Creignou, « Illusion et réalité du bonheur dans " La Chartreuse de Parme " », *Stendhal Club*, n° 64, 15 juillet 1974, p. 310-334.

[180] En dehors des initiations successives de Fabrice, voir, par exemple, les mots de Gina retrouvant la jeunesse à Grianta (46) et de Mosca à propos de Gina (117-8) : « C'est une femme, se disait-il, qui me rend toutes les folies de la jeunesse ! »

[181] Cf. *infra* p. 112-115.

picacité, Gina par son affectivité turbulente, Fabrice par sa carrière qui focalise la narration, même Clélia par son prestige spirituel. Bien plus, cette réciprocité circulaire dans leurs rapports est moralement de la plus grande importance, comme le montre sa persistance dans la dernière partie du roman. Car là les structures essentielles des rapports entre Gina, Mosca et Fabrice seront sauvées par un mouvement de sublimation psychologique qui est resté exceptionnel chez Stendhal. Lourde d'abord de charges affectives intraitables, cette structure atteindra ainsi pendant trois ans, après maints éloignements et retours de la part des partenaires (toujours le mouvement circulaire), une relative stabilité psychologique, devenant ainsi la structure rêvée de la société et de la famille des « *happy few* »[182].

Dans une structure aussi décentrée — Lévi-Strauss l'a noté à propos des mythes et de la musique[183] — la répétition gagne forcément en importance comme principe organisateur. C'est ce que nous avons déjà suggéré, mais il faudra nous étendre là-dessus, car c'est là le trait distinctif du récit, celui qui nous fait le mieux entrevoir la situation de ce roman dans la carrière de Stendhal. Certes, puisque c'est sur la répétition que se fondent toutes les structures esthétiques et psychologiques, on risque de la trouver partout où l'on veut, et on ne saurait en parler qu'avec précaution[184]. Pourtant, nous n'exagérons certainement pas en disant que si tous les grands écrivains ont tendance à se répéter dans leurs écrits, la répétition est particulièrement frappante et dans la vie et dans l'œuvre de Stendhal. De son adolescence à la maturité, il a moins changé d'idées et de comportement que la plupart des hommes. Envers ses amis, envers les femmes, il est toujours le même, rejouant sans cesse le même scénario passionnel. Inlassablement, il répète les mêmes idées. Dans les romans, sa fidélité à un répertoire aussi exigu de personnages, de symboles et d'actions est à peu près sans équivalent parmi les grands romanciers réalistes. Cela dit sans oublier la fonction créatrice à laquelle s'adapte chez lui cette répétition. Il renchérit même en se relisant, en s'annotant et se ré-annotant sans cesse. Certainement, ce trait tient en partie au véritable trauma créé par le drame familial, qui le pousse sans répit à retrouver les mêmes dispositions d'esprit, à reprendre les mêmes actions. Il se rendait parfois compte d'ailleurs, même avant la *Chartreuse,* à quel point il se répétait dans ses livres[185]. Rien d'étonnant alors, à première vue, que le récit de la *Chartreuse* regorge de symétries et de ressemblances de toutes sortes. On nous dira que le faire valoir, ce n'est que réaffirmer une fois de plus l'unité bien connue de l'imagination stendhalienne, rendue plus évidente cette fois par la composition improvisée. Il nous semble pourtant que le caractère manifeste de ces répétitions, et surtout la

---

182 Voir aussi nos remarques complémentaires sur l'obsession triangulaire dans la *Chartreuse, infra* p. 78-79.

183 *Mythologiques. Le Cru et le Cuit,* Plon, 1964, p. 24-6.

184 Cf. surtout, E. H. Gombrich, *The Sense of Order,* Londres, Phaidon, 1979. Voir également Jonathan Culler, *Structuralist Poetics,* p. 58-71, C. Rosen, *Schoenberg,* p. 42-3, 63, 92-3.

185 Il s'en rend compte, par exemple, en marge de *Mina de Vanghel* (in *Romans et Nouvelles,* Cercle du Bibliophile, p. 202).

manière dont le texte les explicite, peuvent à bon droit nous frapper[186]. Stendhal avait plusieurs fois réfléchi sur le rôle de la répétition dans la musique[187], et dans la *Chartreuse*, ce trait si marqué suggère qu'un état d'esprit plus détendu lui a enfin permis d'écrire un texte qui rende visible ce travail de la répétition même dans les vies et dans les arts les plus voués à la spontanéité, texte qui sache en outre faire face au problème en découvrant une perspective soulageante. Nous verrons que l'idée du jeu n'est pas étrangère à cet effort de résolution.

Ces reprises se font donc voir sur tous les plans de la narration, aussi bien sur celui des personnages et des situations dramatiques que sur celui du décor et des symboles. Car il ne s'agit pas seulement du retour régulier de motifs semblables à ceux que nous avons déjà étudiés, et de cette réapparition de tout un faisceau d'images — cages, cordes, orangers, panoramas et vues plongeantes — qu'amène la tour Farnèse après le clocher de Grianta. D'autres échos montrent que ce trait se développe au point de friser les bornes de ce qu'il y a de conventionnel dans ces méthodes, exagérant à l'extrême le travail d'unification. L'évolution morale de Fabrice est assurément signalée par la similitude entre les deux rendez-vous avec Marietta et Clélia, où apparaissent le même décor nocturne d'une rue déserte et le même lacis (voile de dentelles ou fenêtre grillée) qui cache le visage de la femme (221-222, 487-488). Mais suffit-il de n'y voir qu'un effet poétique lorsque surgit dans un décor presque identique cette Bettina que Fabrice préfère à la Fausta (235) ? N'est-il pas curieux qu'on nous redonne « des vitres de papier huilé, comme sa chambre à la tour Farnèse » dans le taudis d'où Fabrice guette Clélia au palais Contarini (449) ? N'est-il pas excessif que les fenêtres de la Fausta donnent sur l'esplanade boisée de la citadelle, comme la prison de Fabrice dans cette même citadelle donne sur les orangers de Clélia (228) ; que la cachette de Ferrante au palais Sanseverina fasse écho à la cellule de Fabrice, sans que cela serve aucun but perceptible (367) ? Et que doit-on penser quand Mosca à la fin débarrasse les amants du marquis Crescenzi en lui faisant reprendre le voyage de Fabrice sur le Pô, rappel qui semble échapper à toute explication symbolique ou psychologique ?

Ce n'est qu'un échantillon de ce rappel d'images. On nous croira rétifs à la poésie stendhalienne. Au contraire ; et la question n'est pas précisément là. Cette répétition devient encore plus marquée sur le plan de l'action et des personnages. Sans parler de cette répétition d'épreuves et d'initiations qu'apporte le mythe héroïque, nous ne pouvons donner que quelques exemples entre mille du principe à l'œuvre dans les menus détails. Lors du retour de Fabrice à Grianta, sa fuite précipitée dans l'escalier du clocher préfigure son évasion de la citadelle de Parme (178) ; d'autre part, en cherchant refuge contre son

---

[186] Pour ce qui est des répétitions mineures de mots survenues par inadvertance, il est évident que Stendhal lui-même a voulu les éviter (*Journal*, Cercle du Bibliophile, t. 5, p. 230) ; on est d'autant plus frappé par son attitude devant les répétitions plus importantes.

[187] *VHMM*, p.93-95, 99, 165 ; *MDT*, t. 1, p. 230 ; *RNF*, p. 16.

père en haut de cet escalier, il anticipe sur le mouvement de Clélia qui place l'escalier de la volière entre elle et son père colérique (169-170, 325). Par la même occasion, le rapport étroit entre Blanès et Fabrice — rapport déterminant pour le roman, puisque Fabrice reprendra la fin de Blanès en finissant sa vie en méditation et en silence, après s'être séparé de l'être le plus cher à son cœur (171) — est souligné par cette répétition étrange qui fait peser sur Blanès aussi la menace du Spielberg (173). On a souvent fait ressortir les rappels détaillés entre la première et la deuxième rencontre de Fabrice et de Clélia ; on remarque moins que Gina a déjà sauvé son premier mari de la prison (42), que l'administration malheureuse d'un narcotique à Fabio Conti par Gina prépare son empoisonnement du prince, que la contemplation amoureuse de Mosca au théâtre (115) est deux fois reprise par Fabrice (160, 474), et même par Clélia dans le décor tout aussi théâtral de l'église illuminée pour le sermon de Fabrice (486). Nous aurons à examiner bien d'autres répétitions au cours de ce travail, et nous croyons qu'une relecture convaincra de l'importance exceptionnelle du phénomène, analogue à son importance dans la vie de Stendhal. Ici est largement dépassée la répétition conventionnellement dissimulée ou accentuée du *Rouge*. La tendance est d'autre part renforcée par certains traits de la structure dramatique, telle la reprise insistante du triangle amoureux dans les relations personnelles.

Le redoublement des personnages remarqué par Prévost, somme toute assez conventionnel[188], ne nous semble pas en effet aussi frappant que la multiplication presque indéfinie des triangles amoureux entrecroisés. Dénombrons quelques-uns des partenaires principaux : Fabrice/Mosca/Gina ; Mosca/Gina/Ferrante ; Ferrante/sa femme/Gina; Ranuce-Ernest/Gina/Mosca ; Ernest V/Gina/Mosca ; Fabrice/Clélia/Gina ; Fabrice/Giletti/Marietta ; Fabrice/ la Fausta/son amant ; Fabrice/Clélia/Crescenzi ; Fabrice/Clélia/Annetta. Que la structure soit reprise pour Ludovic, Théodolinde et Pierre-Antoine, ensuite à Bologne pour un ami de Ludovic, sa femme et un agent de police, est révélateur (212-213). Rappelons que c'est à l'occasion d'un triangle incestueux que fut construite la tour Farnèse. Pour l'organisation du roman, cette structure est décisive, puisque c'est par elle que la plupart des personnages sont mis en relation avec Fabrice et avec Gina. Mais en plus il semble bien s'agir de cette multiplication d'une séquence dans les mythes, commentés par Lévi-Strauss et par Propp, qui a pour but de rendre manifeste la structure du mythe, et la contradiction que le mythe s'efforce de résoudre[189]. Ce n'est pas tellement le voyeurisme indéniable de Stendhal, ni sa conviction habituelle que l'amour véritable est toujours extra-légal, que cette multiplication du triangle traduit. Plus essentiellement, puisque nous voyons ces triangles quelquefois sources de bonheur paisible aussi bien que de supplices, le roman s'efforce à coups répétés de trouver une solution au problème de la famille, de reconstruire ce triangle idéal que Stendhal a peut-être d'abord pressenti dans ses relations

[188] *La Création chez Stendhal*, p. 359.

[189] C. Lévi-Strauss, *Anthropologie structurale*, Plon, 1958, p. 254. V. Propp, *Morphologie du conte*, *NRF* Gallimard, 1970, p. 118.

avec sa mère et son grand-père, et que Mosca, Gina et Fabrice réaliseront brièvement. Dans notre perspective actuelle, l'essentiel est qu'à l'encontre du *Rouge et le Noir* et de *Lucien Leuwen*, où cette obsession triangulaire occupe une place plus restreinte, Stendhal ne fait rien dans la *Chartreuse* pour empêcher sa multiplication à l'infini, confirmant ainsi la tendance accrue à la répétition.

Nul doute qu'en dehors des pressions exercées par son inconscient, plusieurs caractéristiques de sa création romanesque poussaient Stendhal vers la répétition. Son ironie avait besoin de ces reprises indispensables aux renversements parodiques et à la comédie des échecs. Son refus de la description exhaustive mettait à nu les symétries et l'obligeait à chercher la couleur dans les refrains fournis par quelques détails choisis. On sait d'ailleurs, et la première partie de *Lucien Leuwen* est là pour le montrer, les difficultés qu'il avait à trouver des intrigues qui retarderaient l'issue d'une affaire en masquant les reprises. Cependant, l'effet des répétitions dans la *Chartreuse* exige qu'on aille plus loin dans l'analyse. Car ici la répétition ne donne pas l'impression d'une simple addition indéfinie, comme dans les récits de l'Arioste et du Tasse. Dans la *Chartreuse* elle est fortement polarisée par le destin. A mesure que le livre avance, on nous donne toujours moins de nouveautés, et le livre se construit sur la répétition d'une même matière toujours mieux connue, et qui semble par conséquent se rétrécir. Ce mouvement vers la simplification se retrouve au fond dans la plupart des romans, mais la *Chartreuse* n'essaie pas de le cacher. Elle épouse au contraire ce rétrécissement de la matière jusque dans la fin abrégée et dans la simplicité de son dernier alinéa, pour en tirer des effets remarquables. Cette évolution, qui ailleurs fait périr d'inanition bien des récits stendhaliens, devient ici une raréfaction parfaitement accordée à la spiritualisation progressive du roman et à sa prise de conscience de soi-même en tant que récit. En même temps la répétition manifeste ouvre des perspectives complexes sur le destin du héros. Car si elle fait avancer l'histoire vers sa résolution par une série d'approximations successives, elle révèle de même, mais seulement au coup d'œil rétrospectif, la trace d'une destinée qui se fait. A mesure que cette structure projette toujours plus nettement l'avenir du héros comme une reprise mieux réussie de l'essentiel de son passé, la répétition, le mouvement même de la mémoire, ouvre fatalement la voie à cette contemplation du passé qui donne sa tonalité particulière à *La Chartreuse de Parme*. Si l'histoire de la *Chartreuse*, vue sous un certain angle, semble en dépit de tout se passer hors du temps, cet effet paradoxal tient en partie à la simultanéité de ces deux perspectives créées par le même mouvement de répétition, l'une tournée vers la révélation toujours imprévue d'un destin caché, l'autre tournée vers les étapes passées de cette révélation.

Le récit lui-même se montre-t-il conscient des considérations de ce genre que peut suggérer la répétition insistante ? Car il faut constater que la réflexion sur le retour de situations analogues n'occupe les personnages que de temps à autre, du moins jusqu'aux réflexions qu'on peut supposer à Fabrice dans sa chartreuse. Lors du retour de Fabrice au clocher de Grianta, lors de son arrivée à la citadelle, à l'occasion des excursions sur le lac retrouvées dans la tristesse par Fabrice et Gina, ils ne font que constater avec curiosité, regret ou amertume le rappel des situations antérieures. Le passé retrouvé n'influe pas d'une façon déterminante sur leur comportement, comme chez Proust. Il s'agirait donc d'une conscience de la répétition dans l'art et dans la vie dont Stendhal ferait intuitivement part au lecteur bien plus qu'aux personnages eux-mêmes. Or il nous semble que la présentation des prédictions de Blanès montre que nous ne nous trompons pas sur l'importance de la répétition et des perspectives que le récit ouvre sur elle.

Les amples commentaires sur les prédictions, qui y ont justement pressenti des indices révélateurs, se sont concentrés sur leur signification psychologique ou métaphysique. Rares et assez vagues ont été les remarques voulant indiquer leur rapport avec le fonctionnement du texte. Certes, Gilman a eu raison d'observer qu'elles facilitent la concentration de Fabrice et du lecteur sur les expériences essentielles [190], et Prévost abordait comme toujours la question fondamentale en disant que les prédictions « rapprochent encore davantage le lecteur du point de vue de l'auteur improvisant » [191]. Mais seul le rôle de la répétition dans la structure rend compte de la place qui leur est accordée, fait que les études de Ricardou sur le roman permet de mieux saisir [192]. Le texte même fait valoir ce rapport entre les prédictions et la répétition. D'abord, chaque prédiction ne vise pas, comme dans tant de textes romantiques, un événement (prison ou crime) qui ne se produit qu'une fois par la suite. Fabrice ira deux fois en prison après les prédictions de Blanès, et il nous est permis de croire qu'il s'assied au moins trois fois sur un siège de bois [193]. Surtout, lequel des attentats réels ou possibles — l'empoisonnement de Fabio Conti, le meurtre du prince, peut-être même l'envie de tuer le marquis Crescenzi — est ce meurtre d'un innocent que Fabrice doit éviter ? On a souvent voulu le savoir, mais la question nous semble mal posée. Loin d'être accidentelle, cette obscurité est plutôt délibérée, car elle met en lumière le problème introduit par la répétition dans la vie, comme le font les énigmes sacrées des oracles classiques. Car la répétition d'un seul détail ou facteur à travers les différents contextes imprévisibles du récit et de la vie, crée précisément la difficulté de savoir laquelle des reprises est « la bonne ». Que la répétition soit au centre de la question ne devrait pas nous échapper, puisque Blanès lui-même raconte comment le redoublement à Brescia et à Grianta du même patron saint Giovita trompa Jacques Marini sur sa destinée (172-173). Au début du roman, l'on essaie également à plusieurs reprises d'accorder la prophétie des « treize » avec les

190 *op. cit.*, p. 25-8, 30.

191 *op. cit.*, p. 361.

192 J. Ricardou, *Le nouveau roman*, p. 35-6. *Problèmes du nouveau roman*, p. 176-8.

193 L'ironie de Stendhal veut que ce soit dans une chaise grotesque de carnaval que Fabrice essuie la promenade aux flambeaux dans l'épisode de la Fausta (238). On peut croire aussi qu'une chaise de bois n'est absente, ni de l'ameublement de sa prison à la tour Farnèse (312), ni de ses cellules aux deux chartreuses de Velleja et de Parme (454, 493).

semaines, les mois et les années de l'occupation française, jusqu'à ce que l'histoire justifie l'interprétation de Blanès (34, 38, 40). Observons d'autre part que dans la *Chartreuse,* les répétitions, loin d'être plaquées artificiellement sur le récit, s'intègrent précisément dans la série des situations qui vont se reproduire. Les prévisions de Blanès sur la prison ne font que donner du poids à un pressentiment qui a déjà saisi Fabrice lors de la première manifestation de cette série d'épreuves à Waterloo (55). Et Blanès se prononce dans le cadre d'un décor qui sera repris en détail à la tour Farnèse.

Ayant dégagé ainsi le rapport fondamental entre ces deux aspects troublants du texte, il faut en plus réfléchir sur le sens de la rigoureuse analogie que l'on aperçoit entre les effets paradoxaux produits par les prédictions et par les répétitions. Essentiellement, les prédictions nous disent ce qui arrivera, mais ne nous disent pas exactement la forme que prendront les événements futurs. De même la série des répétitions indique cumulativement ce qui se passera, mais sans précisions. Les répétitions forment une série, mais cette trace ne devient visible que rétrospectivement. Les prédictions indiquent un chemin qui s'ouvre, mais la route précise à suivre ne devient également visible que lorsqu'elle a été parcourue. Les prédictions montrent donc que les considérations déjà suggérées par la répétition ont effectivement été au centre des préoccupations intuitives de Stendhal dans la *Chartreuse.*

Si elles l'ont été, c'est bien parce que la recherche d'une notion d'ordre compatible avec la liberté improvisée était devenue une des préoccupations majeures de Stendhal lorsqu'il créait ce roman. La vie la plus librement ouverte aux possibilités futures, la vie d'un héros stendhalien qui ignore absolument les rapports du passé et du présent à l'avenir, finit quand même par prendre du moins l'apparence d'une certaine forme, d'un certain contour. Et le roman le plus librement improvisé finit par dessiner une forme précise. Cette apparence d'ordre, nous ne la voyons jamais que rétrospectivement, dans la récurrence de certains faits et situations. Ainsi, après l'arrivée de Fabrice à la citadelle, Clélia redessine instinctivement sa vie passée selon ces repères négligés auparavant que sont ses rencontres antérieures avec Fabrice (277). Cet ordre secret marque les limites de la liberté dans l'art et dans la vie. Car nous avons beau essayer, comme le fait Fabrice adolescent à l'affût des présages, de saisir au vol les manifestations de ce qui en se répétant deviendra essentiel, ces tentatives sont condamnées à l'arbitraire. Et pourtant à la lumière de la rétrospection, notre aveuglement sur les moments décisifs alors même qu'ils se produisaient, nous semble inexplicable, ce qui peut être le cas aussi dans la création artistique. Comme Fabrice, nous créons tous cet ordre peut-être illusoire qu'est un passé signifiant sans nous en rendre pleinement compte.

De cet ordre, Stendhal ne constate que son émergence à travers le temps, bien que ce ne soit pas uniquement l'ordre du temps. Ce qui lui importe, c'est une attitude morale et esthétique, non la solution métaphysique. Par conséquent, il ne nous dira jamais s'il faut attribuer cet ordre secret, cette destinée, à l'opération de quelque force extérieure, surnaturelle ou matérielle, ou s'il faut y voir au contraire le résultat des structures intimes de notre personnalité. Il ne nous dira même pas si cette apparence d'ordre est une illusion produite par notre besoin insatiable de systèmes, que le hasard réduit constamment à néant, ou si elle correspond effectivement à quelque réalité extérieure. Il ne s'agit pas vraiment d'un nouveau fatalisme ou d'une dévaluation du réel. Ici Stendhal veut simplement reconnaître l'importance du fait et son mystère. L'essentiel moralement est d'accepter, ne fût-ce qu'après coup, l'existence de limites et à la liberté dans la vie et à l'imagination dans l'art, que cette volonté d'ordre vienne de nous-mêmes ou d'ailleurs. Ceux qui savent anticiper et accepter d'avance cet ordre inconnu et rétrospectif, reconnaissent avec maturité la seule notion d'ordre pleinement compatible avec une attitude de responsabilité libre devant l'imprévu de la vie. C'est pourquoi nous voyons les personnages de la *Chartreuse,* à l'exception peut-être de Blanès, agir en ne se souciant que par moments de l'ordre du passé. S'ils savent ainsi garder intacte leur jouissance libre du moment, ils acceptent néanmoins d'instinct l'idée de cet ordre et de ces limites. Lorsque les jeux sont faits, tous, même Gina, consentent à la destinée que la vie leur a faite sans trop regimber. Car c'est une notion surtout contemplative de cet ordre, laquelle par conséquent n'entrave pas l'action personnelle, que l'ensemble du texte propose, notion tout en accord avec le silence méditatif de Fabrice dans sa chartreuse. Certes, il peut sembler étrange que Stendhal choisisse des superstitieux pour illustrer cette attitude morale. Mais dans un roman, n'est-ce pas un moyen efficace de montrer cette réconciliation morale entre les exigences de la liberté et l'apparence d'un ordre inéluctable ?

Pour un écrivain, l'ordre d'une destinée est inséparable de l'ordre de l'écriture. Stendhal le sentait bien, lui qui avait dans sa jeunesse utilisé les romans comme des prédictions ; toute prédiction était un roman possible, tout roman une prédiction réalisée[194]. Au fond, ce n'est peut-être que dans la mesure où la vie se répète que l'écriture peut la reprendre. Cette correspondance, Stendhal a dû la ressentir plus profondément que bien des auteurs. Car il y a un rapport exceptionnellement intime entre son expérience personnelle de la création artistique et l'idée qu'il s'est faite, selon la *Chartreuse,* de l'ordre dans la vie. Cet ordre rétrospectif est celui même que nous le voyons reconnaître dans un manuscrit, alors que tout en inventant une destinée au fur et à mesure, il se trouve obligé d'établir les « pilotis » rétrospectifs pour marquer l'ordre qui malgré tout se fait jour[195]. Etant donné qu'au théâtre les termes derniers d'une destinée s'imposent dès le début avec plus d'insistance, seul le roman permettait à Stendhal de joindre à l'idée d'une existence improvisée en aveugle l'idée d'un ordre dans l'art et dans la vie que révèle en fin de compte la série des répétitions. L'inconciliabilité entre l'ouverture et la clôture qui tourmentait tous les artistes de l'époque trouvait ainsi dans la *Chartreuse* une solution admirable.

---

194 VHB, p. 208, 318.

195 *Journal,* Cercle du Bibliophile, t. 5, p. 148 : « Je fais le plan après avoir fait l'histoire (...) ».

Une coordination analogue d'ordre et de liberté sur la base de la répétition nous est proposée par les jeux. Stendhal semble l'avoir compris intuitivement dans l'état d'esprit ludique qui caractérise la composition du roman. Blanès écrit ses observations astronomiques sur une « carte à jouer » (170). Il est vrai qu'en établissant cette connivence entre les prédictions de Blanès et les jeux, Stendhal reprenait un rapprochement effectué depuis longtemps entre les jeux de hasard et la divination par ceux qui recherchent la faveur du sort. Mais cette référence au jeu acquiert une résonance plus précise dans un contexte où, comme nous l'avons vu, les prédictions signalent le rôle mystérieux des répétitions dans la vie. Car la répétition est un élément essentiel du jeu. Non seulement les jeux favorisent les reprises, mais encore ils se fondent sur le retour des situations et des actions [196]. En plus, il faut noter que l'idée du jeu ne peut se concilier avec celle d'un dénouement entièrement prévisible [197]. Blanès le signale quand il explique que (172) : « Toute annonce de l'avenir est une infraction à la règle, et a ce danger qu'elle peut changer l'événement, auquel cas toute la science tombe par terre comme un véritable jeu d'enfant ». Il nous donne à entendre que les joueurs adultes savent respecter jusqu'à la fin les règles qui imposent des dénouements imprévus ; vers la fin seulement pourront-ils vraiment saisir la direction prise par le jeu. Toutefois, ils jouissent jusqu'alors d'une liberté entière, devant ruser avec le hasard à l'intérieur du champ de restrictions imposé par les règles. N'y a-t-il pas ici une analogie frappante avec ce que nous avons dit de l'effet produit par les répétitions et les prédictions du texte ? Comme les répétitions des jeux, les répétitions du texte nous indiquent aussi la forme approximative de l'avenir, mais sans la préciser jusqu'à l'issue. Et dans le champ qu'elles délimitent, les personnages gardent entre-temps leur liberté d'action [198].

Comme le laisse entendre Blanès, l'astrologie et les jeux dépendent surtout de la soumission volontaire à l'ordre des règles. Cet ordre crée dans chacun de ces systèmes autonomes l'image fragile d'un univers stable. Le profit moral que nous pouvons tirer de notre soumission à ces systèmes arbitraires, nous le tirons en jouant selon les règles plutôt qu'en y cherchant quelque vérité absolue [199]. Dans une analyse intuitive, Stendhal esquisse ainsi une attitude morale où le sujet agit librement et à ses risques, tout en acceptant d'avance l'idée d'un ordre qu'il ne peut pas, et ne doit pas essayer d'éluder. Par là, l'analogie entre le jeu et les prédictions de Blanès renforce en fin de compte l'interprétation que nous avons proposée du phénomène de

---

196 Huizinga, *op. cit.*, p. 29.

197 Caillois, *op. cit.*, p. 38.

198 Signalons, que dans son roman ludique *La défense Loujine*, Nabokov fait aussi l'analogie entre l'ordre qui se révèle rétrospectivement dans une partie d'échecs et celui qui se révèle rétrospectivement dans la vie (Gallimard, Folio, 1974, p. 255-256).

199 Sur ces sortes de « sciences secondaires », voir aussi *supra* p. 61. Sur les rapports que Stendhal suggère entre ces systèmes autonomes et les jeux, voir d'autre part B. Reizov, « Le "Whist" dans "La Chartreuse de Parme" », *Stendhal Club*, 15 juil. 1970, p. 351-355 ; J. Houbert, « Les règles du jeu selon Stendhal et Balzac », *Stendhal Club*, n° 46, 15 janv. 1969, p. 190-191.

la répétition dans le texte. Tout concourt à souligner l'importance dans la *Chartreuse* de cette acceptation d'une idée de l'ordre, fût-elle illusoire, fondée sur la répétition dans la vie, et reconnue seulement à la lumière de la rétrospection.

Autant que possible, Stendhal a voulu vivre pour le moment présent ; mais sur la succession de ces moments dans le temps il lui manquait pour la plupart une perspective générale. Bien que la répétition ne soit bien sûr qu'une condition minimum de l'ordre, il n'est dès lors pas sans logique qu'il ait fini par voir dans les répétitions diverses produites par la simple succession des instants, la clef de la seule notion d'ordre qui lui fût acceptable sur ce plan. Or dans cette prise de conscience que, même ayant toujours vécu à l'improviste, sa vie avait quand même fini par prendre l'apparence d'une destinée, l'expérience autobiographique fut évidemment décisive. Lorsqu'il essayait d'écrire la *Vie de Henry Brulard*, il ne lui était plus possible d'éluder une confrontation entre l'idée qu'il se faisait de son sort et sa conception de sa liberté [200]. Auparavant, lui qui avait poussé le refus de toute prédestination jusqu'à refuser le nom même de son père [201], n'avait pas pu organiser les *Souvenirs d'égotisme*, faute d'une ligne directrice à suivre entre un commencement et une fin valables. Et en remontant de là aux origines familiales, cherchant la suite de circonstances qui l'avait mené de son enfance à Grenoble jusqu'à son arrivée en Italie, il s'était de nouveau trouvé hésitant entre l'ordre de la mémoire et l'ordre du temps [202]. Mais c'est en fin de compte surtout à l'ordre du temps qu'il a fini par avoir recours dans *Henry Brulard*. Car d'une part cet ordre lui est paru indispensable pour échelonner suivant les pages d'un livre les expériences qui avaient formé son caractère [203]. Et d'autre part, il ne parvenait pas à refuser, malgré tous les efforts qu'il avait faits pour se choisir, le sentiment rétrospectif d'une nécessité en contemplant même les coups successifs du hasard [204]. On peut voir dans le moment où Stendhal, préoccupé de la forme à donner à son autobiographie, aligna en une série répétitive les initiales des femmes qu'il avait aimées, une étape décisive sur le chemin qui l'a mené à la réconciliation particulière entre l'ordre et la liberté, que nous a suggérée le texte de la *Chartreuse* [205].

N'oublions pas, enfin, que Stendhal vivait sous la dictée d'un inconscient qui le faisait toujours tourner autour d'un même drame affectif et des mêmes idées. Le relief donné à la répétition par les prédiction de la *Chartreuse* semble trahir une reconnaissance intuitive de cette répétition obsessive dans sa vie et dans ses écrits. Bien plus, Stendhal joue ici, et sait qu'il joue, avec ces motifs constants

---

200 V. Brombert, *Stendhal : fiction and the themes of freedom*, p. 4.

201 Cf. J. Starobinski, *L'Œil vivant*, p. 193.

202 A ce propos, voir les remarques de Michel Crouzet et de H. F. Imbert dans *Stendhal et les problèmes de l'autobiographie*, éd. V. Del Litto, Presses Universitaires de Grenoble, 1976, p. 113, 118, 136.

203 *VHB*, p. 10 : « je m'égare, je serai inintelligible si je ne suis pas l'ordre des temps ». Voir aussi *ibid.*, p. 18, 89.

204 *VHB*, p. 365 : « Mais le hasard m'a guidé par la main dans cinq ou six grandes circonstances de ma vie. Réellement je dois une petite statue à *la Fortune* ».

205 *VHB*, p. 15.

de sa vie et de son art. Jamais il n'avait commencé un roman avec une reprise si délibérée d'écrits antérieurs [206]. Ce consentement ouvert indique une conscience plus nette de la répétition ludique, proche de celle des enfants, comme moyen efficace à la fois d'apaiser la pression exercée par son inconscient, et de la transformer en puissance créatrice [207]. Le caractère heureux de la *Chartreuse* n'est peut-être pas étranger à ce fait, non plus que l'insuccès des tentatives romanesques postérieures. Le drame une fois rejoué avec le bonheur de la revanche complète, comment reprendre, à des fins purement esthétiques, le même drame inconscient exorcisé au moins une fois avec tant d'adresse ?

4. L'EFFET MUSICAL

En décrivant *La Chartreuse de Parme,* la critique se sent presque toujours obligée de revenir à ses qualités « musicales ». Assurément, elle n'a pas tort, et toutes les observations que nous ont suggérées la structure et la souplesse du jeu textuel, devraient nous permettre désormais de cerner un peu mieux cette question.

Or, on sait que c'est surtout à un rapprochement avec le drame musical, et plus spécialement avec l'*opera buffa,* qu'ont poussé le côté théâtral du roman et le rôle qu'y jouent les opéras italiens [208]. A Parme, les protagonistes ne chercheront-ils pas à retrouver les plaisirs qu'ils ont connu à la Scala [209], et ne plaignent-ils pas les démocrates américains d'avoir dû renoncer à ces fêtes raffinées (135, 431) ? Si un rapprochement passager entre Rassi et Figaro doit peut-être moins à Mozart qu'à Beaumarchais (295), on est frappé du fait que Fabrice prédicateur l'emportera sur un ténor illustre auprès du public parmesan (476), et qu'il n'est pas jusqu'au valet du beau cheval maigre qui n'attendrisse Fabrice en chantant un air de Mercadante (181). Surtout l'on remarque qu'au cours de deux scènes dramatiques, Gina elle-même, poussée à bout par le prince, finira par chanter son défi, telle une *diva* de cette Scala qu'elle aime. « Mais, ajouta-t-elle en chantant, nous le verrons revenir (...) » (247) ; « *Et de l'eau pour les gens de Parme !* reprit la duchesse en chantant » (389). L'entrelacement de tels envols passionnés avec la fantaisie burlesque d'autres épisodes où se déchaînera l'automatisme bouffon des Rassi, des Giletti, des Riscara, semble effectivement solliciter une comparaison avec l'*opera buffa.*

---

[206] Reprise surtout, on le sait, des *Mémoires sur Napoléon,* et continuation, pour ainsi dire, de la *Vie de Henry Brulard.*

[207] Sur la répétition dans le jeu des enfants, voir Freud, *Au-delà du principe de plaisir,* et D. W. Winnicott, *Jeu et réalité,* Gallimard, 1975.

[208] Cf. M. Bardèche, *op. cit.,* p. 382-3, et surtout, J.-M. Bailbé, *Le roman et la musique en France sous la monarchie de juillet,* Minard, Lettres Modernes, 1969, p. 307-319.

[209] 149, 229, 460, 474, 476. Rappelons que même en pensant après coup à des modifications possibles au début du roman, Stendhal pensait situer une bonne partie de l'épisode Warney à l'Opéra de Paris (518-9).

Bien plus, ce rapprochement semble d'autant plus pertinent qu'il y a une affinitié morale essentielle entre ces opéras et le roman. Car selon Stendhal, comme le souligne J.-M. Bailbé, un trait en particulier distinguait l'opéra bouffe, surtout par rapport à la comédie classique[210]. En effet, si ces genres comiques avaient tous les deux pour but de démasquer les faiblesses humaines, dans le bouffe cependant la musique consolait le spectateur des vices dénoncés[211] :

> La musique est une peinture tendre ; un caractère parfaitement sec et hors de ses moyens. (...). Pourquoi la musique est-elle si douce au malheur ? C'est que, d'une manière obscure, et qui n'effarouche point l'amour propre, elle fait croire à la douce pitié.
>
> L'écueil du comique, c'est que les personnages qui nous font rire ne nous semblent secs, et n'attristent la partie tendre de l'âme. La vue du malheur lui ferait négliger la vue de sa supériorité ; c'est ce qui, pour certaines gens, fait le charme d'un bon *opera buffa* si supérieur à celui d'une bonne comédie : c'est la plus étonnante réunion de plaisirs. L'imagination et la tendresse sont actives à côté du rire le plus fou.

Cette tendresse consolante que sait produire l'opéra bouffe semble effectivement mettre hors de doute les rapports du genre avec la *Chartreuse,* où l'absence d'amertume est si marquée. Toutefois, ce que Bailbé n'a pas cru devoir dire, et ce qui nous semble fondamental pour la *Chartreuse,* c'est que Stendhal retrouvait cet avantage de l'opéra bouffe dans la « comédie gaie » de Shakespeare et de La Fontaine, comédie qu'il y a déjà eu lieu de rapprocher de *La Chartreuse de Parme*[212]. Rappelons, en effet, que pour Stendhal cette comédie plus romantique ne manquait pas d'avoir « quelque chose d'aérien, de fantastique dans le comique, quelque chose qui donne des sensations analogues à celles que produit la musique »[213]. Aussi l'assimilait-il constamment aux sortilèges de Cimarosa[214], et cela d'autant plus que les deux genres faisaient preuve de cette grâce désintéressée dont nous avons parlé et que Stendhal a cherché à réaliser dans la *Chartreuse*[215]. Si le roman vise donc, au-delà des traits de la satire, une réconciliation toute musicale, rien ne permet au fond de distinguer la part dans cet idéal de l'opéra bouffe de la part de la comédie shakespearienne. Tout indique au contraire la convergence inextricable de ces deux influences, à ne citer que l'air de Cimarosa qui attendrira les deux amants (460), les vers de La Fontaine que la duchesse rappellera (425), et les décors sylvestres tout shakespeariens qui encadrent les rencontres de Gina et de Ferrante (362-367).

---

210 *op. cit.*, p. 308-9.
211 *HPI,* t. 2, p. 129 n-130 n.
212 Cf. *supra* p. 49.
213 *JL,* t. 3, p. 24.
214 *HPI,* t. 2, p. 130 n. Cf. V. Del Litto, *La vie intellectuelle de Stendhal,* P.U.F. 1959, p. 465.
215 Cf. *supra* p. 31, et R.N. Coe, « From Correggio to Class Warfare : notes on Stendhal's ideal of "la grâce" », in *Balzac and the Nineteenth Century,* éd. D.G. Charlton, J. Gaudon, A.R. Pugh, Leicester University Press, 1972, p. 250.

Déjà, nous entrevoyons donc les inconvénients d'une comparaison trop exclusive avec l'opéra, même l'opéra bouffe [216]. Et d'ailleurs, en dehors de la question shakespearienne, il y avait surtout aux yeux de Stendhal certaines composantes essentielles de la *Chartreuse* que l'opéra bouffe ne saurait aborder. D'abord, le genre ne se prêtait guère à la passion profonde [217] : « Si nos littérateurs estimables veulent du raisonnable et du passionné, renvoyons-les à Mozart. Dans le véritable opéra bouffe, la passion ne se présente que de temps à autre, comme pour nous délasser de la gaieté, et c'est alors (...) que l'effet de la peinture d'un sentiment tendre est irrésistible ; (...) ». Et bien que Stendhal n'ignorait pas les allusions politiques qui pouvaient, soit se glisser sous le couvert de cette ivresse musicale [218], soit lui être imputées par les autorités [219], pour Stendhal le bouffe devait éviter la tristesse de la politique. Or, que serait *La Chartreuse de Parme* sans passion profonde et sans politique ?

Ce dernier problème peut évidemment être contourné en supposant qu'en écrivant son roman, Stendhal avait aussi en vue les possibilités de l'opéra mozartien, lequel admettait le sérieux. Rien de plus probable, à plusieurs égards, mais là encore il importe que son goût pour Mozart ne nous fasse pas pour autant oublier le profit qu'il aurait également pu tirer d'autres genres dramatiques dépourvus de musique. Il nous semble, par exemple, qu'il faudrait tenir mieux compte du fait que c'est au monde de la *commedia dell'arte* que Stendhal nous renvoie le plus souvent en présentant des personnages grotesques [220]. Car cela nous rappelle qu'à Naples et à Rome, il a beaucoup admiré un autre théâtre très stylisé dont l'artifice permettait d'improviser, avec une gaieté libre de toute méchanceté, des satires qui étaient franchement politiques. Ecoutons-le commenter la réalisation de la pièce *Aurons-nous un premier ministre ?* jouée par les marionnettes satiriques de Rome [221] :

> Le premier rôle est rempli par un non moindre personnage qu'Innocente Re, lequel n'aime point son premier ministre, don Cecchino, vieillard de quatre vingt-deux ans, autrefois libertin fort adroit et grand séducteur de femmes. Maintenant il a presque tout à fait perdu la mémoire : ce qui ne laisse pas de faire un singulier effet dans la place de premier ministre. (...). Son Excellence parle au marchand de bœufs de son frère, qui a conspiré contre l'Etat, et qui subit une juste punition dans un château fort, et au malheureux frère, de l'inconvénient qu'il y aurait à admettre dans le royaume deux cents têtes de bœufs provenant de l'Etat du pape : cette scène est digne de Molière, et avait ce soir pour nous un genre de mérite que n'a pas Molière. Tandis

---

216 Même si, le roman terminé, Stendhal semble tenté de rapprocher son œuvre de l'opéra, à en juger par les références sardoniques, mais peut-être au fond un peu jalouses, qu'il paraît faire dans sa lettre à Balzac à l'opéra que Louise Bertin avait tiré en 1836 de *Notre-Dame de Paris* (*C*, t. 3, p. 393, 395, 403).

217 *VDR*, t. 1, p. 95-6. Cf. aussi, *Ibid.*, p. 90 : « cette douleur n'a rien de tragique. »

218 Cf. *VDR*, t. 1, p. 107-108 ; *PDR*, p. 883.

219 Cf. *VDR*, t. 1, p. 231.

220 Nous voyons Giletti en Arlequin (162), Riscara en Pulcinella (263).

221 *RNF*, p. 570-2. Cf. aussi *PDR*, p. 956.

que nous assistons à cette scène, jouée avec des marionnettes, il n'est aucun de nous qui n'ait la conscience qu'une scène aussi plaisante dans les détails se passe actuellement à deux cents pas du salon où nous rions aux larmes. Mes amis ont même le soin de ne représenter sur leur théâtre de marionnettes que des scènes qui ont eu lieu réellement, au vu et au su de toute la haute société. En voyant l'embarras comique de ce petit personnage de douze pouces de haut, revêtu du costume de premier ministre, et auquel nous tous nous avions fait la cour le matin, le rire prenait une telle énergie chez la plupart d'entre nous, que trois fois il a fallu suspendre la représentation.

Ne pourrait-on pas importer à Paris ce genre de plaisir ? Quand l'on ne tombe pas dans le plat défaut d'être méchant et trop satirique, et qu'on sait rester gai, naturel, comique, de bon ton, c'est, suivant moi, l'un des plaisirs les plus vifs que l'on puisse goûter dans les pays despotiques.

Ne dirait-on pas que c'est aussi en pensant à ces marionnettes que Stendhal a trouvé le ton qu'il fallait pour intégrer Ranuce-Ernest et Rassi dans l'ambiance poétique de la *Chartreuse ?*

Ainsi pour séduisante, et valable jusqu'à un certain point, que soit l'analogie générale avec l'opéra, et bien qu'elle permette d'apprécier jusqu'à quel point *La Chartreuse de Parme* voudrait s'assimiler aux arts du pays qu'elle nous présente, on voit que toute la question musicale a besoin d'être posée avec plus de précision. Or il y a un effet que Stendhal multiplie dans *La Chartreuse de Parme* et qu'il croyait la musique et la littérature seules capables de produire. Du moins pour lui, c'est ce qui dans le livre, sur le plan technique, a dû tenir le plus des opéras qu'il aimait. Car chez Cimarosa, chez Rossini, une des choses qu'il admirait le plus, c'était lorsqu'ils utilisaient la partie d'orchestre, non pour souligner de façon redondante ce que déjà le chant exprimait, mais plutôt pour suggérer indirectement tout ce que le chanteur en scène devait taire, ou même ce qu'il ignorait de ses propres sentiments [222] :

A l'arrivée de Tancrède on peut voir dans l'orchestre le sublime de l'*harmonie dramatique.*

Ce n'est pas, comme on le croit en Allemagne, l'art de faire exprimer les sentiments du personnage qui est en scène par les clarinettes, par les violoncelles, par les hautbois ; c'est l'art bien plus rare de faire dire par les instruments la partie de ces sentiments que le personnage lui-même ne pourrait nous confier. (...). Tancrède doit se taire ; mais pendant qu'il garde un silence qui convient si bien aux passions qui l'agitent, les soupirs des cors vont nous peindre une autre partie de son âme, et peut-être des sentiments dont il n'ose pas convenir avec lui-même, et qu'il n'exprimerait jamais par la voix.

Voilà ce que la musique ne savait pas faire du temps des Pergolèse et des Sacchini, et voilà ce que les Allemands non plus ne savent pas faire.

Dans la littérature, on sait que c'est surtout chez Walter Scott que Stendhal a cru pouvoir discerner un équivalent de cette « harmonie dramatique ». Car dans le roman de 1823, lui seul semblait avoir su

---

[222] *VDR,* t. 1, p. 73-4. Voir aussi *Féder,* p. 1302.

créer, au moyen de ses longues descriptions, un réseau complexe d'émotions ineffables qui permettait de simplifier le récit et les dialogues [223] :

> Si l'on veut arriver par un autre chemin à l'idée de l'harmonie dans ses rapports avec le chant, je puis dire que Rossini a employé avec succès le grand artifice de Walter Scott, le moyen de l'art peut-être qui a valu les succès les plus étonnants à l'immortel auteur d'*Old Mortality*. Comme Rossini prépare et soutient ses chants par l'harmonie, de même Walter Scott prépare et soutient ses récits par des descriptions. Voyez dès la première page d'*Ivanhoe* cette admirable description du soleil couchant qui darde des rayons déjà affaiblis et presque horizontaux au travers des branches les plus basses et les plus touffues des arbres (...). L'homme de génie écossais n'a pas encore achevé de décrire cette forêt éclairée par les derniers rayons d'un soleil rasant, et les singuliers vêtements des deux personnages, peu nobles assurément, (...), que nous nous sentons déjà comme touchés par avance de ce que ces deux personnages vont se dire. Lorsqu'ils parlent enfin, leurs moindres paroles ont un prix infini. Essayez par la pensée de commencer le chapitre et le roman par ce dialogue non préparé par la description, il aura perdu presque tout son effet.
>
> A chaque instant Walter Scott interrompt et soutient le dialogue par la *description*, quelquefois même d'une manière impatientante, comme lorsque la charmante petite muette Fenella de *Peveril du Pic*, veut empêcher Julian de sortir du château de Holm-Peel dans l'île de Man. Ici la description impatiente à peu près comme l'harmonie allemande choque les cœurs italiens ; mais lorsqu'elle est bien placée, elle laisse l'âme dans un état d'émotion qui la prépare merveilleusement à se laisser toucher par le plus simple dialogue ; et c'est à l'aide de ses admirables descriptions que Walter Scott a pu avoir l'audace d'être simple, abandonner le ton de rhéteur que Jean-Jacques et tant d'autres avaient mis à la mode dans le roman, et enfin oser risquer des dialogues aussi vrais que la nature.

En effet, dans *Ivanhoe* la description de la forêt millénaire au coucher du soleil crée un de ces clairs-obscurs lyriques dont Stendhal a toujours aimé le mystère. A Gurth et à Wamba le fou, la forêt offre un refuge dont leur habillement indique bientôt l'à-propos, avant même que leur bavardage n'ait pu nous l'expliquer [224]. Par contre, dans le seizième chapitre de *Peveril of the Peak,* plus que les allusions brèves au paysage, ce sont les longues descriptions de la personne et de la pantomine de Fenella la muette qui ont à coup sûr impatienté Stendhal [225]. Pourtant la scène lui est restée dans la mémoire, car Fenella non seulement sait ce que Julian cherche à cacher, mais aussi des choses qu'il ignore encore. Et ce que sa pantomime désespérée parvient à créer, c'est donc justement une de ces scènes que Stendhal aimait, où les personnages ne peuvent pas, ou ne savent pas tout se dire. Situation que selon Stendhal, « l'harmonie dramatique » dans l'opéra avait l'avantage de pouvoir rendre supérieurement.

---

[223] *VDR,* t. 1, p. 75-6, 77-8.
[224] *Ivanhoe,* Edimbourg, Constable, 1820, t. 1, p. 7-13.
[225] Edimbourg et Londres, Constable, 1822, t. 2, p. 90-105.

Les exemples littéraires choisis par Stendhal ne donnent évidemment pas un équivalent réel de ce que peut être cette technique musicale. Dans l'opéra, les instruments n'explicitent pas le commentaire de l'auteur, alors que dans le roman seules ses paroles peuvent assurer « la partie d'orchestre ». Rappelons cependant que ce n'est jamais l'équivalent proprement technique que Stendhal recherche en comparant les arts, mais seulement les analogies d'effet [226]. Ce n'est donc que d'une façon approximative que nous pourrons deviner ce qui pour Stendhal lui-même aurait correspondu dans ses propres romans à cette « harmonie dramatique » si subtile. Car aujourd'hui tout cela fait pour nous partie intégrante des conventions du romantisme littéraire. Essayons toutefois de le deviner, en écartant d'abord les scènes de la *Chartreuse* où le paysage ne soutient effectivement que des résonances affectives rendues explicites, que ce soit par l'auteur ou par les personnages [227]. Innombrables, comme dans tout roman tant soit peu lyrique de l'époque, elles font preuve d'une simplification du dialogue, mais elles semblent n'avoir en fait que peu de rapport avec la technique musicale que Stendhal visait. D'autres scènes rendent mieux cet idéal musical d'un accompagnement qui exprimerait l'indicible, scènes qui en plus indiquent peut-être le perfectionnement par rapport à Scott qu'ont pu suggérer à Stendhal certains opéras. Lorsqu'après une nuit d'attendrissement auprès du lac de Côme Fabrice reprend son pélerinage à Grianta, la pureté de l'aube dans cette région heureuse annonce, à peu près sans autre commentaire, le renouvellement secret de son âme (166). Et même établi en haut de son clocher, devant un autre panorama tranquille, ses méditations agitées ne saisiront guère toute la portée de cette mutation profonde (174-178). De même, la belle vue qu'il découvrira de sa prison en dira plus au lecteur que jamais Fabrice lui-même ne saurait exprimer (307-308, 310-311). Mais cette technique « musicale » se prête tout autant à des contextes plus nettement dramatiques. La description de la petite rue et de l'église de la Visitation illuminées pour le sermon « prêché aux lumières » nous rappelle tout ce qui sous-tend le trouble de Fabrice, et que l'émotion mondaine de l'auditoire ignorera (474-476). Ailleurs, le jeu du chien Fox dans la prison (311-312), les tableaux qui sont les témoins muets de la jalousie ressentie par Mosca (153), montrent Stendhal à la recherche de détails susceptibles de parler à la place des personnages [228]. Certains détails sont même utilisés pour créer un contraste moqueur avec les sentiments du protagoniste, effet que Stendhal admirait plus spécialement dans les opéras bouffes de Cimarosa [229] : « Le chant est de *bonne foi* (...) mais l'accompagnement

[226] C'est ce qu'il précise, par exemple, lorsqu'il écrit à Balzac, « tout le personnage de la duchesse Sanseverina est copié du Corrège (c'est-à-dire produit sur mon âme le même effet que le Corrège) » (*C*, t. 3, p. 398-9).

[227] Tels sont, somme toute, les décors qui encadrent les premières rencontres de Gina et de Ferrante, de Clélia et de Fabrice (362-5, 97-100).

[228] G. Genette parle de la manière dont Stendhal se sert d'objets et de circonstances pour « médiatiser l'évocation des actes ou des situations capitales en laissant parler à leur place des sortes de substituts matériels » (*Figures II*, p. 182).

[229] *VDR*, t. 1, p. 313-4.

se moque de lui ». Le bruit des cloches à Grianta, « que quarante paysans mettaient en mouvement (...) dix auraient suffi » (174), les détails donnés de l'église de Saint-Jean lorsque la Fausta y est guettée par Fabrice (232-234), la procession nocturne en chaise de carnaval (238), créent tous ainsi un contrepoint ironique aux sentiments des personnages.

Mais encore, faut-il à tout prix rapporter des effets si littéraires aux expériences musicales de Stendhal ? On peut s'y refuser, mais il faut quand même remarquer que lorsque c'était dans une œuvre littéraire que Stendhal retrouvait des effets analogues, c'était presque toujours à la musique qu'il tenait à les comparer [230]. Et il y a plus. Car ce qui nous permet de rapprocher ces traits de son style, de l'opéra plutôt que de Scott, c'est que là où Scott sépare toujours assez nettement la description des dialogues, et ne craint pas d'étirer en longueur la description, Stendhal cherche au contraire à décomposer la description en traits elliptiques pour les entremêler ensuite plus souplement avec l'action des personnages. Et il semble l'avoir fait en sachant fort bien que ses maîtres préférés de l'opéra italien n'agissaient pas autrement avec « l'harmonie dramatique ». C'est ce qui les distinguait pour lui des compositeurs allemands, et cette différence correspondait parfaitement à la différence entre ses méthodes et celles de Walter Scott. Car selon lui, les musiciens allemands, quand par hasard ils cherchaient « l'harmonie dramatique », tendaient à renforcer la partie d'orchestre et à la séparer du chant des protagonistes. Aussi les œuvres de Walter Scott semblaient-elles à Stendhal symphoniques et mozartiennes [231]. Cimarosa et Rossini savaient eux, par contre, garder un juste équilibre en menant de front les deux parties, ce qui ne rendait que plus émouvant leur contrepoint dramatique pour Stendhal. N'était-ce pas là le même perfectionnement apporté par ses propres méthodes au système descriptif de Walter Scott ? Qu'il ait voulu multiplier plus spécialement de tels effets dans la *Chartreuse* se voit en outre par le grand nombre de scènes de « communication contrariée », analogues à l'épisode qu'il cite de *Peveril of the Peak*. Que l'on pense à tant de scènes entre Clélia et Fabrice, scènes où le manège de Clélia avec ses oiseaux, où le moindre coup d'œil et le moindre geste gêné remplacent les paroles qui sont impossibles (315-317, 321-322, 323, 434). Que de telles scènes tenaient bien pour Stendhal de la musique est confirmé par le fait qu'il y ait si souvent introduit des éléments proprement musicaux. Fabrice et Clélia auront tous les deux recours à la chanson pour se mettre en communication (323, 331, 434) ; lors des sérénades offertes par le marquis Crescenzi, lors du *Te Deum* chanté par les prisonniers, surtout alors qu'ils écoutent le *quelle pupille tenere*, nous sommes invités à imaginer les émotions tumultueuses qui les occupent respectivement (329, 348, 379, 460-462). De même nous imaginons ce que disent à Mosca et à Gina les opéras qu'on joue à La Scala pendant les premiers rendez-vous qu'ils se donnent.

Il y aurait donc lieu de voir dans l'attention portée à la suggestion de l'indicible le rapport le plus précis de *La Chartreuse de Parme*

---

230 Par exemple, au sujet des *Fourberies de Scapin* (*JL*, t. 2, p. 418).
231 *VDR*, t. 1, p. 78, 314.

avec les opéras que Stendhal aimait. Du moins aux yeux de l'auteur lui-même, car lorsqu'on voudrait parler des qualités « musicales » du roman, le lecteur qui ne connaît pas les théories de Stendhal pensera probablement à d'autres traits moins spécifiques. Nos remarques antérieures sur la structure du roman se prêtent peut-être à une explication de cette impression plus générale de musicalité, impression qui dépasse largement les rapports plus abstrus avec l'opéra. D'ailleurs il arrivait parfois à Stendhal de penser en termes musicaux à la structure de ses romans : « d'abord l'intrigue d'amour puis les ridicules qui viennent encombrer l'amour, retarder ses jouissances, comme dans une symphonie Haydn retarde la conclusion de la phrase » [232].

Nous avons donc essayé de faire ressortir le caractère essentiellement décentré de la *Chartreuse,* sa tendance au cyclique et l'importance qu'a prise par conséquent la répétition sur tous les plans. Dans son étude, J.-M. Bailbé a entrevu l'importance de cette structure, mais sans saisir combien sont fondamentales pour l'analogie avec la structure musicale cette décentralisation et ces répétitions multiples, qui finissent par suggérer un jeu de substitutions presque infinies [233]. Cependant il faut aller plus loin, et même ces rapports de structure ne pèseraient pas lourd si les mots-clefs et les motifs de la *Chartreuse* ne créaient pas aussi une très forte impression d'indétermination polysémique. Nous avons souligné selon quel jeu désinvolte le texte s'engendre, et l'aisance avec laquelle les mêmes mots se prêtent d'une page à l'autre, tant à de nouvelles connotations qu'à des renversements paradoxaux de sens. Leurs transformations rapides, souvent presque insensibles, apportent des nuances fugitives à telle scène en ajoutant sans plus de commentaire une dimension insaisissable au-delà des événements explicitement narrés. Cette aptitude à la suggestion indirecte qu'ils retrouvent, nous rappelle que selon Stendhal c'est également par une technique d'évocation indéterminée qu'un peintre comme le Corrège rejoint la musique [234]. On peut supposer ainsi que c'est surtout ce concours d'une forte tendance à l'indétermination et d'une structure décentrée fondée sur des répétitions multiples qui donne à la *Chartreuse* une allure musicale. C'est aussi ce qui a permis l'introduction harmonieuse de traits qui tenaient plus étroitement, pour Stendhal, de cette musique italienne qu'il aimait.

5. CONCLUSIONS

Nous devons conclure nos observations sur le texte de la *Chartreuse* en considérant les problèmes assez particuliers d'interprétation qui en découlent. Car le résultat de cette attitude avertie et consentante

[232] *LL,* p. 1531. Rappelons que c'est précisément à propos de Haydn que Stendhal a souligné le rôle de la répétition dans la musique. Cf. *supra* note (187).

[233] *op. cit.,* p. 314.

[234] Cf. *HPI,* t. 1, p. 152 n-153 n. Voir aussi sur l'indétermination dans la musique, *VHMM,* p. 97.

envers l'évolution ludique du texte, comme du relief acquis par les répétitions, est que le roman paraît pour ainsi dire tout de surface [235]. Et l'impression qu'il donne d'avoir tout exposé à l'extérieur ne semble guère solliciter une interprétation particulièrement approfondie. D'autre part cette impression d'une extériorité consentie, réalisée sans arrière-pensée, est renforcée par une manière plus objective, par un ton plus uni — et cela bien que le lecteur soit paradoxalement plus conscient que jamais de la voix distincte de l'auteur. Blin, Prévost et Bardèche l'ont tous plus ou moins reconnu [236]. Selon eux, l'impression d'objectivité proviendrait, et de quelque diminution du nombre d'interventions par le narrateur, et de ce qu'ici nous voyons les événements par les yeux de trois protagonistes. Cette augmentation des points de vue aurait obligé Stendhal à adopter un style de conversation suffisamment souple pour faire les raccords : de là la présence insistante de sa voix personnelle [237]. Ce commentaire nous semble juste, bien qu'insuffisant. Dans notre perspective actuelle, ce qu'il faudrait encore mettre en lumière, c'est à quel point les intrusions du narrateur sont devenues insuffisantes pour l'interprétation du roman [238]. Sans contestation possible, certaines sont essentielles : par exemple, lorsque le narrateur commente l'honneur de Mosca et son manque de vertu altruiste (288), ou lorsqu'il rétablit les perspectives sur les raisonnements de Fabrice à propos du privilège et de l'astrologie (167-168). Mais ailleurs ses interventions servent surtout à appeler notre attention sur un problème — sans atteindre, et même sans prétendre atteindre, le fond de la question tel que l'ensemble du texte le propose. Nous le dirions de ses mots sur la résolution de vengeance que Gina prendra (372) : « Je croirais assez que le bonheur immoral qu'on trouve à se venger en Italie tient à la force d'imagination de ce peuple ; les gens des autres pays ne pardonnent pas à proprement parler, ils oublient. » L'observation est peut-être vraie et utile ; elle ne dit certainement rien de la critique implicite de la décision de la duchesse que Stendhal a pris soin d'établir dans ces scènes [239]. Plus grave pour ceux qui veulent accorder un statut privilégié à ces intrusions est l'absence de commentaire, ironique ou non, sur des questions pourtant essentielles. Stendhal n'offre aucun jugement explicite, ni sur le meurtre de Giletti, ni sur la répression de l'émeute populaire

[235] R.M. Adams croit pouvoir appliquer une observation de ce genre à tous les romans de Stendhal (*op. cit.*, p. 60) ; elle nous semble bien ajustée seulement à la *Chartreuse.*

[236] Blin, *Stendhal et les problèmes du roman,* p. 306.
Bardèche, *op. cit.*, p. 377-9.
Prévost, *op. cit.*, p. 356-7, 359-60.

[237] Blin, *Stendhal et les problèmes du roman,* p. 306.
Prévost, *op. cit.*, p. 359-60.

[238] En réalité, elles l'ont toujours été dans les romans stendhaliens, malgré les malentendus qu'a suscités l'idée qu'on pouvait presque lire ces romans sur deux plans, celui du commentaire du narrateur et celui de l'action (Blin, *Stendhal et les problèmes du roman,* p. 206). Mais dans la *Chartreuse,* elles deviennent encore plus insuffisantes.

[239] Cf. *infra* p. 129-138, et les remarques très justes de R.M. Adams à cet égard (*op. cit.*, p. 103).

que Mosca finira par commander[240], ni sur la façon complexe dont les femmes, tout en contribuant à l'évolution morale de Fabrice, y feront aussi quelque peu obstacle[241]. Tout cela est bien moins vrai du *Rouge et le Noir* et de *Lucien Leuwen.* De fait, on a remarqué que dans *La Chartreuse de Parme* un nombre exceptionnel d'intrusions ont pour fonction de mettre en avant les différences entre l'Italie et la France[242]. En cinquante-sept pages (165-222), cinq intrusions majeures sur dix répondent à ce but (165, 180, 199-200, 210, 211-212). Ce trait explique en grande partie l'impression d'un ton plus uni que donnent les interventions, alors que dans *Le Rouge et le Noir* la disposition du narrateur semble nettement plus changeante et équivoque, tant envers les lecteurs qu'envers les protagonistes.

D'autres aspects du roman font également voir cette recherche d'une manière relativement plus objective, manière dont au cours des années trente Stendhal s'est montré toujours plus préoccupé. De 1831 à 1838, il est revenu sans cesse sur son désir d'éviter les réflexions philosophiques que multipliaient Balzac et George Sand[243], de ne raconter qu' « en action » et d'atteindre l'idéal d'une narration « narrative »[244]. Aussi a-t-il généralement évité ici les épigraphes qui sollicitaient trop ouvertement l'émotion du lecteur dans un roman comme *Le Rouge et le Noir*[245]. Rappelons d'autre part l'effet de distanciation que créent les tendances auto-réflexives du roman, et que renforce son évolution vers la poésie et vers la fable. Surtout la part plus grande faite au comique tend inévitablement à réduire le rôle des commentaires explicites, à mettre l'accent sur les actions et sur les apparences[246]. Or il faut souligner que cette allure plus dégagée et le soin pris d'éviter les effets trop didactiques tiennent profondément au système de valeurs que nous propose l'ensemble du texte. Non seulement parce que le langage des plus hautes valeurs restait toujours chez Stendhal un langage secret, qui voulait à tout prix échapper au vulgaire — la pudeur en étant inséparable[247] ; mais plus spécialement dans la *Chartreuse,* parce que la grâce — qui était pour Stendhal une

---

240 A l'exception de la remarque liminaire, « Nous allons parler de fort vilaines choses, et que pour plus d'une raison, nous voudrions taire (...) » (405).

241 Cf. *infra* p. 195-197.

242 Blin, *Stendhal et les problèmes du roman,* p. 264.
Prévost, *op. cit.,* p. 357.

243 *JL,* t. 3, p. 188-9.
MDT, t. 2, p. 536.
Journal, Cercle du Bibliophile, t. 5, p. 153.

244 *L,* p. 16 n (note de 1839).
A, p. 1431 (note de 1831).
Cf. Blin, *Stendhal et les problèmes du roman,* p. 307.

245 En 1830, à propos du *Rouge et le Noir,* Stendhal a écrit, « l'épigraphe doit augmenter la sensation, l'émotion du lecteur (...) » (*RN,* p. 1431).

246 Cf. *L,* p. 15, 325 n, 334 n, sur le danger, pour le comique, de trop approfondir le commentaire moral.

247 Voir *LL* (p. 1032) : « Les demoiselles de Serpierre, dont la vertu est proverbiale dans le pays, à l'esprit près n'ont pas un ton différent du sien. La moitié des idées de madame de Chasteller leur sont invisibles, voilà tout, et ces idées ne peuvent s'exprimer qu'avec un langage un peu philosophique, et qui, par là, a l'air moins retenu ».

vertu autant qu'une solution stylistique — résume en quelque sorte cette réserve inhérente à certaines valeurs durables. On rappellera que chez lui, la grâce s'oppose à la force. Précisons cependant que cette opposition est aussi l'opposition d'une manière qui est presque par définition une agression contre autrui et d'un style qui en cherchant son plaisir dans la jouissance de soi ne happe l'intérêt d'autrui que par une séduction involontaire, une invitation indirecte à la sympathie [248]. Il s'ensuit d'une part que la grâce évite la confrontation, la satire violente, le didactique, qui sont tous les moyens d'agression de la force [249] ; d'autre part, que la grâce est art de suggestion plutôt que d'argument, et qu'elle exige une technique imperceptible sans aucun vestige de difficulté vaincue ou de calcul ; technique où l'auteur ne se montre que par quelque négligence bien naturelle qui signale son manque absolu de préoccupation avec autrui [250]. La grâce veut tout cela afin d'éviter autant que possible l'impression pénible d'une volonté étrangère qui voudrait brutalement s'imposer au lecteur, outrage dont se rendaient coupables aux yeux de Stendhal la plupart des créations si lourdement « sérieuses » de l'esprit post-révolutionnaire [251].

Pour bien suivre le jugement de Stendhal sur l'action et sur les personnages, il ne s'agit donc pas tellement de repérer dans cette façade pittoresque des ouvertures pratiquées afin de permettre l'inspection de la charpente morale. Il faut plutôt, en suivant de page en page le jeu mobile des mots, savoir tirer rien que de la juxtaposition et de la succession des événements — et du ton dont ils sont racontés — la portée morale essentielle. De même dans une comédie nous établissons nos jugements bien plus à partir des conséquences des actions qu'à partir des principes qui les ont motivées, ou dans un jeu nous évaluons un coup non sur les intentions du joueur mais sur

---

[248] C'est ce que R. N. Coe n'a pourtant pas vu dans son article capital, « From Correggio to Class Warfare : notes on Stendhal's ideal of " la grâce " ».

Dans l'*Histoire de la Peinture,* Stendhal le montre clairement à propos de Giotto : « ce qui manquait surtout aux arts avant lui, c'est la grâce. Quelques sauvages que soient les hommes, on peut leur faire peur » (t. 1, p. 87). Voilà pourquoi la grâce doit suggérer une certaine faiblesse (*ibid.*, t. 1, p. 111). L'opposition entre la grâce et toute préoccupation avec autrui est encore marquée dans *JL* (t. 2, p. 178) : « Voilà encore de la *vanité* et par conséquent adieu la grâce (...) ».

[249] Cf. à propos de Métastase, *VHMM*, p. 331-2 et 328 : « Son génie tendre l'a porté à fuir tout ce qui pouvait donner la moindre peine, même éloignée, à son spectateur. Il a reculé de ses yeux ce qu'ont de trop poignant les peines de sentiment : jamais de dénouement malheureux ; jamais les tristes réalités de la vie ; jamais ces froids soupçons qui viennent empoisonner les passions les plus tendres. »

[250] Cf. R. N. Coe, *art. cit.*, p. 249 et *HPI* (t. 1, p. 160-161) : « Car telle est la bizarrerie du cœur humain, pour que les ouvrages de l'art donnent des plaisirs parfaits, il faut qu'ils semblent créés sans peine. En même temps qu'elle goûte le charme de son tableau, l'âme sympathise avec l'artiste. Si elle aperçoit de l'effort, le divin disparaît (...). Quelques négligences apparentes ajoutent à la grâce ». Cf. aussi *VHMM*, p. 328.

[251] Sur la grâce chez Stendhal comme un idéal qui est né de son désir d'éviter le « sérieux » pesant de la littérature et des jeunes gens de la Restauration, voir R. N. Coe, *art. cit.*, p. 244-252.

les suites qu'il aura. Stendhal est devenu plus exigeant envers son lecteur, et le comble de l'ironie est évidemment que, devant tant de simplicité et tant d'évidence, l'on perde plus facilement le fil que dans le labyrinthe du *Rouge et le Noir*. On comprend que tant de lecteurs fins ont hésité devant l'importance à attribuer aux diverses composantes du roman, et que la plupart d'entre eux ont passé trop vite — parce que Stendhal ne s'explique pas — sur, par exemple, les « crimes » des protagonistes. Examinons dès ici le meurtre de Giletti, pour chercher à établir deux choses. D'abord, que les questions que l'événement soulève, ne peuvent nullement être jugées sans conséquence, comme l'ont présumé la plupart des critiques ; ensuite, que ces questions sont en fait traitées d'une manière profondément réfléchie. Au moyen d'une suite de traits imperceptibles, Stendhal élabore sur l'affaire une vue d'ensemble qui réussira à rendre pleinement justice tant aux éléments personnels et historiques qu'aux considérations plus générales qu'elle suggère.

En racontant les péripéties de Waterloo et de la fugue à Grianta, en esquissant la morale de Mosca, Stendhal prend soin d'établir au plus tôt la loi fondamentale de la conservation de soi-même (72-73, 179, 184-185). Dans une perspective strictement légale, et même dans une perspective morale étroite, la mort de Giletti constitue donc bien un cas de légitime défense, et Stendhal ne laisse aucun doute subsister à cet égard. L'archevêque le voit ainsi, Gina et Mosca également (217, 219, 278, 287) ; c'est pourquoi Fabrice se sent innocent en y réfléchissant (204, 212, 216, 268). La psychologie et les mœurs du pays font d'ailleurs comprendre comment une rencontre de hasard a pu produire ce malheur. Giletti pas plus que Fabrice n'a prémédité le coup (194) ; les deux sont d'un peuple où l'imagination passionnée risque de pousser n'importe qui à la violence [252]. Au moins Fabrice a-t-il exécuté lui-même son affaire au lieu de se servir d'agents intermédiaires comme le veut la pratique aristocratique et comme le font encore plus hypocritement les « assassins polis » des nouveaux régimes peureux [253]. Pourtant si aucune culpabilité ne retombe sur Fabrice dans l'interprétation la plus étroite des faits, sa conduite générale n'est pas sans mériter des reproches plus subtils. A cette époque, ses incertitudes persistantes à l'égard de sa vraie nature et des intérêts véritables de son honneur l'empêchent encore de se maîtriser. « Primitif », il réagit avec impétuosité, et fait preuve de réflexes violents quand il se croit attaqué ou simplement bravé. N'est-ce vraiment que pour les besoins de la chasse qu'il a « toujours des armes dans toutes ses poches » (287) ? Pour un rien il a failli tuer un Genevois paisible (95). On peut apprécier que Fabrice soit toujours prêt à se défendre, mais dans les pages qui suivent le combat avec Giletti, certaines de ses réactions impulsives, tant devant les doua-

---

252 Ainsi qu'on nous le dit de Ludovic, et même de Fabio Conti pendant sa jeunesse (205, 361).

253 Cf. 216, 126-7 et 206, où Ludovic souligne que Fabrice n'a pas tué « en traître ».

Dans la *Chartreuse*, Clélia déplore les « assassins polis » (322) ; voir aussi sur eux *RN*, p. 496.

niers sur le Pô que devant les provocations de l'amant de la Fausta, montrent qu'il a trop vite recours à la violence [254]. On voit pourquoi Blanès tient à l'avertir contre un crime, « violente tentation qui semblera justifiée par les lois de l'honneur » (171). On voit aussi pourquoi Stendhal place à la suite de cet avertissement deux incidents où Fabrice se heurtera à la nécessité de « faire feu le premier », sachant que les circonstances semblent l'autoriser à tuer [255]. En l'occurrence Fabrice n'abattra ni les gendarmes de Grianta, ni le valet du cheval maigre, grâce à l'éveil donné à sa sensibilité morale par la visite au vieil abbé. Fabrice s'en réjouit, et Stendhal sans doute en fin de compte aussi, puisqu'il prend soin de choisir pour la confrontation avec Giletti un contexte moral qui nous invite à comparer les trois épisodes. En effet, à peine Fabrice a-t-il constaté sa rechute morale après l'intermède de Grianta qu'il se trouve obligé d'affronter Giletti (189) :

> Je ne suis point changé se disait-il ; toutes mes belles résolutions prises au bord de notre lac quand je voyais la vie d'un œil si philosophique se sont envolées. Mon âme était hors de son assiette ordinaire, tout cela était un rêve et disparaît devant l'austère réalité.

Cette rechute est signalée par, entre autres choses, la faiblesse qui l'empêche de dire à Gina la vérité sur ses sentiments pour elle, et par le renouvellement de la cour qu'il fait à Marietta, cour où entre pour beaucoup une pointe de vanité contre son protecteur Giletti [256]. En réalité, Fabrice n'est donc vraiment exempt, ni d'un manque de maîtrise de soi, ni d'une frivolité un peu vaniteuse ; et c'est pourquoi Stendhal s'arrange, au cours du combat, pour que Fabrice soit finalement poussé à tuer par la peur un peu vaine d'avoir été défiguré (195-196) :

> Le combat semblait se ralentir un peu ; les coups ne se suivaient plus avec la même rapidité, lorsque Fabrice se dit : à la douleur que je ressens au visage, il faut qu'il m'ait défiguré. Saisi de rage à cette idée, il sauta sur son ennemi, la pointe du couteau de chasse en avant.

En effet, le combat terminé, rien ne pressera tant Fabrice que de trouver un miroir. Les souvenirs de Waterloo accentuent ce mouve-

---

[254] Cf. 202 : « Fabrice s'éloignait d'un pas dont il cherchait à dissimuler la rapidité, lorsqu'il se sentit arrêter par le bras gauche ; instinctivement il mit la main sur le manche de son poignard (...) ». Lors de la promenade nocturne en chaise de carnaval, il y a certes de la provocation, mais on voit que Fabrice ne contribue pas peu au climat de violence dans ces pages (238-9) : « Tue ! tue tout ce qui porte des torches ! ».

[255] 181 : « Me voici dans l'agréable nécessité de commettre un meurtre. (...). Fabrice, saisi d'horreur surtout de cette nécessité de faire feu le premier (...) courut se cacher (...) ». Voir ensuite la discussion avec Mosca (184-5).

[256] 175 : « Voilà qui est singulier, se dit-il ; le plaisir que j'éprouverais à voir cet homme si laid aller à tous les diables, survit au goût fort léger que j'avais pour la petite Marietta (...) ».

ment de sa vanité[257], et on voit que cette vanité légère, vanité encore en évidence lors de son passage à la douane[258], est à l'avenant de la critique générale que Stendhal fait du jeune coadjuteur si désinvolte et si inconscient[259]. A parler rigoureusement donc, Fabrice n'est certainement pas coupable de meurtre, mais dans un sens plus essentiel toute l'affaire est la conséquence d'un ensemble d'attitudes qui ne l'exempte pas entièrement de blâme. Par rapport à ce jugement délicat, le fait qu'à Parme toutes les classes, même les ennemis de Fabrice, composent d'habitude fort bien avec l'assassinat de plébéiens par les aristocrates n'est qu'une vérité historique dont Stendhal prend acte sans pour autant nous obliger à y souscrire[260].

Refuser de comprendre qu'aux yeux de Stendhal, Fabrice n'est pas entièrement innocent, c'est s'exposer à perdre la logique et l'ironie profonde de l'enchaînement dramatique qui finira par le mener en prison. Prison dont Stendhal ne dira certes pas que Fabrice la mérite, mais dont il faudrait quand même entendre qu'il en aurait presque besoin pour redresser sa vie. Nous le verrons mieux dans notre cinquième chapitre, où nous étudierons la suggestion d'un désir inconsciemment ressenti par Fabrice de provoquer une traduction en justice, et le côté pénitentiel de ses expériences carcérales. Mais douterait-on encore de la part très légère de blâme qui incombe de fait à Fabrice, on n'a qu'à regarder l'épisode sur lequel Stendhal a choisi de terminer la première partie du roman. En effet, en obligeant l'amant de la Fausta à se battre en duel avec lui, Fabrice se mesure de nouveau contre un rival en amour, et Stendhal rattache plus soigneusement encore ce nouveau combat à la mort de Giletti en répétant certains détails frappants[261]. Or cette fois Fabrice lui-même, répondant avec violence à un rival qui a su mettre plus d'esprit que lui à se venger[262], finit par être moins sûr de son innocence (243) : « Notre héros avait bien senti qu'il se jetait dans une action, qui, pendant toute sa vie, pourrait être pour lui un sujet de reproches ou du moins d'imputations calomnieuses ». Cette observation bien fondée, qui précède de peu son entrée dans la citadelle, indique fort clairement les sous-entendus moraux qu'il faut savoir repérer dans l'enchaînement des événements.

---

257 Depuis la bataille, il s'est montré plus spécialement sensible à la défiguration de jeunes hommes beaux comme il l'est lui-même (66, 188 et *infra* p. 172).

258 200 : « tous ces détails (...) lui serrèrent le cœur ; il paya ainsi le luxe magnifique et plein de fraîcheur qui éclatait dans son joli appartement du palais Sanseverina. Il était obligé d'entrer dans ce sale bureau et d'y paraître comme inférieur (...) ».

259 Voir aussi, pour une discussion plus détaillée de cette critique, *infra* p. 183-186.

260 Voir les réflexions de Ludovic, de l'archevêque et de Gina (206, 216, 217-220, 287).

261 Dans le deuxième duel, comme dans le premier, les assistants se révèlent des témoins douteux, et Fabrice fait encore preuve d'un souci marqué de protéger son visage (242-3).

262 En inventant la procession nocturne en chaise à porteurs ; « Je craignais des coups de poignard de la part du comte M...., se dit Fabrice ; il se contente de se moquer de moi, je ne lui croyais pas tant de goût » (238).

Pour généralisés que soient les reproches qui peuvent être faits à Fabrice, Stendhal est donc loin de se désintéresser de la question. S'il ne s'étale pas là-dessus avec lourdeur, c'est qu'il a surtout voulu dégager les conséquences ironiques du malheur de Fabrice, aristocrate qui s'est cru « au-dessus des lois », et qui cherchera en vain maintenant un jugement équitable [263]. D'ailleurs, il conviendrait de ne pas exagérer l'importance du fil moral que nous avons choisi de suivre — ce n'est après tout qu'un seul fil parmi bien d'autres qui concourront à son emprisonnement. Mais l'exemple montre que cette narration toute de surface se prête mieux qu'on ne l'a souvent cru à une lecture morale compréhensive. Cela à condition toutefois de suivre attentivement le sens qui se dégage rien que de la succession des événements, et à condition de ne pas privilégier outre mesure les intrusions du narrateur. Il s'ensuit évidemment que les nuances fugitives de ton dans la voix du narrateur acquièrent parfois aussi une importance extrême. De nouveau, la fugue à Grianta nous en apporte la preuve.

Ces pages semblent surtout destinées à nous retracer les étapes d'une première initiation mystique qui prépare Fabrice à cette vie contemplative qu'il connaîtra plus tard. Nous avons déjà souligné la souplesse d'un texte qui sait mettre si aisément en place tant d'éléments provenant de la tradition initiatique. Mais on ne saurait négliger la teinte d'ironie qui mine constamment le sérieux de cette signification mystique. Pourquoi Stendhal empêche-t-il la tendance mystique de prédominer absolument ? Car ce n'est pas sans humour que Stendhal prête un ton trop solennel et pédantesque à Blanès lorsqu'il donne ses instructions à Fabrice (173) : « il faut que tu partes pendant que les heures se comptent encore par neuf, c'est-à-dire avant que l'horloge ait sonné dix heures. » Et il renforce cette ironie en observant chez Blanès un côté malicieux qui ne l'empêche pas de garder les dons de Gina tout en lui refusant une prédiction (172). Stendhal plaisante de même sur la cérémonie religieuse au village et l'hallucination apocalyptique que provoquera chez Fabrice le son du bourdon qui secoue les instruments de Blanès (172), en remarquant que là où « quarante paysans [le] mettaient en mouvement en honneur du grand saint Giovita, dix auraient suffi » (174). Les ironies s'accumulent lorsque Fabrice interrompt son examen de conscience pour s'occuper des *mortaretti* et des jeunes filles [264], jeunes filles dont la « vigoureuse jeunesse » fait cocassement « renaître le courage de notre héros » (177). Pourquoi cette ironie ? Est-ce uniquement par suite de cette méfiance continuelle du lecteur qu'une intervention au début de l'épisode trahit de nouveau [265] ?

---

[263] 216. Voir aussi sur ce point, *infra* p. 192.

[264] 177 : « ce bruit singulier (...) chassa les idées un peu trop sérieuses dont notre héros était assiégé ; il alla chercher la grande lunette astrologique de l'abbé, et reconnut la plupart des hommes et des femmes qui suivaient la procession. Beaucoup de charmantes petites filles (...) étaient maintenant des femmes superbes (...) ».

[265] 165 : « l'objet de cette course et les sentiments qui agitèrent notre héros pendant les cinquante heures qu'elle dura, sont tellement absurdes que sans doute, dans l'intérêt du récit, il eût mieux valu les supprimer. Je crains que la crédulité de Fabrice ne le prive de la sympathie du lecteur ; mais enfin il était ainsi, pourquoi le flatter, lui, plutôt qu'un autre ? »

Or, ce qu'il faut comprendre, c'est qu'en fait il est essentiel pour le propos de Stendhal que le lecteur se moque avec lui du plaisir naïf que prennent l'abbé et son élève aux solennités un peu mystificatrices. Car s'il importe évidemment de saisir, malgré les sourires de l'auteur, toute la portée qu'aura pour Fabrice cette première expérience contemplative, il est également indispensable de voir que Fabrice n'a encore que des velléités de mysticisme. Lorsqu'au lieu de poursuivre son examen de conscience, celui-ci braque sur les jeunes filles du village la lunette de Blanès, symbole et instrument d'un précieux savoir nocturne, il nous est donné à comprendre qu'en cette occasion Fabrice ne profitera pas autant qu'il le pourrait de la sagesse de l'abbé. Certes, Stendhal voit trop juste pour lui en vouloir. Il faut que Fabrice devienne amant avant d'approfondir sa vie contemplative, même si ce faisant, les femmes feront aussi quelque peu obstacle à sa véritable destinée morale. En outre, Stendhal n'a sans doute pas voulu que la dimension mystique de l'épisode cache ce qui dans l'immédiat lui donne une valeur subtilement autre pour Fabrice. Car il s'agit bien plus en fin de compte d'un rite de passage entre l'adolescence et la maturité que d'une véritable initiation mystique. En effet, c'est le « cœur tiraillé par des passions puériles » que Fabrice s'embarque dans son expédition, instinctivement prêt à se ressaisir, à faire le point sur son passé (165). Au cours de l'escapade, il essaiera de voir clair en lui à propos de Gina (166), de ses privilèges sociaux (167), de sa superstition (167-168), de ses expériences à Parme (175). De tout cela, il apprend surtout qu'il faut savoir « se pardonner » et mettre le passé derrière soi, condition fondamentale de la maturité (179). Il s'ensuit que la confrontation avec l'image du père constituera le vif de l'aventure : « c'est un véritable enfantillage (...) d'être venu ici affronter le dégoût que me cause le château de mon père » (170). D'abord Fabrice essaiera de nier sa rancune avec l'objectivité de ses nouvelles connaissances, mais il se rend compte qu'il ne peut nier les faits, qu'il faudra vivre avec ce dégoût qui lui gâte le souvenir de son enfance (169). C'est le contact renouvelé avec « son vrai père » Blanès et le réveil d'autres souvenirs plus heureux qui amorceront la guérison. Blanès lui conseille de ne rien attendre et en tout cas de ne rien accepter de son père(173), et le progrès de la guérison se voit dans le fait que Fabrice, tout en continuant de craindre l'ombre de son père, peut maintenant se permettre de pleurer cette trahison intime et même d'être un peu affligé à l'idée de la mort prochaine de cet ennemi (174). Il est vrai que ce renouveau moral reste jusqu'à la fin de l'épisode mal assuré (179), mais il semble bien que pour l'essentiel, la hantise est brisée, que sa vie ne sera pas étranglée par cette haine [266]. La visite à son arbre et l'élagage de la branche cassée le montrent.

[266] Comme le confirme sa réaction en apprenant la mort de son père dans la tour Farnèse (355-6). Ceci montre qu'au sujet de Fabrice et de son père, le texte de Stendhal dépasse les explications freudiennes trop réductrices, telle celle de B. Didier. « " La Chartreuse de Parme " ou l'ombre du père », *Europe,* juillet-sept. 1972, p. 149-157.

Toute l'évolution morale de Fabrice, qu'on a pu trouver insuffisamment analysée, en particulier par rapport aux derniers chapitres, est présentée avec la même délicatesse. Mais pour l'apprécier il faut se rendre compte que dans ce texte ludique et tout de surface, bien des nuances essentielles sont en fait transmises par des menus détails sur lesquels Stendhal n'insiste guère, et auxquels on hésite d'abord à attribuer trop de signification. Tel, ici, l'emploi que fait Fabrice de la lunette de Blanès. Au lieu d'être, comme d'habitude dans les textes plus classiquement réalistes du *Rouge et le Noir* et de *Lucien Leuwen*, simplement les supports redondants des idées majeures, dans la *Chartreuse* ces détails infimes placés à côté de l'action principale acquièrent plus fréquemment une fonction autrement positive, celle d'annoncer et d'affermir presque à eux seuls des thèmes essentiels. Jamais Stendhal ne s'est autant caché dans les détails, et cette tactique correspond au souci accru de stylisation et d'objectivité. Nous aurons à le vérifier à plusieurs reprises. Bien loin donc d'être un roman entaché de contradictions et d'élaborations gratuites amenées par l'improvisation égotiste, la *Chartreuse* se distingue au contraire par la cohérence profonde que réussit à lui donner l'imagination de Stendhal [267]. Dans les pages qui suivent, notre analyse aura par conséquent beaucoup à dire sur de nombreux détails que la critique s'est obstinée à passer sous silence.

[267] Cette cohérence profonde laisse parfois rêveur. Dans l'appendice, nous en donnons trois exemples, au sujet de la Villa Melzi (45), du chien Fox (313) et du buste de Tibère acheté par Fabrice (144).

CHAPITRE III

Gina

« Il y avait des choses dures à dire à cette duchesse toujours si jolie » réfléchit le bon abbé Blanès, seul à voir un peu clair dans ce que l'avenir réserve aux protagonistes (172). L'avertissement est on ne peut plus manifeste, et ne semble pas porter uniquement sur la tentation « incestueuse », mais sur le caractère de Gina dans son ensemble. Force primitive et quasiment inconsciente de la nature, qui ne peut s'empêcher de provoquer drames et transgressions, la duchesse ne nous laisse pas prendre une vue complaisante des rapports entre la liberté, l'anarchie et l'ordre.

Ce n'est pourtant pas ce que nous dit en général la critique, qui ne cite jamais la mise en garde de Blanès, tant elle s'obstine à vouloir sentimentaliser la duchesse et à s'aveugler sur l'ambiguïté de son génie. Car depuis Balzac, l'admiration que suscitent à si juste titre la spontanéité et la chaleur de Gina, semble avoir comme exclu l'idée que Stendhal ait en même temps pu garder en vue les inconvénients d'un caractère au fond si conforme à ses rêves de bonheur. Au point que lorsque les critiques — et c'est encore l'exception — se surprennent à observer, soit que vers la fin du roman Gina semble perdre un peu de son autorité morale, soit qu'elle ne paraisse pas exempte de toute vanité, ils ne trouvent souvent pas mieux que de passer vite là-dessus, voire l'attribuer à quelque inadvertance de la part de l'auteur [1]. Rares sont les critiques qui ont essayé de faire cadrer leurs constatations moins obligeantes avec une lecture cohérente du personnage et du roman [2]. Et au fond le problème ne nous semble même pas résolu lorsque Gilbert Durand, dans des pages très belles, attribue l'ambivalence de la duchesse au fait qu'elle aurait représenté pour Stendhal « la somme de

[1] Pour ces hésitations, voir par exemple : J. Prévost, *op. cit.*, p. 355 ; M.-F. Veuille, « Un personnage stendhalien : " La Sanseverina " », *Philologica Pragensia*, 1968, n° 3 p. 145 ; G. Blin, *Stendhal et les problèmes de la personnalité*, p. 105-106.

[2] Les études les plus importantes sont : F. W. J. Hemmings, *op. cit.*, p. 195-197 ; R. M. Adams, *op. cit.*, p. 78-85 ; H. W. Wardman, *art. cit.*, p. 454-457 ; Moya Longstaffe, « Le dilemme de l'honneur féminin dans l'univers masculin du duel : le crime de la duchesse Sanseverina », *Stendhal Club*, n° 76, 15 juil. 1977, p. 305-320.

tous les périls qui constituent le fond redoutable de la féminité »[3]. Cela est juste, sans aucun doute, mais cela nous mène beaucoup trop loin des problèmes précis que développe le romancier. Pour ne choisir qu'un exemple qui touche au vif de l'œuvre, par là aussi l'on finit par glisser sur le véritable sens qu'aurait le meurtre du prince, action culminante de la vie de la duchesse[4]. Ce meutre est pourtant visiblement à ranger — avec la mort de Giletti et la fusillade des révolutionnaires — dans la série des grands « crimes » plus ou moins problématiques que commettra chacun des trois protagonistes et dont l'importance morale nous est signalée par Blanès lorsqu'il met Fabrice en garde contre l'assassinat (171, 183). Il ne nous semble pas que Stendhal, lui, se désintéresse ainsi des défauts relatifs que peuvent comporter les qualités indéniables de Gina, défauts qui pèsent non moins que ses dons dans la comparaison avec Fabrice et avec Mosca qui est si essentielle à la portée du roman. Tout cela fait au contraire partie intégrante de ce qui touche et intrigue le romancier chez elle, dès lors qu'il a vingt ans de plus que lorsqu'il aimait Angela Pietragrua[5]. C'est pourquoi nous ne pensons pas, comme Hemmings, que c'est le début de la vieillesse qui fait naître chez Gina certains défauts, mais que Stendhal laisse Gina vieillir pour que ces défauts finissent par ressortir[6]. En fait, Stendhal ne s'est-il pas intéressé de même — et là sans contestation possible — aux défauts relatifs d'autres héroïnes admirées, héroïnes dont certaines touchent de près à la duchesse de Sanseverina ? Si cela est vrai de Vanina Vanini, qui frôle l'avilissement en trahissant l'insurrection organisée par son amant[7], n'est-ce pas encore plus vrai de l'abbesse de Castro, son portrait le plus noir de la dégradation d'une belle âme ? Et ce dernier cas est entre tous pertinent, puisque c'est dans les mêmes mois où il a écrit la *Chartreuse* qu'il a créé la malheureuse Hélène[8]. Rappelons que dans cette nouvelle, l'abbesse ne peut se pardonner la faiblesse humiliante dont elle a fait preuve dans son premier amour. Désespérément, elle cherche tant à s'en compenser qu'à s'en punir, d'abord en déployant une vanité folle, ensuite en prenant un amant qu'elle méprise afin de lui infliger tous les affronts[9]. Sa fin ultime rachètera ses fautes, mais rarement Stendhal

---

[3] G. Durand, *op. cit.*, p. 122-124.

[4] L'exception honorable est ici l'article récent de M. Longstaffe, cité *supra* note (2), qui aborde de front les vrais problèmes.

[5] On a voulu expliquer trop de choses par les rapports certains, mais limités, entre la duchesse et Angela Pietragrua.

[6] F. W. J. Hemmings, *op. cit.*, p. 195-196.

[7] L. F. Benedetto a montré comment cette nouvelle annonce de près la trame romanesque de la *Chartreuse*, et à quel point on peut rapprocher Gina et Vanina, deux héroïnes altières qui se lient avec des révolutionnaires et trouvent pour rivale dans le cœur des hommes la politique (*La Parma di Stendhal*, p. 169-181).

[8] La première partie de *L'Abbesse de Castro* fut écrite du 12 au 13 septembre 1838, et le 4 novembre Stendhal se mit à composer la *Chartreuse ;* la seconde partie, qui retrace la dégradation d'Hélène, fut rédigée du 19 au 21 février 1839, soit tout de suite après l'achèvement du roman de Gina. Cette seconde partie de *L'Abbesse de Castro* doit donc témoigner de l'effet de retour de la *Chartreuse* sur l'auteur lui-même.

[9] *CI*, t. 1. p. 208-210, 220-221, 227-230. Voir à ce sujet les commentaires de Benedetto (*op. cit.*, p. 86-87) et de C. Dédéyan, *L'Italie dans l'œuvre romanesque de Stendhal*, SEDES, 1963, t. 1, p. 237.

s'est montré si cruellement perspicace.

Rien n'empêche donc *a priori* que Stendhal ait pu juger avec lucidité les inconvénients que comporte le caractère de Gina, tout en aimant son ambivalence féminine. Dès le début du roman, il introduit une image d'elle qui est aussi troublante que dramatique [10] :

> On rencontra une seconde tempête ; elles sont terribles et imprévues sur ce beau lac ; des rafales de vent sortent à l'improviste de deux gorges de montagnes placées dans des directions opposées et luttent sur les eaux. La comtesse voulut débarquer au milieu de l'ouragan et des coups de tonnerre ; elle prétendait que, placée sur un rocher isolé au milieu du lac, et grand comme une petite chambre, elle aurait un spectacle singulier ; elle se verrait assiégée de toutes parts par des vagues furieuses ; mais, en sautant de la barque, elle tomba dans l'eau. Fabrice se jeta après elle pour la sauver, et tous deux furent entraînés assez loin. Sans doute il n'est pas beau de se noyer, mais l'ennui, tout étonné, était banni du château féodal.

Rien ne pouvait mieux suggérer chez Gina son amour courageux de la nouveauté et du drame, goût qui la ramènera bien des fois au point de choc entre deux forces antagonistes, l'amoureuse et la politique. Mais rien ne pouvait mieux exprimer aussi le fait que son imprudence capricieuse risque d'avoir des conséquences graves, tant pour elle que pour les autres. Dans sa jalousie, Mosca aura quand même raison de dire (156) : « Il faut du nouveau à cette âme si jeune (...) elle sera entraînée avant d'avoir songé au danger, avant d'avoir songé à me plaindre ! » De plus, le fait qu'en cherchant ce spectacle magnifique elle n'oublie pas de choisir pour elle-même une pose à la hauteur du drame donne à cette scène une note peu rassurante [11]. Décidément, il faudra à Gina les autres, que ce soit pour fournir un auditoire admiratif, ou que ce soit pour la sauver des conséquences de ses caprices. Si en cette occasion Fabrice vient à son secours, plus tard ce rôle échoira à Mosca.

Il ne faut rien exagérer, devant un texte qui laisse voir des nuances infinies dans sa transparence si énigmatique. Il ne s'agit pas de blâmer Gina, mais de la comprendre, de saisir comment l'instinct dramatique et les caprices qu'elle hérite de ses devancières dans les grands romans (madame d'Aumale et Mathilde de la Mole) prennent chez elle une tournure différente. Et surtout il s'agit de saisir en quoi la part d'ambiguïté que comportent ses forces a directement trait aux grandes questions du roman. C'est pourquoi on ne saurait séparer sa vitalité si libératrice des échecs ultimes qu'elle éprouvera.

Un jaillissement primitif et généreux de forces naturelles caractérise donc tout d'abord Gina, reine ou sorcière en vertu de la puissance qui fait son bonheur. Elle ne partage aucun des rapports intimes de Fabrice avec l'air ; plus terrestre, elle ne quitte pas le sol là où lui a tendance

---

[10] 46-47. Rappelons que déjà dans la deuxième version de *La jeunesse d'Alexandre Farnèse,* Stendhal avait inventé l'épisode où Vandozza apparaît en naïade et où un jeune abbé l'empêche de se noyer.

[11] A cet égard, l'épisode dans la *Chartreuse* est beaucoup plus ambiguë que ne l'était dans *La jeunesse d'Alexandre Farnèse* l'épisode où Vandozza apparaît en naïade.

à s'envoler[12]. Sans aucune intuition mystique, elle aspire de même à la lumière du jour, et cherche tout au plus dans la nuit un éclairage diurne de fête. C'est pourquoi l'astrologie ne sera jamais pour elle qu'un remède passager à l'ennui (47) et pourquoi ses signaux nocturnes à Fabrice dans sa prison semblent des parodies inconscientes de cette lumière intime que peuvent sécréter pour lui les nuits mystiques et amoureuses[13]. Ses éléments sont plutôt l'eau et le feu, comme l'a signalé trop rapidement Durand[14]. Alors qu'au château du marquis des Dongo les fossés sont aussi secs que les cheveux poudrés d'Ascagne (31), c'est le lac de Grianta qu'aime Gina comme Fabrice. C'est elle qui achète un bateau pour leurs promenades (46-47) et qui se plaira à asperger d'eau les cheveux secs de ce frère si faux (46). Mais les rapports de Gina avec l'eau sont essentiellement différents de ceux que connaît Fabrice. Lui aime flotter sur l'eau, se sentir bercé et porté par elle, en contempler la surface dans toute son étendue[15]. Elle, nous l'avons déjà vu dans la fameuse scène de l'orage, préfère jouer avec sa turbulence dangereuse et se l'assimiler, au risque de s'engloutir. Au fond, c'est la puissance ambivalente de l'eau dont elle voudrait ainsi se faire reine : puissance maternelle et bénéfique à Grianta, puissance terrible à l'heure de la vengeance. Maîtresse à Parme d'un « château d'eau »[16], elle essaiera, au milieu des « tempêtes » qui la menacent sans cesse[17], de déclencher la violence de l'eau contre ce « cloaque infâme » à grand égout fiévreux qu'est la capitale de Ranuce-Ernest (258, 281). Vengeresse, elle fait crever le réservoir d'eau comme dans la caricature de Gros un soldat français crève le ventre royal pour en faire sortir un flot de blé (26). Ce rapport primitif que ressent Gina entre ses forces vitales et les puissances liquides, éclate dans la scène étrange où elle scande de rires fous le mot de Ludovic, « Du vin aux gens de Sacca et de l'eau à ceux de Parme ! » (388-389). Car si elle se veut maîtresse des tempêtes, elle aime par ailleurs faire flamber le feu et distribuer le vin, ce mélange généreux d'eau et de feu[18]. L'illumination de Sacca pour célébrer l'évasion de Fabrice est une idée bien à elle, qui a déjà choisi comme signal pour préparer le coup, « le feu a pris au château » (362). Et ce feu, plus tard elle le mettra au château presque pour de bon, en faisant brûler chez le prince les pièces à conviction réunies par Rassi (427). Quoi d'étonnant alors si le geste de répandre l'ivresse et le réconfort chaleureux du vin appartient dans la *Chartreuse* à Gina

---

12 Cf. *infra* p. 169-171.
13 340-341 et voir *supra* p. 41.
14 *op. cit.* p. 123-124.
15 Cf. *infra* p. 169-170.
16 Comme le dit tout à coup Mosca (230).
17 131 : « elle s'amusait de cette existence de cour où la tempête est toujours à craindre. »
136 : « la duchesse cette fois était fort agitée ; un orage s'était élevé à la cour ».
154 : « Par malheur pour le comte, ce soir-là le temps était chaud, étouffé, annonçant la tempête ; de ces temps, en un mot, qui, dans ces pays-là, portent aux résolutions extrêmes. »
18 Cf. Bachelard, *L'Eau et les rêves*, p. 132-137.

plus qu'à tout autre [19] ? « Du vin aux gens de Sacca, de l'eau aux gens de Parme », ce vers qui oppose les flots généreux de son énergie à la sécheresse épargnante de l'âme parmesane, convient bien à son chant fou de vengeance.

Reine généreuse autant que dangereuse dans l'effusion prodigue de ses forces, elle est aussi la reine des fêtes [20]. Après « toutes ces fêtes brillantes qui marquèrent le règne trop court de l'aimable prince Eugène » (35), folies où avait brillé Gina et qui sont comme l'emblème du bonheur milanais sous les français (27, 35), elle établit à Parme les bases de son prestige sur une succession ininterrompue de fêtes (140) :

> Chose unique avec la paresse italienne, on revenait des campagnes environnantes pour assister à ses *jeudis ;* c'étaient de véritables fêtes ; presque toujours la duchesse y avait quelque chose de neuf et de piquant.

Les grandes réjouissances qui à Sacca nargueront le prince déjoué avec feux de joie et fontaines de vin, ne sont que le point culminant de ces féeries. Or, que signifie plus précisément sa protection de toutes ces manifestations joyeuses ? D'abord évidemment, par leur ivresse allègre, l'opposition irréductible de Gina à tout ennui, que ce soit celui que donnent aux cours la peur du peuple et les convenances, ou celui que donne aux familles honnêtes le « sérieux » des bourgeois (140) ; ensuite, par leur gratuité généreuse et spontanée, son opposition aux règles de tous les jours et au calcul prudent de l'accumulation utile [21]. Mais la sociabilité essentielle de Gina est aussi en évidence dans ces fêtes. Par là, elle s'oppose à ce rêve de solitude qui hante constamment Clélia et Fabrice [22]. Par là, elle entre facilement en communication avec toutes les classes et sait abolir provisoirement les différences qui les séparent. Tous ces traits, qui la situent déjà un peu à l'égard du problème de l'ordre et du désordre, nous occuperont plus loin. Pour l'instant, portons notre attention plutôt sur le côté forcément théâtral de ces fêtes où sa prodigalité éclate.

Si la fête est un théâtre, la protection que Gina accorde à toutes ces

---

19 Tant à Grianta qu'à Sacca (96, 100-101, 388) ; ce que Shoshana Felman nous semble avoir tort de négliger dans son commentaire sur l'ivresse dans la *Chartreuse,* même si Gina n'est pas la seule qui donne à boire aux autres dans le roman (*op. cit.*, p. 226-228).

20 Shoshana Felman a écrit de belles pages sur les fêtes de Gina (*op. cit.*, p. 227-229) ; nous différons cependant sur la perspective que le roman dans son ensemble donne sur ces fêtes et sur l'ivresse.

21 Cela est surtout évident lors des fêtes de Milan et de Sacca : « l'on a pu citer de vieux marchands millionnaires, de vieux usuriers, de vieux notaires qui, pendant cet intervalle, avaient oublié d'être moroses et de gagner de l'argent » (30) ; « J'ai quatre vingt-neuf grands tonneaux de vin dans mes caves, tu feras établir quatre vingt-neuf fontaines de vin dans mon parc. Si le lendemain il reste une bouteille de vin qui ne soit pas bue, je dirais que tu n'aimes pas Fabrice » (388).

Sur la gratuité des fêtes et sur leur opposition foncière à l'esprit de calcul, voir Roger Caillois, *L'Homme et le Sacré,* Gallimard « Idées », 1972, p. 124-136, et Jean Duvignaud, *Le don du rien,* Stock, 1977, p. 151-231.

22 Tout en aimant la vie tranquille de Grianta, Gina s'en fatigue très vite : « elle avait trop d'esprit pour ne pas sentir parfois l'ennui qu'il y a à ne pas échanger ses idées » (47).

féeries fait on ne peut mieux valoir à quel point elle est naturellement dramatique et même actrice. Comme Mosca et Fabrice, elle aime jouer sa vie avec brio, mais alors qu'eux ne sont guère tentés par le côté spectaculaire de tout jeu et par les sortilèges de la *mimicry* (selon la classification proposée par Caillois), ce sont ces formes ludiques qu'emprunte spontanément l'expression de son énergie. Le trait n'a pas échappé à la critique, mais celle-ci n'en a su tirer que peu de chose, puisqu'elle ne l'a jamais mis en relation, ni avec le comportement ludique des autres personnages, ni avec le courant ludique qui informe le roman dans son ensemble [23]. Stendhal insiste pourtant là-dessus. C'est un peu comme si Gina, laquelle n'a que des « souliers de satin blanc venant de Paris, et une seule paire de souliers pour marcher dans la rue » (218), émergeait de La Scala pour entrer dans le roman. Sans doute aime-t-elle ce théâtre comme l'aimait Stendhal, parce que là le théâtre se double d'une fête permanente. Aussi se fera-t-elle éventuellement « directeur de comédie » à Parme (422), en ajoutant aux fêtes qu'elle y anime les plaisirs de la *commedia dell'arte,* dans laquelle elle jouera encore (418, 421, 441). Et ce goût du théâtre, elle en fera preuve aussi dans la vie réelle, surtout dans les grandes crises. Lorsqu'elle apprend que Ranuce-Ernest va approuver la sentence délivrée contre Fabrice, sa réaction violente fera naître un drame en trois scènes. Telle la protagoniste d'un *opera seria,* elle chante d'abord son défi (« mais (...) nous le verrons revenir »), puis rassemble ses gens pour leur annoncer la résolution qu'elle a prise de jouer quitte ou double (247-248). Pour sa part, le prince est en vérité encore plus attentif à la mise en scène du drame qui va éclater ; il se donne « un air théâtral », et s'attendant aux pleurs, tire son mouchoir « comme pour se préparer à un tel spectacle » (249). Cependant, tout le cabotinage que lui a appris son métier de souverain ne lui sera d'aucun secours devant la passion et l'esprit avec lesquels Gina attaque et emporte cette deuxième « scène » de la « comédie » atroce (254-255). Revenue chez elle, Gina rassemble de nouveau ses domestiques, et à l'approbation vive qui salue l'annonce de son succès, « reparut comme une actrice applaudie, fit une petite révérence pleine de grâce (...) et leur dit : *Mes amis, je vous remercie* » (257). Même après l'arrestation de Fabrice, elle saura profiter « avec un art infini de la pâleur que venait de lui donner une indisposition grave » pour jouer habilement devant la ville la malheureuse comédie d'indifférence qui lui semble alors nécessaire (300-301). Mais c'est surtout lorsqu'elle se voit obligée de couler l'investigation sur la mort du prince que Rassi a poursuivie avec succès, que ses dons d'actrice éclatent. Cette fois, il n'y a presque pas de solution de continuité entre la *commedia dell'arte* qu'elle joue au château et le drame réel qui la menace. Sur scène, Ernest V joue le rôle de son amoureux avec une passion réelle qui est près de faire éclater la fiction dramatique (421). Un soir, lui et Gina doivent interrompre la pièce pour faire face chez la reine-mère à la crise provoquée par Rassi (423) : « Pendant deux mortelles heures les trois acteurs de cette scène ennuyeuse ne sortirent pas des rôles que nous venons d'in-

[23] Voir par exemple, R. M. Adams, *op. cit.*, p. 80-85 ; G. Blin, *Stendhal et les problèmes de la personnalité,* p. 321 ; M.-F. Veuille, *art. cit.*, p. 148-149.

diquer ». Plus tard, c'est en connaissance de cause que Gina pourra dire du succès qu'elle a remporté, « je suis excédée de fatigue, j'ai joué une heure la comédie sur le théâtre, et cinq heures dans le cabinet » (429). Dans toutes ces scènes, Gina n'est sans doute pas la seule à jouer la comédie, puisque la cour de Parme est le théâtre d'une « comédie » perpétuelle (159) où se serrent les « masques » (148) et les « bouffons » comme Rassi et Riscara (259-260, 263). Il nous faudra d'ailleurs préciser le caractère de son jeu, qui est rarement mensonger comme celui d'Ernest IV. Cela n'empêche pas qu'en se composant avec naturel un rôle à la hauteur du drame, Gina se montre essentiellement dramatique, et au besoin actrice consommée. Aussi Stendhal pourra-t-il faire d'elle par moments une véritable *diva* digne de cette Scala qu'elle regrette, reine qui va jusqu'à chanter et son défi au prince (247) et sa volonté de déchaîner contre Parme toutes ses forces diluviennes (388).

L'énergie débordante de Gina s'exprime donc naturellement au moyen du spectacle. Elle n'admet qu'à regret l'action cachée. Quand son premier mari rejoint l'armée française en retraite, elle le suit « montée sur une charrette » (32) ; quand par la suite on veut l'emprisonner, elle menace de se présenter devant la cour de Vienne pour « dire la vérité à l'Empereur » (42). Elle sait acheter les jésuites chez lesquels étudie Fabrice en transformant la distribution de prix en cérémonie quasi officielle (35), et faire de sa pauvreté de veuve un « spectacle singulier » (120). De même, l'idée de l'exécution de Fabrice lui suggère inévitablement qu'elle le suivrait à la mort, montée de nouveau sur une charrette (284), et elle ne peut concevoir sa propre mort autrement que « magnifique » (404). Comment pourra-t-elle alors faire évader Fabrice sans faire voir à tous, avec la fête de Sacca, la part qu'elle a jouée dans cette action forcément clandestine ? C'est parce qu'il comprend bien ce trait que Mosca dira, après une de ses actions d'éclat, « c'est peut-être la dernière représentation que nous donnons en cette ville » (142).

Cherchant le drame, Gina renouvelle sans cesse sa vie, et en augmente le prix. Comme tout acteur, elle ne vit que pour le moment, souhaitant tirer sans plus tarder de son rôle actuel un effet instantané [24]. Elle aime le risque, et souhaite toujours éprouver sa force de volonté en tentant le hasard. Comme Mosca, elle aime vivre « au milieu des plus grands dangers » (416), et c'est rayonnant de bonheur qu'elle lui dit après un de ses coups de tête heureux, « Tout cela à cause d'une idée bien imprudente qui m'est venu ! (...). Je serais plus libre sans doute à Rome ou à Naples, mais y trouverais-je un jeu aussi attachant ? » (143). Sur un Saint-Simon, Stendhal avait en effet noté que « ce sont ces hasards du jeu de la cour, remèdes à l'ennui, (...) qui attachent tous les nobles à une cour » [25]. Gina ne participe cependant point à ce jeu en calculant prudemment comme Mosca, joueur « ago-

[24] En effet, il y a là une différence très importante pour le caractère de Gina entre la *mimicry* et les jeux « agonistiques » et aléatoires, où les joueurs doivent savoir attendre le dénouement éventuel (Caillois, *Les Jeux et les Hommes*, p. 38). Gina, elle, ne sait pas attendre.

[25] *JL*, t. 3, p. 272.

nistique » s'il en fut. Mosca fera valoir la différence lui-même en disant, après le coup de tête précédemment cité où Gina vient de « hasarder ce que de mémoire d'homme personne n'avait osé à Parme » : « Ce que vous avez fait est bien hardi, (...), je ne vous l'aurais pas conseillé » (141-142). Et elle se plaindra plus d'une fois avec impatience de la « prudence méticuleuse » du comte, qui pour elle est la marque d'une « âme vulgaire » qui « n'est pas à la hauteur » d'elle-même et de Fabrice (284). En quoi elle se trompe sur le fond des choses à l'égard de Fabrice, puisqu'elle confond son propre goût de braver le hasard avec la contemplation plus passive des coups de dés cosmiques qui est le propre de son neveu [26].

Désormais, nous pouvons préciser le caractère de son jeu. Comme tout metteur en scène, Gina aime dans le spectacle la part du risque. Et son jeu d'actrice augmente ces périls. Car Gina ne joue qu'exceptionnellement une comédie savamment trompeuse comme celle du prince. La plupart du temps le sang-froid lui manque pour se modeler sur un rôle préfiguré, comme le saurait une actrice professionnelle [27]. Elle n'a rien non plus de la fausseté si différente de la Fausta, qui lui sert de repoussoir dans le roman. Là où celle-ci est systématiquement arbitraire dans ses caprices, Gina joue sa vie avec passion et avec sincérité [28]. Aussi ne sait-elle qu'improviser — au piano (110) ou dans la vie ; selon Mosca, « c'est une femme toute de premier mouvement ; sa conduite est imprévue même pour elle ; si elle veut se tracer un rôle d'avance, elle s'embrouille ; (...) » (153). Au théâtre elle préfère jouer la *commedia dell'arte,* si italienne, « où chaque personnage invente le dialogue à mesure qu'il le dit » (418). Il ne s'agit donc dans son jeu ni de calculer, ni de feindre des rôles illusoires. Mais par ailleurs son jeu dépasse également « la mise en scène de la vie quotidienne », dans la mesure où sa sincérité exige non seulement d'être vue, mais de se faire valoir de la manière la plus dramatique [29]. C'est bien elle-même qu'elle joue, mais elle outre spontanément son rôle provisoire, surtout si ce rôle est héroïque. Le jaillissement de ses forces est inévitablement spectaculaire, et sa volonté est d'affermir ses exploits en les publiant. La tristesse qui se dégage de ses dernières années tient largement au fait que la vie lui refuse désormais des rôles suffisamment dramatiques.

Bien que sincère, le jeu de Gina n'est cependant pas exempt d'ambiguïtés, que nous aurons à explorer tout au long de ce chapitre. En effet, même si elle ne court pas le risque, inhérent à la *mimicry* pro-

---

[26] Cf. *infra* p. 180-181.

[27] Elle le fera pourtant, sous le coup de la nécessité, lorsque Fabrice est arrêté, et qu'elle doit feindre l'indifférence (300-301). Mais Stendhal savait bien que les meilleurs acteurs devraient garder toujours une part de sang-froid ; de Lucien Leuwen il avait écrit, « notre sous-lieutenant n'était rien moins qu'un comédien consommé ; il n'avait que de l'aisance et du feu » (*LL,* p. 857).

[28] Pour que l'on ne se méprenne pas sur les caprices de Gina, Stendhal a peint dans la Fausta le caprice réduit en système (226).

[29] G. Blin a finement analysé l'inévitabilité de quelque dramatisation de soi pour l'homme sincère chez Stendhal (*Stendhal et les problèmes de la personnalité,* p. 288-290) ; Gina va cependant plus loin.

prement dite, de s'aliéner définitivement dans des rôles que refuse son cœur, son jeu lui fait connaître un autre vertige non moins dangereux. Car dès lors que l'on s'identifie sans réserve à quelque rôle idéal, choisi au hasard sous le coup d'une passion ou d'un caprice, comment garder une perspective plus générale sur sa vie ? Dans ce vertige, l'authenticité devient également problématique. C'est peut-être déjà un peu le cas lorsque Gina arrache du prince l'annulation du jugement porté contre Fabrice sans avoir sérieusement pensé à ce qu'elle veut faire de Mosca [30]. C'est sûrement le cas lorsqu'elle décide le meurtre du prince, car dans la scène où elle envoie Ludovic donner le signal fatal, nous la voyons proprement aliénée (389) : « Ludovic leva les yeux sur la duchesse et fut effrayé (...) le fait est qu'elle est folle ! » Et cette fois il est douteux qu'en agissant, « au hasard et pour se faire plaisir au moment même (...). Elle ne se fût point blâmée en revenant au sang-froid » [31]. Son idéal d'un théâtre spontané sans repentirs ne passera pas dans le roman sans soulever certaines réserves de la part de l'auteur.

Le jeu de Gina renvoie ainsi à un des traits les plus saillants de son caractère, essentiel pour la perspective qu'offre le roman sur la vie des Italiens : son inconscience à peu près totale, que multiplie sa dramatisation continue d'elle-même. Toute à son rôle, quelle réflexion peut naître chez elle sur les rapports de sa vie intime avec ce rôle provisoire, ou sur les répercussions qu'aura ce rôle dans la rude réalité ? Par là, elle évitera certes mieux que Mosca et que Fabrice la conscience critique, si apte à dessécher « cette plante toujours si délicate qu'on nomme le bonheur » [32], et elle gardera dans l'action tous les avantages de l'impétuosité énergique [33]. Mais la rançon en est qu'elle n'apprendra jamais la stratégie, si nécessaire pour un bonheur durable, de « jouer et mépriser la comédie » [34]. De plus, le malheur comme le bonheur de son jeu spontané est que Gina, enivrée de chaque

30 Dans cette scène, on ne peut douter que Gina aurait quitté Parme si le prince avait refusé (254-255). Mais serait-elle partie surtout pour ne pas se dédire, ayant utilisé la seule arme qu'elle ait contre le prince ? Stendhal le laisse entendre, lorsqu'au début de l'épisode il insiste si étrangement, à propos de l'annonce de sa résolution, que « la duchesse pensait exactement ce qu'elle disait » (248).

31 256. C'était là le commentaire de Stendhal sur l'épisode précédemment discuté, où Gina menace de quitter Parme.

32 167. Voir aussi la réflexion de Mosca jaloux : « Ma gaieté n'est-elle pas toujours voisine de l'ironie ? (...) ma gaieté ne laisse-t-elle pas entrevoir, comme chose toute proche, le pouvoir absolu... et la méchanceté ? Est-ce que quelquefois je ne dis pas à moi-même, surtout quand on m'irrite : Je puis ce que je veux ? et même j'ajoute une sottise : je dois être plus heureux qu'un autre, (...) Eh bien ! soyons juste ; l'habitude de cette pensée doit gâter mon sourire (...) » (154).

33 Voir aussi ce que Stendhal dit dans *De l'Amour* sur le courage des femmes dans les crises (t. 1, p. 137) : « Leur courage a une *réserve* qui manque à celui de leur amant ; elles se piquent d'amour-propre à son égard, et trouvent tant de plaisir à pouvoir dans le feu du danger, le disputer de fermeté à l'homme qui les blesse souvent par la fierté de sa protection et de sa force, que l'énergie de cette jouissance les élève au-dessus de la crainte quelconque qui, dans ce moment, fait la faiblesse des hommes. »

34 *C*, t. 1, p. 352. Stendhal ajoute : « *Without that never happiness* ».

rôle que son imagination lui suggère, franchit constamment la ligne entre ce qui est permis et ce qui est défendu. Et cela d'autant plus naturellement que dans le jeu de la *mimicry*, il n'y a pas d'ordre prescrit pour la guider ou pour l'entraver. Comme le constate Caillois, c'est presque d'entre tous les jeux celui où il y a le moins de règles, l'effet à produire y étant tout[35]. Jouant, Gina ne trouvera donc pas dans le jeu, comme Fabrice dans l'*alea* et Mosca dans l'*agôn*, une notion des contraintes nécessaires à tout équilibre stable[36]. Ce qui fait sa force comme sa faiblesse est qu'ici, comme dans la fête, son énergie bouillonnante la poussera constamment du côté du désordre.

Par ailleurs, nous avons déjà fait valoir que le jeu spectaculaire de Gina trahit sa volonté de publier ses exploits. Donner une représentation, c'est surtout jouer pour autrui et lutter avec le public que l'on veut gagner. Par là, autant que par le plaisir que lui donne l'exercice de ses forces, la vie de Gina se trouve constamment mêlée à celle des autres. Son énergie expansive exige d'agir sur le monde, et se nourrit de la vue de cette action, qu'elle souhaite en outre voir reconnue. Sa vie finira même ainsi par trop dépendre des autres, et elle ne saurait penser à une destinée plus autonome, comme Clélia et comme Fabrice. Il faudra voir de plus près comment cela se passe, pour une âme si « romaine et au-dessus de tout » (142).

D'emblée, son énergie se heurte contre d'autres puissances à l'œuvre dans le monde, et rien au fond n'attire Gina comme celles-ci lorsqu'il arrive qu'elles surgissent devant elle — qu'il s'agisse du hasard, d'un orage dans les montagnes, d'un héros de l'armée cisalpine ou d'un ministre célèbre dans le pays entier. Ces rencontres font inévitablement naître chez elle l'idée d'une rivalité, et dans l'alternative de la victoire ou de la défaite, Gina refuse avant tout l'idée de subir une humiliation. Elle agit en conséquence à la cour, où Stendhal ne voit que les plaisirs masochistes de l'humiliation pour ceux qui, comme Rassi et Gonzo, ne peuvent s'arroger un pouvoir assuré[37]. En amour, elle rejette de même l'idée d'être l'esclave d'un homme, fût-il prince comme Ernest V (466-467) : « La duchesse n'hésita pas un instant ; le prince l'ennuyait, et le comte lui semblait parfaitement aimable ; (...). D'ailleurs, elle régnait sur le comte, et le prince, dominé par les exigences de son rang, eût plus ou moins régné sur elle ». C'est quand elle se voit vraiment « esclave » du prince qu'elle décide de le tuer (281). Mais Gina est généreuse autant qu'impérieusement sûre de ses droits, et, tout en rejetant l'humiliation, sa première pensée dans ces rencontres avec d'autres puissances n'est pas de leur infliger une défaite. A moins que la puissance rivale ne lui soit directement hostile, sa réaction ins-

---

35 Caillois, *Les Jeux et les Hommes*, p. 67, 152.

36 Voir *infra* p. 146-147, 188, et Caillois, *ibid.*, p. 12.

37 C'est ce que Stendhal semble vouloir souligner en dépeignant ces deux personnages. De Rassi il écrit (260) : « on le voyait tous les jours préférer le salon d'un ministre qui le bafouait, à son propre salon où il régnait despotiquement sur toutes les robes noires du pays. » Et de Gonzo (479) : « Cet homme eût pu dîner chez lui, mais il avait une passion : il n'était à son aise et heureux que lorsqu'il se trouvait dans le salon de quelque grand personnage qui lui dît de temps à autre : *Taisez-vous, Gonzo, vous n'êtes qu'un sot.* »

tinctive est plutôt de vouloir s'y joindre, s'y rendre indispensable, l'assimiler à son empire. Aussi Mosca est-il un amant flatteur comme l'était le comte Pietranera (118) : « le souvenir du comte se mêlait à l'idée de son grand pouvoir ». Elle est en somme bien faite pour comprendre le désespoir dont souffrirait le comte en quittant le ministère[38] : « pour rien au monde je ne me chargerais d'amuser un ministre qui a perdu son portefeuille, c'est une maladie dont on ne guérit qu'à la mort ». Elle pourrait faire sienne la boutade de Stendhal dans *De l'Amour*[39] : « Quoi qu'en disent certains ministres hypocrites, le pouvoir est le premier des plaisirs. Il me semble que l'amour seul peut l'emporter, et l'amour est une maladie heureuse qu'on ne peut se procurer comme un ministère ».

Rien ne plaît donc tant à Gina que de jouer le destin et d'être pour les siens une déesse d'une générosité primitive. N'oublions pas que chez Stendhal, « la condition première de toutes les vertus est la force »[40]. Sa puissance magique et esthétique voudrait ainsi s'affirmer l'égale de toutes les puissances politiques et économiques. Constatant le dévouement de ses gens, Fabrice « pensait aussi à la bonté caractéristique de sa tante » (205). Au village de Sacca dont elle s'est faite la patronne, Ludovic assure qu' « elle n'a pas laissé dix pauvres » (389). Même à Parme, où la citadelle est devenue « reine, de par la peur, de toute cette plaine » (113), elle aura l'air de la « souveraine » devant la princesse Clara-Paolina (128), et saura se faire offrir la main et d'Ernest IV et de son fils (251, 466). Pour Ferrante Palla comme pour Fabrice elle est presque la Madone (419, 1394), et dans ce roman où l'on se prosterne sans cesse devant Dieu, les femmes et les puissants (211, 213, 231, 233-234), c'est le plus souvent devant Gina que l'on s'agenouille (104, 142, 363, 369, 404-405, 444).

Agir pour régner généreusement est ainsi le désir fondamental de Gina, et dès lors qu'elle est assurée de sa souveraineté, elle ne demande pas mieux que de payer largement de retour la loyauté, et de mettre son énergie au service de ses serviteurs. On voit cependant que les autres lui sont absolument nécessaires. Ils le sont d'abord, pour qu'elle puisse se sentir agir avec bonheur, et cela la mènera parfois à chercher trop avidement à partager et à diriger leur vie. C'est ce qui lui arrive avec Fabrice, qu'elle désire posséder trop exclusivement, et qu'elle ne peut abandonner à Clélia. Ils le sont encore, parce qu'elle exige la consécration de sa souveraineté par les yeux des autres. Il y a là un côté indiscutablement magnifique, dans la mesure où elle voudrait que sa gloire et celle de ses amants fidèles se complètent et rejaillissent l'une sur l'autre. C'est ainsi que sa vie, cycle de jeunesse et

---

[38] 256. Voir aussi ses paroles sur le prince, (285) : « J'ai bravé l'autorité du prince le soir du billet, je puis m'attendre à tout de la part de sa vanité blessée : un homme né prince oublie-t-il jamais la sensation que je lui ai donnée ce soir-là ? »
[39] *DA*, t. 1, p. 201.
[40] *HPI*, t. 2, p. 226.

de vitalité sans cesse renaissantes [41], tourne aussi autour de la recherche toujours renouvelée d'un amant égal pour la gloire à son premier mari [42]. C'est ainsi qu'elle insiste sur son autorité absolue surtout par rapport à ces amants [43]. Autant elle est furieuse de voir celle-ci disputée par Limercati (42-43), autant elle est heureuse de recevoir la soumission renouvelée du chanoine Borda (104-105) et l'obéissance inconditionnelle d'hommes forts tels que Mosca et Ferrante Palla [44]. Mais par cet intérêt qu'elle porte à l'image qu'elle lit dans les yeux des autres, elle risque également d'y attacher trop d'importance, et de s'ouvrir à des mouvements de vanité. Ce danger que comporte son goût de la consécration publique devient pour la première fois manifeste lorsqu'elle réfléchit sur la vie à Parme que Mosca lui propose. L'idée de la cour lui fait peur parce qu'il faudra, ajoute Stendhal sur l'exemplaire Chaper, « débuter sur un nouveau théâtre » (1406). Mais elle surmontera vite cette peur, car « une fois qu'on s'est accoutumé aux règles, il est agréable de faire l'adversaire chlemm » [45]. On est par la suite plus précisément troublé lorsqu'à l'occasion d'un don généreux à Ludovic, Stendhal montre que ses pensées intimes n'oublient pas le cachet qu'aurait son geste aux yeux des autres (390) : « Il est beau (...) de donner à un serviteur fidèle le tiers à peu près de ce qu'il me reste pour moi-même ». Et le trait ne restera certes pas sans conséquences, puisque c'est surtout par vanité outragée qu'elle finira par tuer le prince. Comme l'a si bien vu H. W. Wardman, rien n'est donc plus faux que de croire Gina — que nous avons vue toujours outrant ses rôles — insensible à l'opinion des autres [46]. Car, bien qu'elle ne se fasse jamais l'esclave de l'image qu'ils lui renvoient, elle ne manque

[41] 46 : « Est-donc au commencement de la vieillesse, se disait-elle, que le bonheur se serait réfugié ? »
119 : « Elle se voyait sur le Corso, à Milan, heureuse et gaie comme au temps du vice-roi ; la jeunesse, ou du moins la vie active recommencerait pour moi ! »
131 : « Tout souriait à la duchesse ; (...) ; il lui semblait recommencer la vie » .

[42] Gina est « sensible à la gloire » (134), et l'égal de son premier mari est sans aucun doute ce qu'elle voudrait trouver chez Limercati (43), chez Fabrice (110, 133-136), chez Mosca (117-118) et chez Ferrante Palla. On n'a qu'à voir comment elle écrit à Fabrice (217) : « Après la mort de l'excellent comte Pietranera, que, par parenthèse, tu auras bien plutôt dû venger, au lieu de t'exposer contre un être de l'espèce de Giletti (...) ».

[43] Voyons comment elle réagira la seule fois que Mosca lui désobéit (286) : « Dans cette soirée décisive, je n'avais pas besoin de son esprit ; il fallait seulement qu'il écrivît sous ma dictée, il n'avait qu'à écrire ce mot, *que j'avais obtenu* par mon caractère : ses habitudes de bas courtisan l'ont emporté. » Et comme de raison, Fabrice la fascine d'autant plus qu'il échappe à son autorité.

[44] Mosca dira (185) : « je ne crois pas que mes plus grands ennemis puissent m'accuser d'avoir jamais désobéi à ses commandements », et (304) « Mon cher ange (...) je ne puis te montrer mon amour qu'en obéissant aveuglément à tes ordres. »
Ferrante Palla est « un corps de fer et une âme qui ne craint au monde que de vous déplaire » (368).

[45] 119. Huizinga (*op. cit.*, p. 110-113) a remarqué à quel point l'amour aristocratique du jeu relève de la possibilité d'y faire étalage de la gloire personnelle en gagnant.

[46] Voir H. W. Wardman, *art. cit.*, p. 454.

jamais d'en reconnaître l'importance [47], et se nourrit indubitablement de l'effet qu'elle se voit produire sur ceux qui l'entourent. On n'a qu'à la comparer avec Fabrice, si vite revenu de telles considérations [48].

Au terme de cette revue initiale des traits fondamentaux de la duchesse, on comprend suffisamment l'enthousiasme qu'elle a suscité chez les lecteurs. Sa vitalité chaleureuse commande l'admiration d'autant mieux qu'elle accepte sans regimber les conséquences de ses actions, et que chez elle l'adversité n'engendre jamais la misanthropie [49]. Or, des traits que nous avons fait valoir, trois surtout doivent nous retenir. Car ce sont avant tout ceux-ci qui favorisent les vertus comme les défauts de son caractère, les vertus de sa jeunesse laissant toujours plus clairement voir leurs inconvénients à mesure qu'elle vieillit et qu'elle s'engage plus avant dans un réseau serré de rapports humains. Ces traits sont son inconscience, son besoin impérieux des autres, et sa tendance à violer toute règle et tout ordre dans l'exercice de ses forces bouillonnantes. Et de ces trois traits, on ne peut exagérer l'importance de sa disposition à la transgression fougueuse. En un sens, son inconscience est la condition indispensable à la réalisation de cette impulsion, et d'ailleurs l'inconscience viole elle-même l'obligation humaine de réfléchir, à laquelle nul ne saurait échapper. Ce sera ainsi dans ses transgressions que nous lirons le mieux les conséquences et la signification profonde du jaillissement primitif de ses forces, dans tout ce qu'il a de libérateur et d'abusif. Stendhal lui-même s'est du reste plus ou moins rendu compte des rapports profonds entre Gina et la transgression, puisqu'il a tenu — malgré la part évidente d'exagération que cela comportait — à placer sa vie sous la tentation de l'inceste, transgression des plus radicales. Et quoi que Gina dise à Fabrice sur la nécessité d'observer les règles [50], Stendhal la montre sans cesse les violant, qu'il s'agisse des règles de l'astrologie [51], des règles de l'enseignement scolaire [52], ou des règles du jeu courtisa-

[47] Elle se montre parfaitement consciente des effets désagréables que peuvent produire, même pour elle, la haine et l'envie (120) ; à Parme elle travaillera toujours à les diminuer (131) : « son système était de chercher à diminuer toutes les haines dont le comte était l'objet ».

[48] Cf. *infra* p. 178.

[49] 29 : « personne dans la prospérité ne la surpassa par la gaieté et l'esprit aimable, comme personne ne la surpassa par le courage et la sérénité d'âme dans la fortune contraire. »

[50] 137 : « Figure-toi qu'on t'enseigne les règles du jeu de whist ; est-ce que tu ferais des objections aux règles du whist ? »

[51] 172 : « Elle me demanda une prédiction sur ton compte, que je me gardai bien de lui envoyer, (...). Toute annonce de l'avenir est une infraction à la règle, et a ce danger qu'elle peut changer l'événement, auquel cas toute la science tombe par terre comme un véritable jeu d'enfants, (...) ».

[52] 35 : « La comtesse, qui portait en toutes choses son caractère enthousiaste, promit sa protection au chef de l'établissement, si son neveu Fabrice faisait des progrès étonnants, et à la fin de l'année avait beaucoup de prix. Pour lui donner les moyens de les mériter, elle l'envoyait chercher tous les samedis soir, et souvent ne le rendait à ses maîtres que le mercredi ou le jeudi. »

nesque [53]. Quoi d'étonnant alors si c'est elle et non Fabrice ou Mosca, qui finit par perdre son équilibre, et par avoir besoin de l'ordre que Mosca peut donner à sa vie ? Celui-ci la sauvera des périls que son jeu lui fait courir.

***

Personne dans le roman, si ce n'est Ferrante Palla, ne transgressera donc comme Gina les codes sociaux, tant les plus passagers que les plus primitifs, jusqu'au meurtre même. Soulignons d'ailleurs dès ici que c'est spontanément et sans y réfléchir qu'elle continuera à les transgresser, dans l'exubérance de sa vitalité si proche du vin, du feu et de l'orage. Car le naturel de Gina est heureusement séditieux et anti-répressif, alors que Mosca choisira toujours de refouler et de contrôler. Et les beaux côtés de cette violence faite aux règles sont pour beaucoup dans le charme souverain qu'a exercé Gina sur les lecteurs.

Voyons d'abord les réactions de la duchesse devant la situation des femmes à l'époque. A propos du mariage Gina semble à vrai dire souscrire à des habitudes de subversion très répandues en Italie. Nous avons vu dans le deuxième chapitre comment les triangles heureux et malheureux se multiplient dans ce roman [54]. N'empêche que Stendhal souligne combien la vitalité de Gina s'adapte mal à cette institution despotique et, selon lui, mortelle à l'amour [55] ; elle aussi cherchera dans le *sigisbeismo* une solution au problème éternel. Aussi, bien que Gina épouse deux hommes qu'elle aime en Pietranera et en Mosca, déjà du temps de son premier mariage elle se permet des amants (42-43), et plus tard elle se laissera tenter tant par Fabrice que par Ferrante Palla [56]. Avant de devenir la femme de Mosca, on sait qu'elle contractera un mariage blanc afin de faciliter leurs amours. Or, l'impatience subversive que trahit chez elle cette attitude envers le mariage est encore plus évidente dans son attitude envers les restrictions qu'on mettait alors aux activités de toutes les femmes. Car, par exemple, dans un article récent, M. Longstaffe a pu montrer combien Gina souffre de ne pouvoir se venger ouvertement comme un homme

[53] Stendhal nous en donne un petit exemple lorsque Gina se présente au prince en habit de voyage (248) : « Malgré l'heure indue, elle fit solliciter une audience par le général Fontana, (...) ; elle n'était point en grand habit de cour, ce qui jeta cet aide de camp dans une stupeur profonde. » Il nous en donne un autre, remarquable, lorsque Gina demande au prince, lequel est venu contre toutes les règles à une de ses soirées, de parler à sa femme (139-141).

[54] Cf. *supra* p. 78-9.

[55] Cf. par exemple, *RN*, p. 363 : « L'ennui de la vie matrimoniale fait périr l'amour sûrement, quand l'amour a précédé le mariage. »
LL, p. 996-997 (Lucien) : « Il vaut mieux qu'une femme ennuie son mari faute d'esprit et qu'elle soit fidèle à ses devoirs. Là, comme ailleurs, la religion est le plus ferme appui du pouvoir despotique ».

[56] Ce qui est clair, à l'égard de Ferrante, lorsque Gina se dit de lui en cachant au comte cette amitié (372) : « un homme qui, par la suite, pouvait faire de si étranges choses ! »

en provoquant son ennemi en duel [57]. Et son besoin d'agir ne lui permettra pas de rester dans une cour princière à l'écart de la politique. Ernest V n'ira-t-il pas jusqu'à lui demander de devenir son « premier ministre » (447) ? Bien que Gina refuse cette offre, on sent cependant son impatience devant une situation qui oblige les femmes comme elle et comme son ennemie la marquise Raversi à exercer indirectement leur pouvoir. Et c'est à ce sujet que devient révélateur le rapport dans la genèse du roman, non seulement entre Gina et Barbara Sanseverina, exécutée en 1612 pour conspiration contre un prince de Parme justement [58], mais encore entre Gina et deux héroïnes de la révolution napolitaine de 1799, Eleonora de Fonseca Pimentel et Luisa Sanfelice. Ce rapport, qui n'a pas échappé à L.F. Benedetto [59], et qui resserre en outre les liens entre Gina et Vanina Vanini [60], est trahi dans *La Chartreuse de Parme* par les paroles d'Ernest IV, avec quelque confusion de noms [61]. Or, ce qui a ému Stendhal dans les histoires des deux Napolitaines, c'est essentiellement les conséquences tragiques qu'avait eues pour deux femmes passionnées, âmes sœurs de madame Roland, le fait de s'être trouvées mêlées à, et engagées dans, ce monde de la politique que se réservent les hommes. Certes, l'opinion réfléchie de Stendhal sur cette violation de la suprématie masculine en politique, nous le verrons plus loin, demeure sans aucun doute sceptique, et la destinée ultime de Gina reflètera ce scepticisme [62]. Objectivement, la psychologie de Stendhal ne peut croire à la réussite de cette usurpa-

[57] « Le dilemme de l'honneur féminin dans l'univers masculin du duel : le crime de la duchesse Sanseverina », *Stendhal Club*, n° 76, 15 juillet 1977, p. 305-320.

[58] Cf. L. F. Benedetto, *op. cit.*, p. 437-454.

[59] *Ibid.*, p. 453. Benedetto a en outre montré que les aventures de deux autres napolitaines, les sœurs Sanseverino, ont dû ajouter à ces associations entre Gina et l'histoire napolitaine (*ibid.*, p. 227-229).

[60] Puisque Vanina doit aussi quelque chose à l'histoire de Luisa Sanfelice. Cf. B. Reizov, « Sur les sources de " Vanina Vanini " », *Stendhal Club* n° 43, 15 avril 1969, p. 227-243.

[61] « S'il y avait une révolution chez moi, ce serait elle qui rédigerait le *Moniteur*, comme jadis la San-Felice à Naples » (148). En fait, ce fut Eleonora de Fonseca Pimentel qui rédigea le *Moniteur* avant de périr lors de la chute de la révolution (Voir pour son histoire, B. Croce, *La rivoluzione napoletana del* 1799, in *Scritti di Storia Letteraria e Politica*, Bari, 1912, G. Laterza e figli, t. 2, p. 3-83). La Sanfelice n'était par contre qu'une femme aimable sans engagement politique, mais avec deux amants, l'un républicain, l'autre royaliste. Elle fut exécutée pour avoir trahi au républicain le complot royaliste des Baccher, et devint ainsi, bien malgré elle, une héroïne républicaine (Voir l'étude de B. Croce, « Luisa Sanfelice e la congiura dei Baccher », *ibid.*, p. 113-189).

On peut se demander si l'origine de la confusion de noms chez Stendhal, en dépit des informations excellentes qu'il avait sur la révolution de Naples, ne serait pas le *Fragoletta* de Latouche. Car dans ce roman Latouche a ajouté à son portrait d'Eleonora Pimentalé (*sic*) la fin tragique, par suite de la trahison des Baccher, qui fut en fait celle de Luisa Sanfelice (Société des Médecins Bibliophiles, 1929, p. 59-60, 157).

[62] Cf. Jacques Félix-Faure, *Stendhal lecteur de Madame de Staël*, Collection Stendhalienne, n° 16. Aran, Editions du Grand Chêne, 1974, p. 51, 82.

tion [63], et subjectivement, il ne peut ni ne veut dissocier la femme d'un bonheur qui s'oppose à la politique [64]. Cependant, dans la mesure où il s'agit là de restrictions sociales imposées universellement aux femmes, Stendhal sympathise ouvertement avec les âmes dont les passions violentes les poussent à enfreindre toutes ces contraintes, comme Gina et Eleonora Pimentel. Ce mouvement de révolte est pour lui admirable même si à la longue il le croit sans avenir.

Mais les transgressions qu'engendre spontanément l'énergie de Gina dépassent les questions de la condition féminine. Nous la voyons enfreindre à coups répétés tout l'ordre établi des choses à Parme, de l'étiquette de la cour jusqu'à la sécurité du prince. Or, puisque cet esprit de sédition produit à l'occasion des actions qui prennent une tournure de politique classique, il importe de comprendre le rapport entre cette sédition et la politique conventionnelle, à laquelle elle ne peut au fond être assimilée. Il importe, d'autant plus que Gina semble mener une politique contradictoire, dans la mesure où elle collabore avec un régime réactionnaire et garde ses préjugés d'aristocrate, tout en ordonnant l'assassinat du prince et en devenant la complice d'un vrai révolutionnaire. En fait nous verrons que tout cela s'explique, si l'on comprend le caractère tout spécial de la sédition sans système qu'engendre la duchesse, sans précisément le vouloir. Et nous verrons aussi que dans ses tendances profondes, sinon dans ses effets durables, la subversion que produit Gina est à certains égards beaucoup plus fondamentale que les options radicales traditionnelles. C'est pourquoi les actions de Gina mettent en question les préjugés de la gauche presque autant que ceux de la droite.

Tout cela appelle certes une analyse serrée. Soulignons donc d'abord que dans ses attitudes politiques déclarées, au sens où on l'entend couramment, Gina fait preuve d'idées généreuses, mais ne se montre aucunement révolutionnaire. Dans l'éventail politique du temps, nous pouvons l'identifier avant tout avec le libéralisme modéré et nationaliste des jeunes nobles milanais comme son premier mari [65], et cela d'autant mieux qu'à l'époque cette politique s'accordait bien avec une sympathie généreuse envers les aspirations réelles du peuple [66]. Ce qui produit ce choix chez elle, et c'est là un sentiment qui vient du plus profond de son être, c'est son hostilité à tout abus d'autorité, qu'il vienne de l'intérieur du pays, ou d'une nation étrangère. Avec toute la

---

[63] Leurs passions l'excluent dans l'état actuel de la civilisation ; les madame Roland sont exceptionnelles (*C*, t. 2, p. 281). L'intérêt des femmes est surtout d'assurer l'empire de leur amour, comme on le voit chez Vanina Vanini : « Vanina crut voir que l'amour de la patrie ferait oublier à son amant tout autre amour. La fierté de la jeune Romaine s'irrita » (*Vanina Vanini*, p. 759).

[64] Et c'est pourquoi, dans ses romans, les vrais amoureux savent toujours sacrifier leurs opinions politiques ; ainsi Lucien et Bathilde, Clélia et Fabrice.

[65] 42 : « (...) le comte Pietranera (...) avait l'insolence de prôner cet esprit de justice sans acception de personnes, que le marquis appelait un jacobinisme infâme ». Notons que ce libéralisme vise la justice plus que l'égalité. Voir à ce propos la politique de Mosca, *infra* p. 157-160.

[66] A Grianta, tous les cochers et les hommes d'écurie « étaient partisans fous des Français » (37). Sur l'accord entre le peuple et les nobles italiens à l'égard de cette cause, voir les *Mémoires sur Napoléon*, p. 147.

jeunesse milanaise, elle se rallie donc à Bonaparte contre les occupants autrichiens [67]. Et venue à Parme, elle finira par se révolter contre le despotisme d'Ernest IV (282) : « Quelle funeste étourderie ! venir habiter la cour d'un prince absolu ! un tyran qui connaît toutes ses victimes ! chacun de leurs regards lui semble une bravade pour son pouvoir ». N'empêche que ce libéralisme ne dépasse pas dans ses ambitions ce qu'un aristocrate généreux peut se permettre sans sacrifier sa position et ses avantages, et Gina rejettera fermement la république [68]. Tuer le prince n'est donc pas pour elle, comme il l'est pour Ferrante Palla, vouloir amorcer une vraie révolution tant légale qu'économique ; c'est plutôt se venger personnellement, et tout au plus effectuer du même coup une rectification salutaire à l'intérieur d'un système donné [69].

Si ce libéralisme ne trouble alors jamais ses préjugés profonds d'aristocrate [70], il est cependant clair qu'en faisant assassiner le prince, Gina commet une action dont la signification politique, au sens le plus conventionnel du terme, dépasse largement ses intentions délibérées. Ferrante Palla le sait bien, qui ne laisse passer l'occasion d'essayer de déclencher une révolte. Et l'intervention de Gina dans les affaires du monde prend sans cesse la forme de transgressions personnelles qui, sans qu'elle le veuille précisément, acquièrent nonobstant d'autres significations dans le monde de la politique courante. Ainsi Gina ne veut pas renoncer à la noblesse et ne souhaite nullement une révolte républicaine, mais c'est elle qui, en se liant avec le révolutionnaire Ferrante et en voulant soulager sa gêne matérielle, fournira involontairement les fonds qui rendront cette révolte possible. Le geste symbolique de lâcher un déluge contre Parme, par lequel elle entend célébrer sa revanche contre Ranuce-Ernest, acquiert de même, sans qu'elle le veuille, une valeur politique plus générale. Valeur que Stendhal laisse transparaître par l'analogie qui est implicite entre ce déluge et le déluge de blé que, dans la caricature de Gros, un révolutionnaire lâchera en crevant le ventre bedonnant de l'archiduc [71]. N'était la police de Mosca, même la libération de Fabrice aurait pu donner une forte secousse à l'autorité d'Ernest V, établie sur la peur qu'inspire la citadelle [72]. Tout se passe donc comme si, en dépit de ses opinions

---

67 On voit à quel point Gina identifie son libéralisme avec la cause de Bonaparte lorsqu'elle dit à Mosca : « un homme comme vous, (...) et qui a fait la guerre en Espagne avec nous ! » (111).

68 Ferrante constatera qu'elle « n'aime pas la république » (419).

69 On sait que Stendhal était enclin à sympathiser avec tout régicide, quels qu'en fussent les mobiles, comme donnant toujours aux autres rois un avertissement utile. Cf. *VHB*, p. 93-95, SE, p. 1398.

70 Voir le peu de conséquence qu'elle attribue au meurtre de Giletti par un aristocrate comme Fabrice. C'est aussi sans difficulté qu'il lui arrive de rêver de Mosca à la tête d'une insurrection de la droite (1404 ad. de l'ex. Chaper).

71 26. Caricature qui rappelle en outre la fameuse caricature de Daumier, *Gargantua* (1831). Quoique celle-ci fût censurée, quelques exemplaires circulaient sous main, et Stendhal a dû au moins en entendre parler.

72 Voir le travail fait par Mosca et la police sur l'opinion publique après l'évasion (396). Par la suite, la fête séditieuse de Sacca est une provocation supplémentaire qui ne fera qu'éloigner toujours plus de Gina l'opinion des classes aisées, lesquelles craignent la révolution autant qu'elles craignent le prince (397).

modérées, Gina ne pouvait pas s'empêcher de provoquer la sédition. Annonçant à ses gens son intention de quitter une cour où l'on condamne Fabrice abusivement, elle produit chez eux une émotion et des larmes qui « peu à peu se changèrent en cris à peu près séditieux » (248). Un autre exemple un peu plus subtil des conséquences et des significations imprévues qu'en de certaines circonstances peut produire rien que l'exercice spontané de son énergie et de sa sociabilité, se trouve dans les rapports de Gina avec les autres classes. Sans cesse ses activités mettent implicitement en question les obstacles que la société dresse entre elles. D'une part, elle sait se rapprocher du petit peuple italien dont elle partage les passions primitives [73], car, sans avoir des illusions à l'égard de la pauvreté, elle ne s'exagère pas l'importance de l'argent [74]. D'autre part, Stendhal souligne que Gina ne s'oppose pas en vain à l'embourgeoisement moral qui pointera avec la succession d'Ernest V au trône [75]. C'est elle, au contraire, qui l'encourage, pour des raisons purement personnelles, en introduisant les familles bourgeoises à la cour [76]. D'un point de vue politique conventionnel, Gina se montre ainsi autrement subversive que ne le laisseraient entendre ses opinions plus raisonnées. Mais en fait c'est spontanément, primitivement et assez au hasard qu'elle commet ses transgressions, et certainement sans visées idéologiques précises. On peut en conclure que si Gina est rebelle, ce n'est pas par ses idées, mais par tout son être, qui est involontairement séditieux. D'où l'ambiguïté de sa position entre Mosca et Ferrante Palla.

D'où naît alors chez elle cette sédition involontaire ? Et s'agit-il là d'ailleurs d'un véritable esprit de sédition, bien qu'il ne s'accorde qu'à l'occasion avec les normes politiques de la gauche ou de la droite, et n'aboutisse qu'exceptionnellement à des actions politiques de conséquence ? Prenons d'abord la deuxième question. Une réponse initiale se trouve dans le fait que le prince lui-même le voit bien ainsi : « s'il y avait une révolution chez moi, c'est elle qui rédigerait *le Moniteur*, comme jadis la San-Felice à Naples » [77]. Une deuxième se lit dans la considération et dans l'affection que lui accordent les éléments les plus rebelles parmi le peuple. Non moins que Ferrante Palla, les villageois de Sacca l'aiment, qui tous « ne se mouchent pas du coude » et sont « contrebandiers finis » (388). En fait, le comportement politique de Gina, spontané et sans système, se rapproche bien plus de la

[73] *RNF*, p. 576-577 : « Ici la musique et l'amour font la conversation d'une duchesse comme de la femme de son coiffeur ; et, quand celle-ci a de l'esprit, la différence n'est pas fort grande : c'est qu'il y a des *fortunes différentes*, mais il n'y a pas de *mœurs différentes.* »

[74] Gina ne méprise pas l'argent, car il permet de s'assurer une certaine liberté d'action (217-218), mais elle n'a jamais eu honte ni perdu sa gaieté quand elle se trouvait gênée (120).

[75] C'est pour indiquer cet embourgeoisement que Stendhal insiste sur l'avarice relative d'Ernest V, avarice qui correspond à l'importance accrue de la reconnaissance financière sous son règne (415, 427).

[76] Voir le commentaire qu'en fait à Clélia le marquis Crescenzi : « on vous prendra pour une de ces bourgeoises tout étonnées de se trouver ici, et que tout le monde est étonné d'y voir. Cette folle de grande maîtresse n'en fait jamais d'autres ! et l'on parle de retarder le progrès du jacobinisme ! » (462-463).

[77] Voir *supra* la note (61).

politique de ce peuple que de celle de ses amis milanais. Dans les *Promenades dans Rome,* Stendhal n'a-t-il pas expliqué que chez le peuple italien il s'agit toujours d'une politique toute personnelle et passionnée de vengeance et de représailles, non d'aspirations idéologiques [78] ? N'est-ce pas exactement le cas de Gina ? L'assassinat du prince relève surtout chez elle d'une affirmation de sa force de caractère qui est on ne peut plus primitive [79]. Et cela, le peuple le comprend facilement.

Reste à savoir alors d'où lui vient cet esprit authentique de sédition, et à comprendre le sens essentiel de cet ensemble de transgressions désordonnées. Déjà, il nous semble évident que c'est bien plus vers une subversion psychique que vers une subversion légale ou économique que s'oriente son goût d'enfreindre les conventions. Gina est anti-répressive au nom de la vie émotionnelle encore plus qu'elle n'est anti-autoritaire au nom de la liberté physique et matérielle. Voilà pourquoi elle sait établir d'excellents rapports personnels au-delà de son milieu et en particulier avec des révoltés en herbe dont elle ne partage pas les vues politiques. Voilà pourquoi ses transgressions ne se limitent pas à celles qui sont envisagées systématiquement par la gauche, tout en les recouvrant parfois. Voilà pourquoi ses idées politiques pourront rester modérées et avantager la position sociale qu'elle entend se réserver, tandis que de tout son être, et sans le vouloir précisément, elle ne peut s'empêcher d'engendrer des significations plus radicales. Car, dans la mesure où pour mieux suivre la pensée de Stendhal on peut appeler une « politique » cette sédition aléatoire, il s'agit d'une politique qui est au fond *autre,* qui voit l'essentiel dans l'épanouissement passionnel du moi, dans la liberté du plaisir personnel, et non dans l'existence légale ou matérielle ; une politique qui rejette donc toute contrainte et tout système au nom de la suprématie de la vie individuelle, une politique qui répond aux exigences d'Eros et de l'Art, plutôt qu'à aucune théorie classique de gouvernement, qu'elle soit de la gauche ou de la droite. Gina ne rejette-t-elle pas elle-même la république précisément au nom de l'élégance, de la musique et de l'amour (135) ? Un des grands thèmes du livre n'est-il pas justement que le despotisme tend malheureusement à séduire pour un temps les êtres qui ont la sensibilité de Gina parce qu'il est favorable à de tels intérêts ? Stendhal a parfaitement reconnu cette politique alternative, dans toutes les dimensions primitives, érotiques et esthétiques qu'elle comporte — et il n'a pas eu tort de la rapprocher, à propos de Gina, de violences passionnelles tel que l'inceste. Deux fois au moins il a défini cette « théorie de la vie » dans un contexte politique, et chaque fois en établissant un contraste entre la passion italienne et le calcul prudent des Anglais. Il l'a vue d'abord et peut-être surtout dans l'Italie du quinzième siècle [80].

---

[78] Cf. *PDR,* p. 661-663.

[79] Voir ce que Stendhal a noté sur un Montesquieu (*JL,* t. 2, p. 262) : « Moins l'homme est avancé dans la civilisation, plus la vengeance est indispensable pour lui. (...). C'est montrer son pouvoir aux autres, c'est vouloir les empêcher de nous nuire. » Certes, au sujet de cet assassinat, Stendhal prend aussi d'autres facteurs en considération, comme nous le verrons.

[80] *HPI,* t. 1, p. 15.

De l'esprit, de la superstition, de l'athéisme, des mascarades, des poisons, des assassinats, quelques grands hommes, un nombre infini de scélérats habiles et cependant malheureux, partout des passions ardentes dans toute leur sauvage fierté : voilà le quinzième siècle.

(...)

Des hauteurs de l'histoire veut-on descendre aux détails de la vie privée ? Supprimez tout d'abord toutes ces idées raisonnables et froides sur l'intérêt des sociétés qui font la conversation d'un Anglais pendant les trois-quarts de sa journée. La vanité ne s'amusait pas aux nuances ; chacun voulait jouir. La théorie de la vie n'était pas avancée ; (...).

Mais, avec tendresse et ironie, il a cru en voir encore un pâle reflet chez les Italiens de la Scala, cette Scala d'où sort justement la duchesse [81] :

On y parle de politique (dans les loges de la Scala), mais c'est une politique héroïque, toute de guerre, d'exécution... et pas de chiffres, d'impôts, comme en Angleterre, donc une politique qui s'accorde avec la musique et l'amour.

Cette politique qu'engendre involontairement l'être de Gina dans le débordement de sa vitalité devient donc par à-coups inévitablement séditieuse, dès qu'elle rencontre un obstacle à ses désirs, et cette conduite est tout d'une pièce avec sa résistance au mariage. Mieux qu'aucun autre de ses personnages, elle illustre la théorie de Stendhal, selon laquelle la passion non moins que l'intelligence a tendance à se retrouver dans l'opposition [82]. Et ce refus de toute contrainte ne se fera pas au nom de quelque ordre nouveau que la vie passionnelle voudrait substituer à l'ancien ; il se fera plutôt au nom d'un renouvellement continu d'un désordre qui est favorable à la passion. La passion n'attend pas le bonheur de quelque société que ce soit, mais seulement des individus [83]. La vie de Gina provoque donc continuellement le désordre dans le cours ordinaire des choses à Parme, jusqu'à l'insurrection commandée par Ferrante Palla [84]. Et cette hostilité à toute contrainte de la passion dévorante et gratuite renforce ce penchant à favoriser le désordre que nous avons par ailleurs reconnu dans le goût de Gina pour un jeu dramatique qui finit par confondre le réel et le théâtre [85]. Il n'est pas étonnant que de temps à autre cette politique inconsciente de la passion rejette violemment la dissymétrie morale entre la vie publique et la vie privée sur laquelle s'établissent la plupart des sociétés, et que Gina soit incapable de supporter longtemps de mener une vie prudemment dédoublée comme le sait faire si bien

[81] *Journal,* Cercle du Bibliophile, t. 4, p. 203.

[82] *PDR,* p. 679 n : « Dès que la religion des martyrs a été la plus forte, elle a eu ses autodafés, et plusieurs rois d'Espagne en ont joui comme Néron. Les pauvres brûlés sont toujours les mêmes, les âmes passionnées et poétiques. »

[83] *DA,* t. 1, p. 235.

[84] Désordre qui, même avant la révolte, provoque un effarement comique chez les courtisans (248-249, 255, 439-441).

[85] Cf. *supra* p. 110-112.

Mosca[86]. Sur tous les plans, les efforts qu'elle fait instinctivement pour instaurer et préserver la liberté passionnelle, favorisent inévitablement un désordre séditieux, et c'est ainsi que la politique de la passion finit par ébranler jusqu'à l'ordre du despotisme, bien que celui-ci soit souvent plus favorable à ses intérêts que l'ordre bourgeois des républiques.

Stendhal reconnaît alors la qualité foncièrement subversive de cette politique de la passion, sans croire à ses possibilités de succès réel en dehors de moments exceptionnels de l'histoire. Et il n'aurait pu choisir de meilleurs symboles que les fêtes sur lesquelles règne la duchesse pour la beauté et la fragilité d'une telle sédition essentiellement psychique, imprévisible et spontanée. Bien sûr, à première vue ces fêtes n'ont rien de ces intermèdes violents et magiques où, selon les analyses classiques, s'abolissent pour un temps les normes et les contraintes de la société[87]. Il s'agit après tout, soit de fêtes purement mondaines à Milan et à Parme, soit d'une seule fête de paysans à Sacca où le prince est bravé et ses gendarmes sont malmenés. Plutôt que des explosions primitives d'anarchie, les fêtes de Gina semblent relever des rêveries idéalistes propres au dix-huitième siècle. Cependant, le côté subversif qu'impliquent quand même toutes ces fêtes de Gina, est néanmoins indiqué par le fait que la série s'ouvre avec celles qui célèbrent la libération de Milan par des envahisseurs révolutionnaires, et trouve son point culminant avec la fête séditieuse organisée au village de Sacca. N'est-ce pas ce que Stendhal a voulu souligner en insistant sur les *quatre-vingt-neuf* tonneaux que Gina voudrait voir alimenter dans son parc les *quatre-vingt-neuf* fontaines de vin (388) ? Et nous avons déjà remarqué que mêmes mondaines, la magnificence et la gaieté gratuites de ces fêtes comportent implicitement toute une critique de la prudence si ennuyeuse propre au dix-neuvième siècle[88]. Ces fêtes expriment ainsi bien la promesse d'une authentique sédition psychique au nom de la passion et de la beauté que la vitalité de Gina implique toujours. Sédition hasardeuse et don-quichottesque qui dans cette forme ne peut qu'à des moments exceptionnels inscrire sa signification subversive dans l'histoire officielle des nations. Ainsi à Parme lors de la libération de Fabrice, ou à Milan lorsque Bonaparte y entre.

Il y a donc un abîme entre une politique révolutionnaire telle que la poursuit un Ferrante Palla, et les transgressions qu'engendre spontanément tout l'être passionné de la duchesse. Et on comprend que Gina puisse être en même temps l'ennemie de toute république et la sœur spirituelle d'Eleonora Pimentel, la révolutionnaire napolitaine.

---

[86] Bien qu'elle ne le fasse que dans ses intérêts personnels, on voit bien Gina rejeter cette dissymétrie lorsque, par exemple, elle entreprend de jouer « le jeu de la vérité » avec la princesse Clara-Paolina (414-415), et lorsqu'elle apprend à Ernest V la vérité sur ses juges (447-448). Ce que ne font jamais ni Mosca ni Fabrice. On sait que le consentement à cette dissymétrie est essentiel à l'analyse politique de Stendhal (*HPI*, t. 1, p. 13-15), et nous aurons à y revenir à propos de Mosca. Cf. *infra* p. 145-6.

[87] Roger Caillois, *L'Homme et le Sacré*, p. 121-162 ; Marcel Mauss, « Esquisse d'une théorie générale de la magie » et « Essai sur le don », in *Sociologie et Anthropologie*, PUF, 1968, p. 1-279.

[88] Cf. *supra* p. 107.

Rares sont les occasions où un tel caractère peut montrer tout ce dont il est capable. Et même alors, la passion séditieuse déguisée en politique conventionnelle sera le plus souvent frustrée par la réalité, ainsi que l'a finalement appris à Naples Eleonora Pimentel. Stendhal le sait, et la fin de Gina en est la preuve, mais il honore un mirage si beau. Gina est faite pour être l'âme d'une de ces révolutions divines que produit de temps en temps l'histoire comme, jeune encore, elle a prêté son âme au bonheur de Milan sous les Français.

Ce moment de bonheur rare est cependant passé lorsque le vrai roman de Gina commence, et dans les grisailles de l'histoire ordinaire, elle saura à peine gêner l'ordre régnant, remportant tout au plus des victoires à court terme lors des crises exceptionnelles. Mais ces victoires brèves qui jalonnent la *Chartreuse* résument bien certains avantages que possède quand même cet esprit de transgression, surtout comme Gina les remporte là où un grand homme politique échoue. On sait que Stendhal a en effet tenu à ce que le jeu passionné de Gina doive à chaque grande crise à Parme le disputer au jeu de Mosca, et à ce qu'elle ait alors pleinement conscience de contester la suprématie politique de son amant [89]. Prenons un exemple entre cinq ou six. Lorsque Fabrice est arrêté, Gina agit avec décision, sans désirs contradictoires, jusqu'à sacrifier pour un temps sa liaison avec Mosca. Avant de rencontrer Ferrante, elle commettra sans cesse des erreurs [90], mais elle sait vouloir, ainsi que l'indique sa manière de nommer les crimes dont ses hommes de confiance se sont montrés capables pour les désigner secrètement à Fabrice [91]. Par contre, Mosca, lui, est rendu hésitant par son désir de réconcilier son dévouement pour Gina et sa répugnance à quitter le pouvoir [92]. Il échouera par conséquent à maîtriser la situation à la cour, et finira par s'abandonner quelque peu au cours des événements [93]. D'autre part, Gina ne respecte guère les règles du jeu politique à Parme, et y devient un facteur incalculable, avec des avantages certains, tandis que Mosca respecte comme toujours ces règles établies, et calcule ses coups en conséquence. C'est ainsi qu'il misera essentiellement sur le besoin de lui qu'auront finalement et Rassi et le prince (293, 336-337), mais ce faisant, il se fie trop à son intelligence, oubliant que tous ne savent pas jouer le jeu avec

89 286 et 299 : « Sans doute en qualité d'ami la première place dans mon cœur vous sera toujours réservée ; mais je ne veux plus que l'on dise que mes démarches ont été dictées par votre sagesse ; (...) ».

90 « Nous ne raconterons point au lecteur toutes les tentatives de corruption essayées par cette femme malheureuse : elle était au désespoir, et des agents de toutes sortes et parfaitement dévoués la secondaient. (...). L'or de la duchesse ne produisit d'autre effet que de faire renvoyer de la citadelle huit ou dix hommes de tout grade » (307).

91 « On peut s'attendre à ce qu'il y a de pis ; c'est ce que m'ont déclaré les trois hommes dans lesquels j'ai le plus de confiance, (...). Le premier de ces hommes menaça le chirurgien dénonciateur à Ferrare de tomber sur lui avec un couteau ouvert à la main ; le second te dit à ton retour de Belgirate, qu'il aurait été plus strictement prudent de donner un coup de pistolet au valet de chambre qui arrivait en chantant dans le bois (...) ; tu ne connais pas le troisième, c'est un voleur de grand chemin de mes amis, homme d'exécution s'il en fût, et qui a autant de courage que toi » (352).

92 Voir là-dessus, *infra* p. 148-9.

93 Cf. *infra* p. 163.

le même sang-froid que lui, et que leurs passions peuvent déjouer même les calculs les plus habiles de leurs véritables intérêts. Dans cette crise comme dans d'autres, Mosca est alors réduit à ménager quelques avantages pour les siens, et à minimiser, après coup, les dégâts qu'occasionnent parfois les méthodes impérieuses que Gina emploie. Dans l'entretemps, elle réussira par contre souvent l'essentiel en provoquant imprudemment le hasard [94].

***

Jusqu'ici, nous ne nous sommes pas trop éloignés des interprétations admises de Gina, tout en essayant de présenter son caractère de manière à faire pressentir le rapport nécessaire entre tout ce que Stendhal admire chez elle et tout ce qu'il ne peut que regretter. Car nous persistons à croire que ce qui caractérise tout l'effort de Stendhal dans ce roman, ce n'est pas tant une partialité sentimentale pour les protagonistes, mais l'objectivité désintéressée qu'il voudrait mettre à les juger. C'est pourquoi il n'a pas manqué de souligner, dans l'image clef où Gina veut prendre une pose dramatique au milieu de l'orage sur le lac, qu'elle finit par tomber dans l'eau (47). Et c'est encore pourquoi le déluge qu'elle voudrait déclencher contre Parme ne sera en fin de compte qu'un coup manqué : « le seul comte Mosca reconnut le génie de son amie » (398). De même il échoira de nouveau au comte de supprimer, à la grande admiration de Gina, l'insurrection populaire dont elle est malgré elle responsable. Même l'assassinat du prince ne lui donnera aucune vraie satisfaction. Si l'on ajoute que Fabrice lui échappera comme amant, qu'elle ne trouvera pas comme lui une vraie liberté intérieure, et qu'elle finira sa carrière à Parme par une soumission humiliante à la promesse extorquée par Ernest V, il est clair que Stendhal ne veut pas que nous fermions l'œil sur les inconvénients de son génie. La vie est autrement tragique que ne le voudrait Gina dans son énergie si généreuse.

D'habitude, nous oublions en effet à quel point Gina est responsable tant de ses propres malheurs que des malheurs de Fabrice. Car dans le vertige que lui donnent les rôles qu'elle a choisis sur le coup de jouer, Gina fait souvent plus qu'il ne le faut pour réussir et péchera par excès de zèle. On le voit lorsqu'elle fait administrer un narcotique trop puissant à Fabio Conti : « Par excès de précautions, elle faillit faire manquer cette fuite » (374). Mosca ne s'y trompera pas d'ailleurs, même si c'est d'abord dans un moment de jalousie qu'il le souligne (153-154) :

> toujours, au moment de l'action, il lui vient une nouvelle idée qu'elle suit avec transport comme étant ce qu'il y a de mieux au monde, et qui gâte tout.

Mais l'exemple le plus sérieux de la part de Gina dans ses malheurs, exemple le plus souvent mal compris, c'est sa contribution involon-

---

[94] Dans une autre crise, lors de la ré-arrestation de Fabrice, Stendhal précise que c'est effectivement encore par hasard que Gina réussit à faire agir Ernest V : « C'était la duchesse qui, après plusieurs démarches folles, était parvenue à faire envoyer le général Fontana à la citadelle ; elle y réussit par hasard » (439).

taire à l'arrestation de Fabrice lui-même. Lors de la délivrance du jugement, on sait que Mosca paraît gâter l'intervention réussie de la duchesse en omettant du billet qu'elle a obtenu la phrase, « cette procédure injuste n'aura aucune suite à l'avenir » (255). Gina le voit ainsi (281, 286, 292), et puisque Mosca, brouillé avec elle, se sent coupable, il sera prêt à en convenir (293) : « C'est là sans doute la plus grande faute de ma vie ». Une relecture devrait pourtant suffire pour nous persuader que c'est un moment avant que Mosca voit en fait plus clair, quand il affirme que Fabrice a été arrêté, non parce que l'omission de la phrase en question a donné les mains libres au prince, mais parce que la manière dont Gina a obtenu le billet a trop humilié le souverain (292-293) :

> Mais ce n'est pas tout, se dit le malheureux comte, le prince peut avoir la fantaisie de faire exécuter ce malheureux enfant, et cela pour se venger du ton que la duchesse prit avec lui le jour de ce fatal billet. Je sentais que la duchesse passait une limite que l'on ne doit jamais franchir, et c'est pour raccommoder les choses que j'ai eu la sottise incroyable de supprimer le mot *procédure injuste,* le seul qui liât le souverain... Mais bah ! ces gens-là sont-ils liés par quelque chose ?

En effet, le sont-ils ? Rassi ne doute pas que la fureur du prince contre Gina ne soit le mobile essentiel dans l'arrestation de son neveu (304). Elle sera un moment elle-même près de s'en rendre plus nettement compte (280) : « *Fabrice,* s'écria-t-elle à haute voix, *est au pouvoir de ses ennemis, et peut-être à cause de moi ils lui donneront du poison.* » Plus tard, dans une nouvelle situation également grave, Gina aura encore à reconnaître les dangers que son habitude de brûler ainsi les étapes fait constamment encourir à Fabrice [95] : « Si je n'eusse pas parlé de poison, se dit-elle, il m'accordait la liberté de Fabrice. O cher Fabrice ! ajouta-t-elle, il est donc écrit que c'est moi qui doit te percer le cœur par mes sottises ! »

De tels moments de lucidité sont pourtant fugitifs dans la vie de Gina, surtout à l'occasion des crises. Nous avons vu que l'inconscience fait partie intégrante de sa dramatisation de soi, et qu'elle est la condition *sine qua non* de son aptitude à la transgression. Non que son aveuglement ne soit ni volontaire, ni absolu — d'où la tristesse de ses dernières années [96]. Mais dans la passion et dans l'action il persiste suffisamment pour qu'elle ne se rende compte qu'après coup — et encore — des conséquences possibles de certaines transgressions. Ne vivant que pour le présent, elle trouverait presque inconvenant de prendre le recul qui serait nécessaire pour bien juger l'ensemble de sa vie, ce qui fait certes aux yeux de Stendhal sa force, mais assurément aussi sa faiblesse. Ainsi, comme elle n'acceptera jamais vraiment

---

95 442. Ailleurs, Mosca ajoutera cette autre explication des périls de sa tactique violente (429) : « Vous demandiez à la princesse de prendre une décision, ce qui donne toujours de l'humeur aux princes et même aux premiers ministres ; (...) ».

96 « Quelques fois son imagination ardente lui cachait les choses, mais jamais avec elle il n'y avait de ces illusions volontaires que donne la lâcheté. C'était surtout une femme de bonne foi avec elle-même » (119-120).

sa part de responsabilité dans l'arrestation de Fabrice, il lui faudra longtemps et un coup de hasard pour reconnaître ses vrais sentiments à son égard (163). Et comme elle s'aveugle sur le vrai caractère d'un prisonnier qu'à Parme elle fait mettre en liberté (132), elle se trompera plus gravement, et pour toujours, sur le compte de Fabrice qu'elle persiste à voir uniquement en héros, et dont elle méconnaît le côté contemplatif [97]. Surtout, forte de son énergie et de sa puissance diluvienne, elle ne voit pas toute l'ambiguïté que recèle son goût persistant de régner sur les autres et de leur faire reconnaître son empire.

En effet, par un paradoxe qui est inéluctable, la passion et l'énergie qui rendent Gina si admirablement anti-répressive face aux contraintes et à la tyrannie de Parme, finissent par créer leur propre empire chez elle et par dominer toutes ses actions, même au prix de quelque aveuglement. Ainsi, sans que la générosité de Gina et même celle de ses serviteurs s'en aperçoivent le moins du monde, il entre sans aucun doute un élément de manipulation abusive dans la manière dont Gina accorde à Ludovic et à Ferrante des récompenses vraiment magnifiques au moment de leur demander des services importants [98]. Cette même ambiguïté dans son goût de régner est surtout évidente dans ses relations avec Fabrice. Après avoir montré dans *Le Rouge et le Noir* un fils aux prises avec un père haïssable, Stendhal avait exploré dans *Lucien Leuwen* le contraire de cette situation, et il en avait conclu que même accommodé du père le plus aimable, tout fils finirait par vouloir s'en libérer [99]. Et cette constatation semble avoir rendu possible un règlement de compte plus objectif avec son propre père dans la *Vie de Henry Brulard.* Or, la *Chartreuse* déplace par la suite l'analyse vers les équivoques de la figure maternelle, avec son autorité toute sentimentale, et cela dans une situation où la « mère » est suppléante et donc libre d'aimer charnellement son fils. Au fond, c'était peut-être là le sujet le plus difficile pour Stendhal, sujet auquel il avait fallu tout son œuvre antérieur pour qu'il puisse l'aborder avec lucidité. Sans doute, la bonne volonté que Fabrice met toujours à s'adapter à tout, encourage Gina à faire de sa vie son affaire, mais elle ne saura jamais mettre bonne grâce à le voir conquérir son autonomie. Et chez elle, l'amour naturellement abusif d'une mère ne rencontre pas en fait les contraintes imposées par la véritable maternité. Nous la verrons donc plus que de raison dépitée par les liaisons qu'aura Fabrice avec Marietta et avec la Fausta (163, 230). Et de devoir céder son empire sur lui à Clélia Conti, Gina se sentira humiliée au point de ne pouvoir se refuser la tentation de se venger. Nous la verrons ainsi empêcher son mariage et le tourmenter encore à ce propos (404, 457). Certes, on peut choisir de ne voir là que la jalousie souffrante de toute femme un peu fière et passionnée, mais Stendhal prend soin d'établir un contraste entre la hargne que Gina y mettra et la générosité plus

---

[97] Voir, par exemple, quand elle croit que Fabrice eût agi pour elle contre le prince comme Ferrante Palla, ce qui est plus que douteux (371).

[98] Dans d'autres récits, Stendhal n'a pas manqué de signaler ce que peuvent avoir d'inquiétant des récompenses analogues (*Mina de Vanghel,* p. 1171).

[99] LL, p. 1359.

grande dont Mosca, Fabrice et Clélia font preuve dans des situations analogues (157, 454, 334).

Si Gina est exceptionnellement hargneuse dans cette jalousie, il faut donc certainement y reconnaître d'une part la violence d'une femme qui dans l'imagination de Stendhal se trouve dans le rôle de la mère amoureuse de son fils. Mais il faut également reconnaître la force additionnelle donnée à cette violence par l'exigence si dominante chez Gina d'être reconnue en reine. Sa hargne vient aussi de sa vanité, outragée de ne pas voir reconnue par Fabrice la grandeur de ses entreprises, et de savoir que l'évasion même aurait échoué sans Clélia (387). Nous verrons que par rapport au prince aussi, la fierté naturelle de Gina prendra éventuellement les couleurs d'une vanité irrésistible. On peut se demander alors pourquoi Stendhal laisse entrevoir chez elle ce trait, en cette Italie où selon lui les habitants n'ont de la vanité « que par accès » (24). Est-ce simplement parce que dans son univers nul n'échappe à ce mouvement du cœur [100] ? Est-ce parce que dans l'honneur aristocratique et monarchique il y a toujours « un mélange de vanité et de courage » [101] ? Nous croyons plutôt que ce trait ressort de tout le caractère de Gina et des circonstances où elle se trouve. Rappelons que chez la duchesse, l'amour de la nouveauté et la sociabilité l'ont toujours rendue susceptible aux jouissances de la vanité — que ce soit à la cour joyeuse du prince Eugène [102], ou en contemplant les perspectives qu'ouvre une liaison avec Mosca (119) : « De nouveau une loge, des chevaux ! etc., se disait la comtesse ; c'étaient des rêves aimables ». La gloire des siens la flatte toujours [103], et lorsqu'elle se mettra à regretter d'avoir jamais mêlé sa vie aux vanités de la cour de Parme, elle oubliera au fond que c'est aussi sa propre vanité qui l'y a poussée (404) :

> Oui, je ne puis trouver d'occupation pour ce peu de vie qui me reste qu'à Parme ; j'y ferai la grande dame. Quel bonheur si je pouvais être sensible maintenant à toutes ces distinctions qui autrefois faisaient le malheur de la Raversi ! Alors, pour voir mon bonheur, j'avais besoin de regarder dans les yeux de l'envie.

Surtout, nous avons vu que tout son jeu, que sa théâtralisation continuelle de soi implique la volonté d'obtenir la considération du public. Mais d'autre part, l'idée stendhalienne d'une absence totale de vanité en Italie appelle quelques modifications et précisions essentielles. Car si les Italiens n'ont pas « la vanité de tous les moments comme parmi nous en France », ils ont bien parfois par contre, comme la duchesse, «*la vanité* du but général » [104]. Et leur manque de vanité mesquine ne s'explique pas seulement par le fait que leurs passions savent chercher directement leur but ; il s'explique aussi par l'absence

---

[100] G. Blin, *Stendhal et les problèmes de la personnalité*, p. 105-106.

[101] *JL*, t. 3, p. 258.

[102] 35 : « Elle le trouva singulier (...) mais joli garçon, et ne déparant point trop le salon d'une femme à la mode. »

[103] Qu'il s'agisse du pouvoir de Mosca (118), ou de Fabrice faisant le whist du prince (459).

[104] *Journal*, Cercle du Bibliophile, t. 5, p. 186.

pour la plupart d'une grande cour royale à la française [105]. Or Gina se trouve à Parme non seulement à une cour, mais à une cour qui sous Ernest IV se modèle délibérément sur Versailles (125-127), cour qui engendre par conséquent tous ces complexes d'infériorité qui font naître les mouvements de vanité [106].

A tout prendre, nous ne pouvons pas alors nous étonner qu'avec son caractère impérieux, Gina se laisse aller à quelques mouvements violents de vanité à mesure que l'âge avance et que les passions diminuent : « Ses traits s'étaient marqués, ils avaient plus d'esprit et moins de jeunesse » (421) — et l'esprit a besoin des autres [107]. Tout cela ne tirerait sans doute pas à conséquence, si cette vanité n'avait pas beaucoup contribué à ce qui est sa plus grande erreur, l'assassinat de Ranuce-Ernest.

***

Cet assassinat résume en effet admirablement les problèmes moraux que posent au fond, dans tous leurs excès débridés, les qualités de la duchesse. Nous ne pouvons pas passer aussi vite là-dessus qu'on en a pris l'habitude. Tout y est : son courage et son énergie, un certain sens primitif et même authentiquement aristocratique de la justice et de l'honneur, mais aussi son inconscience dans la dramatisation passionnée de soi et sa préoccupation excessive de l'image qu'elle présente aux autres. C'est aussi le point culminant de ses transgressions, puisqu'elle évitera en fin de compte « l'inceste », et puisque le roi est le symbole suprême de l'ordre et de l'autorité.

Des ambiguïtés multiples entourent ce meurtre, selon les perspectives que l'on choisit pour l'analyser. Car d'un côté, cet assassinat est parfaitement justifié, dans la mesure où il détruit avec l'arme impure du poison le symbole de l'autorité suprême, devenu lui-même impur par l'abus de ses pouvoirs. Le prince recevra donc le sort qu'il méritait d'une de ces aristocrates dont il a eu tort d'essayer de détruire l'indépendance d'esprit, et Parme entier bénéficiera de la succession au trône d'un prince moins peureux et moins sanguinaire (405) : « on ne parle déjà plus de cette mort du prince : au fait, c'était un homme cruel ». D'un autre côté, cette action sera pour Gina personnellement une erreur grave, et une action qui risque ironiquement de desservir ses vrais intérêts, lesquels se trouvent au fond mieux servis par un prince autoritaire que par une démocratie. Nous avons vu que ce sont là les paradoxes qui caractérisent la politique désordonnée de la passion, surtout peut-être celle des femmes mêlées au monde masculin de la politique. Dans l'analyse de ces significations multiples, c'est cependant l'erreur personnelle que constituera pour Gina cette transgression suprême qui nous servira le mieux de fil conducteur.

Etablissons donc d'abord que les mobiles de ce meurtre sont loin d'être simples aux yeux de Stendhal, aussi peu que le sont ceux de l'attentat de Julien contre la vie de madame de Rênal — et cela est

---

[105] Et c'est pourquoi Stendhal dit que les Italiens fort riches qui ont de la vanité, l'ont à la façon des « Français de la cour de Louis XV » (*PDR*, p. 711).
[106] *DA*, t. 1, p. 222-223.
[107] G. Blin, *Stendhal et les problèmes de la personnalité,* p. 91.

sans doute fort juste d'un point de vue psychologique. Certainement nous ne saurions nous en tenir au fameux passage sur la vengeance en Italie, qui n'est en fait qu'une remarque incidente (372) : « Je croirais assez que le bonheur immoral qu'on trouve à se venger en Italie tient à la force d'imagination de ce peuple ; les gens des autres pays ne pardonnent pas à proprement parler, ils oublient ». Certes, Stendhal admire cette incapacité d'oublier un affront [108] et le refus italien d'excuser une bassesse parce qu'on peut se l'expliquer [109] ; il admire en tant qu'énergie spirituelle la haine véritable lorsque celle-ci n'a pas ses origines dans des questions d'argent et lorsqu'elle n'est pas une haine « rentrée » [110]. Assassiner est peut-être la preuve suprême de la force d'un caractère, comme le montraient d'instinct jadis ces nobles de la Renaissance dont relève justement Gina, et comme le montrent toujours, selon lui, les Italiens et les classes basses en France [111]. Dans *La Chartreuse de Parme* ce ne sont que les cuisiniers français — et les auteurs — qui évitent le crime avec un calembour [112] ; même Fabio Conti a eu dans sa jeunesse son heure de dignité en tuant par amour (361). Le crime de Gina, qui est crime né de la passion et non de la cruauté froide ou de l'ennui, se distingue donc aux yeux de Stendhal par l'absence de cette bassesse qui marque, par exemple, les méfaits de Rassi et du prince. Le lecteur pourrait alors n'y voir que la réaction naturelle d'une femme fière qui reconnaît obscurément sa part de responsabilité dans l'arrestation de Fabrice, et qui doit en outre pour la première fois faire face à son infériorité dans l'arène politique. Cependant Stendhal introduit dans son analyse de cette « immoralité » plusieurs éléments troublants qui nous la font voir autrement que les immoralités des *Chroniques italiennes* [113].

On remarque d'abord que Gina refuse de revenir sur une résolution de vengeance qui est en l'occurrence plus brutale que ne le justifie l'issue des événements, puisqu'elle réussit à sauver Fabrice avant tout empoisonnement. Ferrante Palla lui-même semble d'abord envisager l'assassinat du prince comme une action qui ne serait justifiée pour elle que si Fabrice périt effectivement [114]. L'évasion si spectaculaire jointe à l'illumination de Sacca ne vengent-elles pas alors suffisamment les intentions meurtrières du prince en l'humiliant dans le symbole majeur de son autorité ? Et d'ailleurs, comment se fait-il que Gina demeure le seul personnage héroïque chez Stendhal qui se servira du poison, arme que l'auteur paraît généralement avoir voulu

108 *RNF*, p. 519 : « Six mois après un mot indifférent que leur a dit leur amant, elles l'en récompensent ou s'en vengent ; jamais l'oubli par faiblesse ou par distraction, comme en France ».

109 *PDR*, p. 656 : « Ce peuple est moins éloigné que nous des grandes actions ; il *prend quelque chose au sérieux*. En France, dès qu'on a expliqué avec esprit le *pourquoi* d'une bassesse, elle est oubliée. »

110 *CI*, t. 2, p. 43. Un bel exemple de la « haine rentrée » est donné par le préfet de Caen dans *Lucien Leuwen*, p. 1253-1254.

111 Cf. *CI*, t. 1, p. 119-121 ; *RN*, p. 492.

112 Cf. *supra* p. 46, 48-9.

113 Récemment, la critique a commencé à s'en rendre compte ; voir par exemple, Michael Wood, « "La Chartreuse de Parme" et le sphinx », *Stendhal Club*, n° 78, 15 janv. 1978, p. 161-169.

114 369 : Il « offre sa vie pour mettre obstacle au sort de Fabrice, ou pour s'en venger. »

réserver aux lâches [115] ? Serait-ce parce que Gina était vraiment à ses yeux un personnage du seizième siècle, personnage qui voudrait alors tout naturellement venger une tentative d'empoisonnement par une autre [116] ? Suffit-il de convenir qu'elle ne peut agir autrement pour sauvegarder l'avenir de Fabrice (281, 369-370), et que Ferrante a pour sa part droit à toutes les armes dans sa situation d'infériorité [117] ? Fabrice soulignera pourtant lui-même ce que l'empoisonnement a de choquant [118], et il y a certes un contraste voulu dans le roman entre ce procédé sournois et l'idée d'une vengeance qui serait exécutée personnellement et aux yeux de tous. Telle était, après tout, la première idée qui était venue à Gina comme à Clélia Conti, prenant comme exemples Judith et Charlotte Corday (281, 319). L'imprudence essentielle de cet assassinat est tout au moins rendue évidente. Quelques pages auparavant, Stendhal nous a fait prévoir le caractère toujours excessif des projets d'intoxication de Gina, en la montrant commettant l' « énorme imprudence » de faire administrer à Fabio Conti un narcotique beaucoup trop fort (362, 373). Et lorsque la duchesse aura mis en action le plan de l'assassinat, on remarque qu'en attendant les représailles elle fera connaissance avec la peur. Or Michael Wood a signalé à ce propos le rapprochement troublant que Stendhal établit entre les contrecoups psychologiques qu'auront leurs assassinats respectifs sur Gina et sur Ernest IV [119]. Car le prince aussi a appris la peur après la pendaison de deux libéraux (112-113), et son exemple aurait dû apprendre à Gina que « les sottises de sang ne se réparent pas ». (140).

Tous ces éléments troublants font entrevoir que l'exécution de cette vengeance ne donnera aucun bonheur à Gina, et qu'elle finira par la regretter (386) :

> Ce fut dans ce village que la duchesse se livra à une action non seulement horrible aux yeux de la morale, mais qui fut encore bien funeste à la tranquillité du reste de sa vie.

Agréons, si l'on veut, l'ironie à l'adresse de la morale conventionnelle, mais dans la même scène, voyons également Gina sur le point de regretter sa décision au moment même de faire agir Ferrante (387):

> — Combien de fois en votre vie, lui dit-elle avec la hauteur la plus sombre, combien de fois avez-vous ouï dire que j'avais déserté un projet une fois énoncé par moi ?
>
> Après cette phrase, la duchesse se promena encore durant quelques minutes ; (...).

Et après le meurtre, écoutons-la souffrir de ne plus tenir la première place dans le cœur de l'homme pour qui elle pense pourtant avoir tué, et de le savoir dorénavant bien au-dessus de telles pensées vindicatives (391, 400) :

---

[115] Cf. E. Abravanel, « Le thème du poison dans l'œuvre de Stendhal », in *Première Journée du Stendhal Club*, Lausanne, Ed. du Grand Chêne, 1965, p. 14-16. Cf. aussi *DA*, t. 1, p. 241.

[116] *PDR*, p. 801 : « Au seizième siècle un empoisonnement était vengé par un autre. »

[117] Cf. E. Abravanel, *art. cit.*, p. 16.

[118] 439 : « je vous avouerai que le procédé m'a choqué ».

[119] M. Wood, *art. cit.*, p. 166-167.

> Le chagrin m'a vieillie, ou bien il aime réellement, et je n'ai plus que la seconde place dans son cœur. Avilie, atterrée par ce plus grand des chagrins possibles, la duchesse se disait quelquefois : Si le ciel voulait que Ferrante fût devenu tout à fait fou ou manquât de courage, il me semble que je serais moins malheureuse. Dès ce moment ce demi-remords empoisonna l'estime que la duchesse avait pour son propre caractère. Ainsi, se disait-elle avec amertume, je me repens d'une résolution prise : Je ne suis donc plus une del Dongo !
>
> Elle vivait dans l'attente d'un événement affreux dont elle se serait bien gardée de dire un mot à Fabrice, elle qui autrefois, lors de son arrangement avec Ferrante, croyait tant réjouir Fabrice en lui apprenant qu'un jour il serait vengé.

Ecoutons-la encore avouer son crime et son péché à Mosca (418, 429), et refuser plus tard de faire tuer Rassi comme son amant le lui propose (433) :

> Cette proposition plut extrêmement à la duchesse ; mais elle ne l'adopta pas.
> — Je ne veux pas, dit-elle au comte, que, dans notre retraite sous le beau ciel de Naples, vous ayez des idées noires le soir.
> (...)
> non je ne veux pas empoisonner toutes les soirées de la vieillesse que nous allons passer ensemble.

Avec l'entrée du regret dans son cœur, l'enjouement de sa jeunesse disparaîtra (421), et quelque part qu'aurait la peur dans tout remords, on ne saurait pourtant attribuer ce changement chez Gina uniquement à la peur qu'elle a eue des représailles [120]. Et d'où alors faut-il croire que lui soit venu le regret, à elle si hautaine et si résolue ? Faut-il vraiment croire que si elle en souffre, c'est tout simplement parce qu'elle est quand même née dans ce dix-neuvième siècle si bourrelé de remords [121] ?

Or nous croyons plutôt que ce regret naît d'une réalisation obscure et jamais formulée des confusions et des ambiguïtés qui se sont trouvées à l'origine de ce projet de vengeance qui est en apparence si simple. L'idée de venger son premier mari, tué en duel, n'avait jamais produit chez elle ces doutes (42). Pour l'apprécier cependant, il faudra revoir en détail ce que Stendhal nous laisse entendre sur les mobiles profonds de Gina. Au premier abord, ceux-ci semblent avoir toute la netteté désirable. Dans une âme aussi primitive dans l'honneur outragé que dans la générosité, la menace de mort que le prince fait peser sur l'homme qu'elle aime appelle la vengeance (281) : « Halte-là mon prince ! vous me tuez, soit, vous en avez le pouvoir ; mais ensuite moi j'aurai votre vie ». De plus, cette menace est la trahison d'une promesse que le souverain lui avait faite (286) : « Le prince m'a trompée, se disait-elle, et avec quelle lâcheté ! » Et ne dirait-on pas que joue en outre chez elle quelque souci de défense légitime ? Car la duchesse croit savoir le prince capable de la jeter en prison et peut-être

---

120 *JL*, t. 1, p. 300 : « Le remords se compose du souvenir d'un crime et de la crainte du châtiment. »

121 *A*, p. 1426 : « Ce n'est pas dans un siècle moral et où l'on se juge sans cesse que l'on verra naître un caractère capable de braver de bonne foi le remords ».

même de la condamner à mort « comme ayant conspiré » (284). L'impuissance politique ne justifie-t-elle pas alors les moyens les plus extrêmes [122] ? Il est enfin non moins évident que ce projet de vengeance agit heureusement sur l'âme de Gina dans un sens thérapeutique : « Dès que la vengeance fut résolue, elle sentit sa force, chaque pas dans son esprit lui donnait du bonheur » (372). Pour elle, comme pour Mina de Vanghel, « Se venger, c'est agir ; agir c'est espérer » [123]. Cependant, à mesure que nous examinons de plus près la manière dont sont présentés ces mobiles, les choses paraissent se compliquer. Et cela sera d'autant plus grave pour Gina que nous savons combien, aux yeux de Stendhal, il importait de ne pas souffrir de désirs contradictoires, de ne pas se tromper sur la satisfaction que l'on cherche.

Prenons d'abord le désir de vengeance qui anime la duchesse. Est-ce pour elle-même ou pour Fabrice qu'elle a voulu agir ? Il importe de le savoir, car lorsqu'elle y pensera par la suite, c'est toujours comme ayant tué pour Fabrice que la duchesse aimera à se voir (391, 400). Or, dans la scène admirable après l'arrestation de Fabrice où Gina se livre à son désespoir et décidera de se venger (281, 287), Stendhal nous montre qu'elle se cache un peu la vérité là-dessus et que si elle continue à le faire, ce sera afin de ne pas s'avouer tout à fait le rôle déterminant de sa vanité. Naturellement, dans cette scène la première pensée de la duchesse sera pour le prisonnier qu'elle aime. Mais aussitôt il devient clair qu'en réalité la décision de vengeance aura eu pour origine sa propre humiliation infligée par le prince. En effet, elle ne peut pleurer, car « la colère, l'indignation, le sentiment de son infériorité vis-à-vis du prince, dominaient trop cette âme altière » (280-281). Et dans l'exclamation qui suit immédiatement, il est révélateur que la syntaxe relègue à une place secondaire la pensée du danger où se trouve Fabrice : « Suis-je assez humiliée ! s'écriait-elle à chaque instant ; on m'outrage, et, bien plus, on expose la vie de Fabrice !» Ainsi le fait est que tout en voulant bien sûr sauver Fabrice et jouer le rôle de sa vengeresse, c'est plutôt l'offense à sa propre adresse qui donne à Gina l'idée de sa vengeance. D'autre part, la confusion qu'elle entretiendra par la suite à l'égard de ses propres motifs s'étend au souci de légitime défense (284). Car au fond il est on ne peut plus clair que le prince n'entend nullement ni la tuer ni même l'emprisonner, et qu'en l'imaginant Gina cherche comme toujours à dramatiser et à intensifier la crise pour se donner l'idée d'avoir à jouer un rôle décisif et dangereux. D'ailleurs elle finira presque par s'en rendre compte : « Mais quoi ! toujours le roman ! » (284).

A travers les méandres et les reprises d'un esprit égaré par la douleur, cette scène montre donc Gina aboutissant à une idée toujours

---

[122] Cf. *PDR*, p. 662-663.
[123] *Mina de Vanghel*, p. 1162.
Après la perte de Métilde, Stendhal lui-même avait connu la tentation du régicide comme diversion éclatante au malheur personnel (*SE*, p. 1398), et dans un accès de fureur jalouse à l'égard d'Angela Pietragrua, il avait noté dans le *Journal* de 1811 (p. 1096) : « Je rentrai chez moi furieux, c'est-à-dire que j'aurais trouvé du plaisir à déchirer des chairs sanglantes si j'avais été lion, parce que j'aurais été occupé et par conséquent distrait, et ensuite parce que j'aurais été consolé en faisant acte de puissance. »

vague de vengeance qui sera, certes, thérapeutique pour elle, dans la mesure où cette idée satisfait son honneur et semble rendre sa haine moins impuissante [124]. Mais cette scène montre aussi que ce plan relève trop — pour le bonheur futur de la duchesse — de la fureur que lui donne l'idée de son infériorité et d'un désir profondément vaniteux d'humilier son ennemi. C'est dans une véritable lutte à mort que sa vanité et celle du prince ont fini par s'engager. Mais n'est-ce pas excessif d'insister ainsi, non seulement sur l'ambiguïté de ses mobiles, mais aussi sur la vanité qui s'y trahit ? Nous ne le croyons pas. On peut la comparer à cet égard à Vanina Vanini et à Fabrice. Il est vrai que l'emprisonnement de Missirilli n'est nullement motivé par quelque ressentiment à l'égard de Vanina, et ne la vise en aucune façon. Par conséquent, lorsque Vanina menace de tuer le gouverneur de Rome, ce n'est pas une offense faite à sa vanité qui l'y pousse [125]. Mais cette comparaison fait justement valoir que Gina, laquelle sait obscurément que l'arrestation de Fabrice est due à l'humiliation qu'elle a infligée au prince, refuse d'accepter que la revanche brutale de celui-ci est finalement d'une logique prévisible, et même de bonne guerre, selon le jeu politique de Parme. Son impériosité ne peut envisager que les autres puissent infliger à son orgueil le même traitement qu'elle a assigné au leur, et cette impériosité ne peut en conséquence réagir qu'en voulant les humilier. A cette psychologie Stendhal oppose celle de Fabrice s'avouant : « Je n'ai point du tout de plaisir à haïr, je crois même que ce serait un triste bonheur pour moi que celui d'humilier mes ennemis si j'en avais (...) » (175). D'instinct, Gina a donc raison de ne pas le consulter sur sa vengeance. Car, même sans l'arrivée de Clélia sur la scène, Fabrice ne comprendrait pas le plaisir qu'elle prend à haïr le prince et à l'humilier jusque dans sa mort, qu'elle voudrait honteuse et sans trace d'héroïsme. Car n'est-ce pas en effet là le souci qui dicte le choix de son arme à la duchesse, beaucoup plus que le désir de protéger l'avenir de Fabrice ou d'assurer sa propre survie : « J'exige qu'il meure par le poison, et j'aimerais mieux le laisser vivre que le voir atteint d'un coup de feu » [126] ? Dans sa décision de se venger et dans la façon dont elle l'entreprend, il entre donc un peu trop de la vanité outragée d'une femme qui est accoutumée à se faire obéir [127]. Elle y mettra la même rancune excessive que François Leuwen met à se venger d'un ministre qu'il croit à tort avoir

---

[124] On sait combien Stendhal jugeait important d'échapper au piège mental qu'est la haine impuissante. En voyant la chapelle noire de la citadelle, Fabrice se dira, « Voilà bien une invention de la haine qui ne peut tuer » (309).

[125] *Vanina Vanini*, p. 766-768.

[126] 370. Cette formulation de son désir nous semble démentir son affirmation précédente à Ferrante que c'est surtout afin de protéger Fabrice qu'elle veut employer le poison ; en effet, d'autres moyens auraient tout aussi bien pu parer à ce danger.

[127] Cf. *VDR*, t. 1, p. 212-213 (*Elisabetta regina d'Inghilterra*) : « C'était le regard d'une reine dont la fureur n'est retenue que par un reste d'orgueil ; c'était la manière d'être d'une femme belle encore, qui dès longtemps est accoutumée à voir la moindre apparence de volonté suivie de la plus prompte obéissance ».

voulu l'offenser dans son fils [128]. En douterait-on encore, il ne faudrait qu'observer que c'est justement parce qu'elle se sent jalouse de Clélia — qui semble en outre lui avoir escamoté une part de la gloire de l'évasion — que Gina prendra définitivement la décision de tuer le prince. Seulement ainsi pense-t-elle pouvoir compenser son ridicule d'amoureuse évincée et rétablir à ses propres yeux un peu de sa dignité (387) :

> — Combien de fois en votre vie, lui dit-elle avec la hauteur la plus sombre, combien de fois avez-vous ouï dire que j'avais déserté un projet une fois énoncé par moi ?
>
> Après cette phrase, la duchesse se promena encore durant quelques minutes ; puis, s'arrêtant tout à coup, elle s'écria :
>
> — C'est par hasard et parce qu'il a su plaire à cette petite fille, que la vie de Fabrice a été sauvée ! S'il n'avait été aimable, il mourait. Est-ce que vous pourrez me nier cela ? dit elle en marchant sur Ludovic avec des yeux où éclataient la plus sombre fureur.

D'autres considérations renforcent en plus l'idée que c'est le rôle de la vanité outragée parmi les mobiles divers de sa vengeance qui est largement responsable du peu de satisfaction que Gina en tirera. Car selon Stendhal la haine, même si elle peut être admirable comme passion, est déjà en fait dangereuse pour le bonheur, puisque ce ne sont que des satisfactions purement négatives qu'on pourrait tout au plus en tirer [129]. Et Stendhal avait en outre observé que là où la haine voudrait tout simplement se débarrasser de l'ennemi, la vraie vengeance exige plutôt que celui-ci soit amené à reconnaître, au moment même de la subir, la justice profonde de la revanche qui le frappe [130] :

> VENGEANCE est le désir de faire en sorte que l'action de celui qui nous a nui lui devienne nuisible à lui-même et qu'il le reconnaisse. La vengeance ne fait point désirer la mort de l'ennemi, mais de l'avoir en sa puissance et de le subjuguer. (...).
>
> Un homme qui hait a le désir de tuer afin de se débarrasser de la peur, mais la vengeance se propose un triomphe que l'on ne peut plus exercer sur les morts.

Or, lorsque, par la fête de Sacca, Gina a fait savoir au prince et à tous la part qu'elle a eue dans l'évasion, elle aura donc fait ce qu'exige la vengeance — comme le comprennent parfaitement les Parmesans (397) : « Mais en ce pays où l'on sait apprécier le plaisir de la vengeance, l'illumination de Sacca et la fête admirable donnée dans le

---

[128] *LL*, p. 1277 : « Mais, morbleu, M. de Vaize, vous me paierez votre sottise envers ce jeune héros » ; *ibid.*, p. 1283 ; « Son discours était le débondement d'un cœur ulcéré qui s'est retenu deux mois de suite et qui, pour parvenir à la vengeance, s'est dévoué à l'ennui le plus plat. »

La disproportion de sa vengeance traduit bien le côté inquiétant de ce père affectueux mais dominateur, père qui s'est lancé dans la politique un peu par esprit de rivalité contre son fils (*ibid.*, p. 1254).

[129] Haïr rend donc malheureux, et dans *Lucien Leuwen* surtout, Stendhal s'est montré plus spécialement préoccupé des ravages produits par la haine au dix-neuvième siècle (*LL*, p. 767, 826, 927-928, 1178, 1392). Dans la *Chartreuse*, même les Milanais perdent un peu de leur bonheur lorsqu'on leur a appris la haine (33).

[130] *JL*, t. 1, p. 450-451.

parc à plus de six mille paysans eurent un immense succès »[131]. Mais lorsque dans la lutte entre sa vanité et celle du prince Gina fait en outre empoisonner celui-ci sans que sa victime reconnaisse le coup, elle aura confondu les satisfactions distinctes que cherchent la haine et la vengeance. Assassiner le prince ainsi peut satisfaire sa haine, mais sa vengeance n'en sera pas meilleure. Au contraire, le sentiment de son infériorité ne s'en trouvera que renforcé, puisque ce n'est pas même de sa propre main qu'elle se sera vengée sur la vie de son ennemi. Défaut d'autant plus insupportable à la longue que Gina est si profondément actrice.

Psychologiquement, la décision finale de faire exécuter cet assassinat, et par de tels moyens, est donc sous tous les rapports un désastre qu'elle ne pourra que regretter plus tard. On pourrait y appliquer les avertissements donnés par Blanès à Fabrice contre ce que peuvent sembler autoriser les lois de l'honneur et de la préservation de soi. Et d'ailleurs cette transgression suprême ne manque pas non plus de souligner les limites qui existent à son aptitude à bouleverser l'ordre. La mort du prince n'est même pas si avantageuse qu'elle aurait d'abord pu l'être pour Parme, puisque Gina refuse d'aller jusqu'au bout et d'appuyer Ferrante dans sa révolution, et puisqu'elle devra même empêcher Ernest V d'apprendre la vérité si salutaire sur les conséquences qu'auront eues les brutalités de son père.

A nos yeux, les rapports ne sont que trop évidents entre cette erreur et ses meilleures qualités. Toute à un rôle vengeur qu'elle s'est d'abord imaginé pour compenser son sentiment d'infériorité, Gina refuse de se départir de ce rôle même lorsque Fabrice aura été sauvé. Elle s'y refuse parce que tout le goût qu'elle a de jouer un rôle héroïque et dominateur l'empêche de réfléchir et de prendre ses distances à l'égard de sa décision initiale. Elle s'aveuglera par conséquent sur la confusion de ses mobiles et sur le peu de satisfaction que lui donnera l'exécution secrète de l'assassinat. Et tout en ayant au fond raison de se révolter contre ce despotisme, elle s'aveuglera de même sur le piège moral dans lequel l'a fait tomber la vanité rivale de Ranuce-Ernest. Mosca a mieux compris les lois de ce jeu, même s'il y perd de la grandeur. Pour la première fois, Gina est donc amenée à regretter une action qu'elle a décidée. Ferrante Palla, lui, ne regrettera pas la sienne, car il en a d'avance pesé avec plus de clarté d'esprit les raisons et les conséquences[132]. Et Fabrice, qui a d'abord refusé comme elle de réfléchir sur les ironies de la vie, finira par avoir plus de philosophie[133]. Pour son bonheur et son malheur, cette force primitive et excessive qu'est Gina n'arrivera ainsi jamais à comprendre les motifs profonds de ses propres actions et les conséquences qu'elles auront probablement (439) :

---

131 Une même entente de la vengeance lui inspirera plus tard l'idée de faire pendre Rassi « en public » (388).

132 373 : « je n'ai plus de doute sur la légitimité de l'action ! »

133 Voir le commentaire de Stendhal, lorsqu'après Waterloo, on vole à Fabrice le cheval qu'il a lui-même volé (92) : « Il n'était pas assez philosophe, ce jeune Italien, pour se rappeler à quel prix lui-même avait acheté ce cheval ». Mais il le deviendra ; cf. *infra* p. 193-194.

> Elle ne fit point cette réflexion morale, qui n'eût pas échappé à une femme élevée dans une de ces religions du Nord qui admettent l'examen personnel : j'ai employé le poison la première, et je péris par le poison. En Italie, ces sortes de réflexions, dans les moments passionnés, paraissent de l'esprit fort plat, comme ferait à Paris un calembour en pareille occasion.

Ici encore Stendhal nous présente, sous la forme d'un reproche fait aux Français qui sert surtout à attirer notre attention sur le problème, une réflexion qui ne s'arrête pas là et dont l'ironie est loin d'être simple. Car en fait tout le roman est une méditation très nuancée sur les conséquences qu'a eues en Italie cette absence de l'examen de soi que Stendhal reproche au catholicisme de produire (212). Sans l'examen de soi Gina ne pourra jamais, par exemple, se joindre aux nouvelles forces démocratiques du siècle et tirer de sa transgression contre le prince tous les avantages qu'y cherche Ferrante Palla ; ce ne sera même pas elle qui assurera finalement la succession au trône d'un prince plus bénin [134]. Or que lui reste-t-il alors à faire, à elle qui regrette maintenant son action mais qui est beaucoup trop fière et trop païenne pour avoir recours à la confession comme Fabrice ? Elle ne peut chercher à remédier au désordre qu'elle a provoqué dans sa vie et dans l'état qu'en se réfugiant dans les bras de Mosca. Et elle ne peut expier personnellement son erreur que par un sacrifice étrange que le hasard lui présentera, sacrifice auquel, il faut noter, elle se prêtera sans nécessité absolue, poussée de nouveau par des impulsions qu'elle ne saurait s'expliquer.

Comble de l'ironie, cette femme dont les talents d'actrice passionnée lui ont toujours permis de triompher dans les crises sur les autres, recevra sa plus grande défaite des mains d'un naïf qui réussit par hasard à la surpasser par la passion dans le rôle qu'il s'est choisi. Mais pourquoi Gina consent-elle finalement à tenir la promesse que lui arrache Ernest V ? Quoi que le jeune prince lui dise, l'honneur n'exige pas qu'elle accepte un tel chantage (466, 467-468), et de plus, elle le sait (445, 466-467). Est-ce vraiment alors parce qu'elle craint qu'autrement le prince se vengera sur Mosca et sur Fabrice ? N'est-ce pas plutôt parce que, ne pouvant supporter l'idée de s'être déjà une fois repentie d'une résolution qu'elle avait prise (400), elle voudrait à tout prix maintenir l'image qu'elle s'est faite de sa volonté inébranlable ? Bien plus, ne se punit-elle pas en accomplissant ce « sacrifice » (468) parce qu'elle voudrait au fond expier son péché — se sentant coupable tant envers le père du prince que peut-être encore envers Fabrice, dont elle a empêché le mariage ? Serait aussi primitive que l'était sa vengeance, l'idée de compenser par le don de sa chair et de son sang au fils, un crime de sang contre le père de celui-ci [135]. On peut voir dans son consentement au martyre humiliant de cette prostitution — nouvelle transgression compensatoire — une action qui suffit à racheter

---

[134] Sur les rapports nécessaires entre l'examen de soi et la démocratie, voir par exemple le *Voyage dans le Midi*, in *MDT*, t. 3, p. 16.

[135] Cf. Roger Caillois, *L'Homme et le Sacré*, p. 104-106.

ses fautes et qui à ses yeux lui permettra de se retirer avec honneur de Parme, ayant consenti à tout par amour de Fabrice.

***

Ce rachat, et tout ce qu'elle a par ailleurs donné généreusement aux autres, ne peut cependant cacher la tristesse de sa fin. Car à tant d'égards ses désirs ont fait naufrage. Elle n'a su ni maintenir jusqu'au bout son bonheur, ni rendre vraiment fécondes la chaleur et les forces liquides qu'elle commande. A mesure que Fabrice et Mosca se rapprochent toujours plus (457-458, 469-471), elle disparaîtra du roman comme une force épuisée, suivant Fabrice dans la mort sans avoir même enfanté.

Ce rendez-vous inévitable avec les limites inhérentes à ses qualités se lit le mieux lorsque se présente à elle, après la répression de la révolte par Mosca, l'occasion d'influencer en profondeur la politique officielle de Parme. Même lorsqu'elle agit alors effectivement en premier ministre auprès d'Ernest V, elle devra constamment recourir à la sagesse supérieure de Mosca (429-430, 448). Car au fond les idées politiques lui manquent, et elle n'a que deux des qualités que requiert l'homme d'état selon Stendhal : l'absence de colère, la patience, la finesse, et l'aptitude à saisir « l'occasion qui souvent n'existe que pendant quelques heures »[136]. L' « habile chef de parti » dans la *Chartreuse*, ce ne sera pas elle, mais la marquise Raversi (359). Nous avons déjà entrevu d'ailleurs que le jeu de la *mimicry*, sans règles et sans obligation de prudence, n'est pas celui qui enseigne le mieux à réussir en politique. Sans doute sait-elle emporter quelques coups hasardeux, et jouer un rôle utile à Mosca, mais au fond ce n'est que leur goût de régner que la duchesse partage avec les hommes d'état[137].

Cet échec de Gina dans le monde de la politique traduit nettement le fait qu'avec les vertus qu'il admire chez elle, Gina ne peut réaliser d'autres vertus que Stendhal prisait à l'égal des siennes et que dans *La Chartreuse de Parme* surtout, il s'est efforcé de faire valoir. Il manquera ainsi toujours à Gina la vraie liberté intérieure qu'auront Fabrice et Clélia. Certes, la liberté purement extérieure, Gina la gardera toujours, même après son mariage à Mosca[138]. Ce n'est pas elle qui fera connaissance avec ces ordres si restrictifs que Fabrice et Clélia auront à découvrir dans les cloîtres et dans les prisons[139]. Mais, par un paradoxe qui va au cœur du roman, Gina n'aura jamais l'occasion non plus de découvrir la liberté intérieure que ces ordres, et d'autres, les aident à développer. Et ne l'ayant pas, aveuglément plongée comme elle l'est dans les tourbillons de l'existence immédiate, la duchesse ne saura pas davantage parvenir comme eux à voir « de haut » la vie entière, à prendre du recul et à rester désintéressée.

136 *RNF*, p. 423-424.

137 Il faudrait savoir distinguer cependant, entre les différentes façons dont Gina, Mosca, et le prince, par exemple, aiment régner. Cf. *infra* p. 151-152.

138 En s'établissant dans les états de l'Autriche lorsque Mosca rentre à Parme.

139 A ce sujet, voir *infra* p. 190-193, 201.

Toutes les qualités de la duchesse s'y opposent, tout comme sa dramatisation de soi est trop passionnée pour lui permettre de supporter longtemps l'existence dédoublée que Mosca sait si bien mener et qui permet de réconcilier, jusqu'à un certain point, les contradictions diverses de la vie [140].

Cependant Stendhal ne demande évidemment pas à Gina d'être ce qu'elle n'a jamais été. Elle accepte finalement sans trop regimber ces limites et ces échecs qu'impliquent ses qualités, et résout à sa façon les problèmes regrettables de l'ordre et de l'autorité qu'ont posés avec une telle acuité les forces aveugles de ses passions énergiques et de son esprit de rébellion. Elle qui au fond dépend tant des autres, accepte le compromis d'un mariage avec Mosca, redevenu un héros digne de ses faveurs après la fusillade des révolutionnaires [141]. Mosca la sauvera d'elle-même, tout comme Fabrice l'empêcha jadis de se noyer dans le lac de Grianta. Ce joueur actif et prudent lui fournira l'ordre raisonnable dont elle a besoin, ordre que Fabrice n'aurait pu lui donner dans sa contemplation passive du destin. Même si elle n'aimera jamais Mosca aussi passionnément qu'elle a aimé Fabrice, il est cependant clair qu'elle apprécie en lui sa stabilité et son esprit. Et lui, tout en aimant Gina spontanément, a toujours compris comment faire de cet amour le complément aussi consolant qu'utile des rigueurs nécessaires de sa vie à Parme [142]. Ce couple, chez qui s'équilibrent ainsi l'ordre et le désordre, la raison et la passion, fournit la seule image fouillée que dans ses romans Stendhal nous ait donnée de deux êtres qui réussissent à vieillir ensemble sans perdre leur individualité. A cet égard, ils marquent, par exemple, une avance considérable sur les Leuwen, où domine trop facilement le banquier, et ce mariage signale de nouveau le souci accru d'équilibre et de synthèse qui irradie *La Chartreuse de Parme*. Si nuancé est en fait le traitement que Stendhal accorde aux dernières années de la duchesse, qu'on peut y voir sans hésitation le plus bel effort de sa perspicacité, face à un être qui sous tant de rapports — passions, transgressions, générosités et fêtes — aurait pu solliciter de lui rien qu'une complaisance purement sentimentale.

---

[140] Cf. *infra* p. 145-146, 165.

[141] 406 : « Je reconnais bien là le comte, s'écria la duchesse avec un transport de joie qu'elle n'eût pas prévu une minute auparavant. »

[142] Cf. *infra* p. 143-146, et l'article de Ginette Ferrier, « Sur un personnage de « la Chartreuse de Parme » : le comte Mosca », *Stendhal Club*, n° 49, 15 octobre 1970, p. 16-17.

CHAPITRE IV

Mosca

Chez la duchesse, le jeu est spontané, franc et assez primitif. Il épouse les rythmes sacrés des forces naturelles, l'alternance violente de la vie et de la mort, et cherche à les exprimer avec plus d'éclat. C'est un jeu qui libère de la répression. Chez Mosca par contre, le jeu est profane et la répression en est une condition essentielle. Car il traduit la vigilance de l'esprit constructeur d'ordre, sa conquête patiente de l'ordre pratique qui rend possible l'essor de la culture. Thème qui est profondément inscrit dans le roman, puisque Mosca oppose sciemment sa sagesse à ce qu'auraient de foncièrement « primitif » Fabrice, Blanès et la duchesse (47, 184), et puisque les échos ironiques entre le début et la fin évoquent tous les paradoxes et les ambiguïtés que comporte l'ordre exigé par la culture. Le récit ne s'ouvre-t-il pas sur le bouleversement de l'ordre et sur la prise de la cité par un conquérant révolutionnaire, et ne se ferme-t-il pas de même sur la consolidation dans une autre ville d'un ordre social à peine renouvelé ? A Milan, la victoire éblouissante mais précaire des Français provoque une explosion de passions heureuses tout en soumettant la ville à l'occupation militaire, tandis que sous Mosca Parme restera en paix, avec des prisons qui finiront par se vider, au prix toutefois de l'assoupissement des passions[1]. Contraste amer, mais plein d'enseignements. Soldat d'abord suivant Napoléon dans ses conquêtes, on peut dire que Mosca passera sa vie, non comme Gina à chercher un héros, ni comme Fabrice à chercher une famille, mais avant tout à vouloir établir une ordonnance meilleure et plus durable de la cité.

Or l'idée que l'esprit du jeu, ou plutôt l'esprit d'un certain jeu, est loin d'être un attribut inutile à ceux qui ont à diriger l'ordre social, acquiert ici de l'importance par suite de la conjonction dans le portrait de Mosca de deux sortes d'études légèrement différentes. Il y a d'abord l'étude purement psychologique des qualités morales qui pourraient produire un homme d'état honnête et efficace, heureux dans ses affaires comme dans sa vie privée. Il y a ensuite l'étude proprement historique d'un aristocrate italien qui se trouve engagé dans la haute politique des Restaurations. Et ce portrait est de plus l'abou-

[1] Cf. *infra* p. 163-165.

tissement chez Stendhal de toute une série d'études romanesques d'hommes faits devenus puissants, série qui comprend, outre le marquis de la Mole et François Leuwen, toute une suite de guerriers, de papes et de cardinaux [2]. Tant il est vrai que dans les années trente l'intérêt que Stendhal portait aux hommes qui s'engageaient à fond dans la société, est presque parvenu à égaler son intérêt pour les êtres sujets à faire sécession. Une de nos tâches sera ainsi de préciser le développement que représente Mosca à cet égard, et de voir ce qui fait, aux yeux de Stendhal, la différence entre le jeu d'un grand homme d'état et le jeu d'un raté charmant de la politique tel que le père de Lucien Leuwen.

Dans ce portrait, Stendhal réussit d'autant mieux à poser avec une acuité gênante les problèmes personnels et sociaux que soulèvent les nécessités de l'ordre, qu'il nous donne avec Mosca le spectacle exceptionnel d'un ministre qui est résolument franc et lucide. Car une franchise si raisonnable ne peut manquer de nous troubler, alors que ce sera un régime suspect que ce « meilleur des êtres » (354) se décide à servir et qu'il finit par abattre un nombre de citoyens. Ce ne seront donc pas des réponses agréables que fourniront à toutes ces questions les efforts sincères que fait Mosca pour mettre de l'ordre dans cette société ébranlée. Le nom même de Mosca ne se prête-t-il pas à des sens passablement équivoques [3] ? Rien ne sert alors de simplifier le comte, qui n'est ni un homme d'état sans faille, ni une belle âme ruinée par la politique [4]. Car le jeu qu'il joue est avant tout dangereux, pour lui-même comme pour les autres. Et il faudrait admettre, fût-ce avec regret, qu'à certains moments sa mise en ordre est aussi nécessaire aux hommes qu'à d'autres moments peut certainement l'être la sédition involontaire de Gina. Nous avons déjà vu que le laissent entendre les dernières années de la duchesse.

Le plus essentiel alors est que là où les forces expansives de Gina refusent constamment toute répression, la vie de Mosca est fondée sur celle-ci. Sur le plan politique, cela saute aux yeux, puisque Mosca refrène le libéralisme de sa jeunesse afin de servir les princes de Parme et finit par réprimer l'insurrection de Ferrante [5]. Moins évident peut-être est le fait que sa capacité d'exécuter ces décisions cruelles va de pair avec une aptitude psychologique à la répression de ses propres passions, ce qui serait impossible pour la duchesse.

---

[2] Dans *L'Abbesse de Castro,* Fabrice Colonna, dans *Les Cenci,* Clément VIII et monsignor Guerra, dans *La Duchesse de Palliano,* Paul IV, dans *Trop de faveur tue,* Ferdinand de Médicis, *dans Vittoria Accoramboni,* le cardinal Montalto.

[3] On sait que plusieurs Italiens ont pu suggérer le nom à Stendhal, sans que l'on voit aucun rapport entre eux et le comte (*PDR,* p. 958 ; *VDR,* t. 1, p. 124 ; *VHMM,* p. 388 n ; *RNF,* p. 110, 160, 171, 172).

Une mouche pourrait suggérer la ruse et la prestesse, ainsi que le voudrait G. Strickland (*Stendhal,* Cambridge University Press, 1974, p. 240). Il ne faudrait pas pourtant que nous oubliions l'aversion bien connue de Stendhal pour toutes ces sortes d'insectes (*Les Privilèges,* article 15).

[4] Cf. H. F. Imbert, *Les Métamorphoses de la liberté,* p. 461.

[5] 112 : « mais mes jours les plus heureux sont toujours ceux que de temps à autre je puis venir passer à Milan ; là vit encore, ce me semble, le cœur de votre armée d'Italie ».

Nous en avons un bel exemple lorsque Mosca, tout passionné qu'il est (154-155), arrive à maîtriser sa jalousie d'elle, alors que Gina, comme nous l'avons vu, est incapable de contenir la fureur qu'elle ressent contre Clélia Conti (153, 155) :

> Il cherchait à imposer silence à son cœur, pour concentrer toute la force de son attention dans la discussion du parti à prendre.
>
> Enfin le parti de la prudence l'emporta, uniquement par suite de cette réflexion ; je suis fou, probablement ; en croyant raisonner, je ne raisonne pas ; (...)
>
> D'ailleurs, une fois que j'ai prononcé le mot fatal *jalousie*, mon rôle est tracé à tout jamais. Au contraire, ne disant rien aujourd'hui, je puis parler demain, je reste maître de tout.

De même, bien que le comte ne soit pas sans fierté, en servant le prince il sait mettre son orgueil dans sa poche et se soumettre à des obligations humiliantes [6]. Il ira même jusqu'à supporter d'avoir parfois l'air d'un « bas courtisan » et d'une « poupée de cour » (286, 368). Car le comte sait que celui qui veut dominer les autres est obligé de pouvoir se maîtriser soi-même. Et ce n'est pas par hasard, nous le verrons, si dans les jeux de rivalité que Mosca aime, une aptitude égale aux deux formes de répression — celle des autres et celle de soi-même — soit tout aussi souhaitable chez le joueur que chez le participant au jeu politique.

L'importance de cet effort de répression intime et ce qu'il lui en coûte psychologiquement, est montré par la joie profonde et inattendue qui le saisit en certaines circonstances. Ainsi, lorsqu'ayant pris la décision de démissionner, Mosca conspire pour la libération de Fabrice et assiste ensuite en cachette à son évasion, ainsi surtout, lorsqu'il monte personnellement l'attaque contre les émeutiers de Ferrante Palla (293-294, 384, 410, 411) :

> Le comte, ressuscité par cette lueur d'espoir, était déjà sur le chemin de la cathédrale ; étonné de la légèreté de sa démarche, il sourit malgré son chagrin : Ce que c'est, dit-il, que de n'être plus ministre !
>
> Me voici en haute trahison ! se disait-il ivre de joie.
>
> Mais le plaisant, à mon âge, c'est que j'ai eu un moment d'enthousiasme en parlant aux soldats de la garde et arrachant les épaulettes de ce pleutre de général P***. En cet instant j'aurais donné ma vie, sans balancer, pour le prince ; j'avoue maintenant que c'eût été une façon bien bête de finir.
>
> J'étais exalté ce jour-là.

Car de quoi se composent ces mouvements spontanés de joie, tels que Mosca semble n'en avoir pas éprouvé depuis ses premiers rendez-vous avec Gina et depuis ses campagnes sous Napoléon ? De la satis-

---

[6] 114 : « C'est lui, Mosca, qui, en sa qualité de ministre de la police, insiste pour regarder sous les meubles, et dit-on à Parme, jusque dans les étuis des contrebasses. »

faction, évidemment, d'échapper un moment au service souvent humiliant d'un prince à la fois peureux et despotique, et plus généralement à l'exercice raisonné d'une diplomatie tortueuse et forcément hypocrite. De la satisfaction donc de reprendre son autonomie et de retrouver sa jeunesse dans des épreuves qui exigent une action énergique et passionnée. Quand Mosca redevient devant les révoltés le soldat qu'il avait jadis été, lui qui se sent le plus souvent si vieux semble vouloir inconsciemment rivaliser avec l'héroïsme allègre dont Gina et Fabrice viennent de faire preuve lors de l'évasion [7]. A ces explications de sa joie peut-être faudrait-il joindre la satisfaction qu'éprouve un aristocrate qui s'est prêté au cynisme des Restaurations à faire valoir de nouveau l'honneur de sa classe [8]. Car cela ajoute sans doute aussi au plaisir que Mosca prendra dans cette crise, à défendre, comme c'était l'usage, son prince. Ces mouvements soudains de joie témoignent ainsi de la gêne intime que crée chez Mosca l'effort continuel de répression qu'il a su exercer envers lui-même. Lui aussi a sa prison. Ils suggèrent même que depuis son entrée dans la politique une certaine sécheresse d'âme le menace, péril qui expliquerait au fond, puisque ce sera ce qui l'en préserve, son amour pour une femme aussi animée que Gina. La compensation qu'elle représente lui procure « un sang-froid parfait pour tout ce qui ne regardait que ses intérêts d'ambition » (131).

Mosca n'est certes pas le seul dans le roman qui s'efforce de tenir la bride serrée tant à soi-même qu'à autrui ; le prince, son maître procède de même, comme le reconnaît son ministre, non sans une certaine admiration (411-412) : « il avait fait la guerre et commandé des corps d'armée, ce qui lui avait donné de la tenue ». Mais à l'encontre de celui-ci, ce n'est nullement par suite de quelque peur profonde que Mosca exerce la répression. Car il ne craint ni la montée des classes nouvelles, ni la perte de ses propres possessions. Et ce n'est pas non plus quelque impulsion autoritaire qui le fait toujours agir dans ce sens. C'est tout simplement au nom de la raison que le comte choisit de réprimer, trahissant ainsi la part de répression qui est inhérente à la raison lorsque celle-ci se décide à mettre de l'ordre dans la vie. Hors de son amour pour Gina et de ces moments de joie subite dont nous venons de parler, nous ne verrons donc jamais chez Mosca ni les caprices, ni les mouvements imprévisibles qui se font remarquer dans le roman chez tous les autres et même chez les princes (293, 472). Chez lui seul, à qui semblent manquer tout sens du sacré comme tout

7 On sait que Gina ne répond plus depuis quelque temps à ses lettres (401), et la joie qui éclate dans celle où il lui annonce son action militaire semble trahir la conscience d'avoir enfin fait quelque chose qui mérite le renouvellement de son estime (406-407).

8 Mosca reste au fond un homme d'honneur (285, 288, 301), et Stendhal souligne qu'à Parme on fait toujours plus visiblement bon marché de cette vertu (415).

sentiment esthétique, la prudence triomphe à presque tous les coups [9]. Et c'est parce que chez lui c'est la raison seule qui réprime, et de plus une raison qui est demeurée saine et qui ne surestime pas ses pouvoirs [10], que la répression qu'il exerce sur les autres sera le plus souvent modérée, et n'aura pas honte de dire sa logique. D'où la sincérité presque inquiétante de Mosca. Plus honnêtement que n'importe qui, il pourra résoudre ses problèmes personnels en menant, sans vouloir le cacher, une vie dédoublée et moralement dissymétrique. Il le fait en se ménageant avec Gina un refuge heureux et une position de repli [11]. Il le fait en distinguant absolument ce que lui dicterait en particulier son esprit et ce que l'oblige de faire et de dire son occupation professionnelle [12]. Il le fait encore, nous explique Stendhal, en séparant rigoureusement l'honneur personnel des exigences de la vertu (entendons, du sens altruiste du devoir social) [13]. Et c'est par suite aussi de ce parti pris de la répression exécutée au nom de la raison qu'il maintiendra devant la politique une attitude profondément ludique, y voyant toujours une « sorte de jeu d'échecs » [14]. Car cette attitude ne lui permet-elle pas de prendre toujours ses distances à Parme à l'égard des revers comme des succès ; d'y jouer avec un

---

9 Mosca n'a besoin d'aucune foi transcendante, et c'est pourquoi il se contente d'observer à propos de la foi de Fabrice, « cela est utile dans ce monde et dans l'autre », tout en l'encourageant à ne voir dans la théologie qu'un jeu de whist (137).

Quant aux arts, nous apprenons qu'il fait de l'archéologie (192) et qu'il sait apprécier le génie poétique de Ferrante Palla (124), mais rien d'autre ne suggère qu'il les aime. C'est là une différence notable, non seulement entre lui et la duchesse ou Fabrice, mais aussi entre lui et deux hommes d'état auxquels Stendhal a dû penser en le créant, le comte de Saurau, gouverneur de Milan, et le cardinal Consalvi, tous les deux amateurs enthousiastes des arts (*RNF*, p. 329 ; *VDR*, t. 2, p. 235).

10 Voir la prudence de Mosca à propos de ses propres raisonnements sous le coup de la jalousie, cité *supra* p. 143.

11 « C'est pour cela, disait le comte, que j'ai mis tout mon bonheur réel dans une autre passion que l'ambition. Que me fait tout le bataillon de garde au Palais qui sort et prend ses armes tout entier à l'aspect de mon chapeau et me salue du drapeau ? » (1414. ad. de l'ex. Chaper).

Stendhal a plusieurs fois recommandé cette vie double (*VHMM*, p. 34, 371 ; C, t. 1, p. 139 ; *J*, p. 1258).

12 Cf. *MSN*, p. 14-15 : « Dans tous les partis, plus un homme a de l'esprit, moins il est de son parti, surtout si on l'interroge en tête-à-tête. Mais, en public, pour ne pas *perdre sa caste*, il doit dire comme les meneurs. »

13 288 : « Le comte n'avait pas de vertu ; l'on peut même ajouter que ce que les libéraux entendent par *vertu* (chercher le bonheur du plus grand nombre) lui semblait une duperie ; il se croyait obligé à chercher avant tout le bonheur du comte Mosca della Rovère ; mais il était plein d'honneur et parfaitement sincère lorsqu'il parlait de sa démission. »

Stendhal établit ailleurs la même distinction entre l'honneur et la vertu en tant que « l'habitude de faire des actions pénibles et utiles aux autres » (*DA*, t. 2, p. 107). Le comte est donc par certains côtés immoral peut-être, mais son honneur l'oblige du moins à se montrer pour ce qu'il est, ce qui est loin d'être méprisable dans la politique (*Mélanges*, t. 1, *Politique, p.* 142-143).

14 111. Voir ce que dit Caillois des jeux (*op. cit.*, p. 12) : « Ce qu'on appelle jeu apparaît cette fois comme un ensemble de restrictions volontaires, acceptées de plein gré et qui établissent un ordre stable (...) dans un univers sans loi ».

sang-froid que ne sauront jamais y mettre ni Rassi, ni le prince, ni la marquise Raversi [15] ? Lui seul pourra dire, par exemple, à la duchesse (413) : « faisons comme au jeu de tric-trac, *allons-nous-en* ».

Cette résolution de ne voir qu'un jeu dans la politique lui est d'autant plus naturelle qu'il est pleinement conscient de la situation historique de sa classe, de laquelle il ne peut ni ne veut se séparer. Comme l'a fort bien observé Margaret Tillett, Mosca est aristocrate avant d'être homme politique [16] : « le comte, très fier de sa naissance, n'estimait que la noblesse prouvée par des titres avant l'an 1400 ». Et ce fut sans doute un peu cet orgueil de caste qui sous Napoléon le fit chercher la gloire avant de vouloir se faire une part au gouvernement des états de Parme [17]. Mosca sait pourtant que les privilèges de sa classe sont condamnés à disparaître dans un avenir prochain. Sa sincérité lucide lui fait juger qu'entretemps ce qu'il aurait de plus honnête à faire, c'est de continuer à défendre les intérêts de sa classe et de remplir un de ces rôles importants qu'en Italie on s'attend quand même encore à voir les aristocrates jouer [18] :

> Ce n'est pas à nous à détruire le prestige du pouvoir, les journaux français le démolissent bien assez vite ; à peine si la *manie respectante* vivra autant que nous, et vous, mon neveu, vous survivrez au respect.

Mais d'autre part cette conscience de sa situation historique l'empêche de prendre ce rôle trop au sérieux. Il sait que depuis Napoléon, le dernier des monarques peut-être auquel un noble pouvait prêter foi sans ridicule [19], le monde est entré dans l'âge du relatif et du purement utile [20]. Et cela ne fait que redoubler la pertinence de ce que déjà lui conseillait la raison : de participer à la politique comme s'il s'agissait d'un autre jeu. Ce qui, d'ailleurs, n'est pas non plus pour déplaire à son tour d'esprit aristocrate, enclin au jeu plutôt qu'au travail [21].

La vision ludique de la politique sur laquelle débouche ainsi chez

---

[15] 112 : « un homme qui parlait si lestement d'une place si enviée et qui était sa seule ressource ».

[16] 360. Cf. *Stendhal, the background to the novels,* Londres, Oxford University Press, 1971, p. 125.

[17] Mosca était alors « fou de la gloire » (111), et dans la *Vie de Rossini* Stendhal avait remarqué que la gloire militaire était interdite aux Italiens avant Napoléon (t. 1, p. 15-16). Raison de plus pour un aristocrate de servir la libération de son pays (*JL*, t. 2, p. 276-277).

[18] 151. Voir encore 1409 (ad. de l'ex. Chaper) : « Les sottises ignobles des jacobins donneront dans quarante ans d'ici, de belles chances de succès aux hommes de grande naissance qui voudront s'appliquer aux affaires et ne choquer personne. »

[19] Car ses actions, sinon la loi de succession, lui avaient donné une certaine légitimité aux yeux de Stendhal. Cf. 1408 (ad. de l'ex. Chaper) ; *PDR*, p. 789 ; H. F. Imbert, *op. cit.*, p. 87.

[20] Stendhal savait bien que « les lois proposées par Jérémie Bentham frappent au cœur de toute aristocratie » (*JL*, t. 3, p. 185).

[21] Cf. à ce propos, J. Huizinga, *op. cit.*, p. 170-174.

Mosca la souveraineté de la raison, n'a certes en elle rien d'original [22]. Mais cette vision acquiert des sens plus précis dans un roman où le monde est plus que jamais réduit à l'incertain et au gratuit, roman où chaque protagoniste joue à sa manière sa vie. Ce n'est pas en effet à n'importe quel jeu qu'on peut comparer la politique ; c'est dans une catégorie bien définie que Mosca la place lorqu'il l'assimile aux échecs. Si l'on compare, par exemple, le jeu d'échecs à la *mimicry* de Gina, il est clair que dans les échecs, la délimitation plus stricte du champ fait mieux ressortir que c'est un ordre que le jeu cherche à substituer à la réalité, à l'exclusion de tout ce qui est contingent. Dans son jeu, Mosca distinguera donc mieux que son amie la différence entre le champ de cette activité et la vie dans toutes ses manifestations diverses. Il gardera de même une conscience plus nette de jouer un rôle restreint en y participant (185) : « C'est que nous sommes environnés d'événements tragiques, (...), et j'ai réellement tort de vous parler de toutes ces choses en riant. » Peut-on s'étonner alors que le premier ministre, tout en se prêtant à la part de cabotinage qu'il ne peut éviter dans son rôle politique (cheveux poudrés et uniformes à l'occasion (151), comédies ridicules au château), refuse de théâtraliser sa vie comme Gina ? Plus essentiellement égoïste et dépendant moins de ses rapports avec les autres, il est à peu près sans vanité [23] : « Jamais le comte n'avait eu l'idée baroque d'épouser cette vieille princesse ; rien ne fût allé plus mal à un homme que les cérémonies de cour ennuyaient à la mort ». De plus, les échecs et les autres jeux semblables où prédomine l'esprit de concurrence, sont gouvernés par des règles bien définies, règles qui réduisent la part du hasard et assurent le succès à celui des joueurs qui aura su calculer plus juste. Certes, il serait exagéré de prétendre que ces coups de hasard qui fascinent Fabrice laissent Mosca absolument indifférent. Comment le pourraient-ils, alors qu'il est si résolu à imposer l'ordre ? Tout son jeu n'est-il pas une gageure, entreprise non seulement contre les coups de tête du prince, mais aussi contre les interventions continuelles de l'imprévu dans les affaires de l'Etat ? Il a beau le souhaiter, la politique ne se laisse pas réduire à la raison pure d'un jeu d'échecs, mais tient tout aussi bien par d'autres côtés à des jeux comme le tric-trac où il y a une part de hasard (413), et il importe beaucoup à Mosca de savoir profiter « en homme d'esprit de l'accident qui lui arrivait » (116). Ce genre de jeu où il y a de l'imprévisible, mais où la raison peut toujours gagner, a donc tout pour plaire à Mosca, lequel ne veut s'abandonner, ni au vertige magique de la *mimicry* qui donne à Gina tant d'animation, ni à la contemplation passive du hasard qui nourrit la rêverie de Fabrice. Nous verrons d'ailleurs que la préférence de Mosca pour un jeu qui est surtout « agonistique » aura même certaines conséquences précises pour son choix d'une ligne politique.

---

[22] A partir du moyen âge en Europe, on compare fréquemment la politique aux échecs (cf. surtout, autour de 1275, Jacobus de Cessolis, *Moralisatio super ludum scaccorum*).

Dans les autres romans de Stendhal, Altamira et François Leuwen feront par exception usage de la comparaison (*RN*, p. 497 ; *LL*, p. 1081).

[23] 296. Sauf peut-être celle que donne sa supériorité d'esprit.

Dans les jeux de rivalité, les participants doivent et se défendre sous peine d'être éliminés, et chercher à se rendre maîtres absolus du terrain. Leur intérêt personnel prime ainsi tout, et un des traits du rationalisme de Mosca est de ne jamais cacher cette logique. Devant Fabrice, il la posera au contraire en règle fondamentale de l'existence en insistant sur le droit de légitime défense (184-186) :

> Mais il me semble, (...), que Votre Excellence, qui aime tant les Français, (...), oublie en ce moment une de leurs grandes maximes : Il vaut mieux tuer le diable que si le diable vous tue.
>
> Mais entre nous, puisque ce valet de chambre tenait votre vie entre ses mains, vous aviez le droit de prendre la sienne.
>
> De tous temps les vils Sancho Pança l'emporteront à la longue sur les sublimes don Quichotte.

La simple survie fait donc pour Mosca partie intégrante du bonheur personnel qu' « il se croyait obligé avant tout à chercher » (288), et c'est là une différence notable entre lui et les autres protagonistes, pour qui il n'y a rien au-delà de la passion. Par ailleurs, une telle insistance sur la défense de ses intérêts implique comme de raison le droit de défendre les privilèges dont il jouit ; pour Mosca comme pour Fabrice y renoncer serait une « duperie » insigne (288, 167). C'est donc avec une logique parfaite que Mosca se battra contre l'insurrection qui risque de l'écarter du pouvoir ainsi que les autres aristocrates. Et il n'hésitera point à se mettre au pas du siècle lorsqu'à Parme sous Ernest V, comme en France sous Louis-Philippe, l'argent devient la seule chose solide qui permette de se défendre[24]. Ainsi nous ne le verrons jamais abandonner ce qu'il considère un intérêt de poids. Se trouve-t-il dans une situation où ses intérêts se contredisent, sa réaction naturelle est de manœuvrer pour éviter d'avoir à choisir. Même devant l'arrestation de Fabrice et la froideur subséquente de Gina, il fera tout au fond pour ne pas démissionner[25]. Mis au pied du mur, Mosca renoncerait sans doute au pouvoir afin de garder la duchesse ; il saurait même y mettre bonne grâce. Mais on sent qu'en le proposant à sa maîtresse, Mosca parie inconsciemment sur son refus, devinant qu'à ses yeux il suffira largement de lui faire offre de ce sacrifice[26]. N'était-ce pas en effet avec une entente aussi sûre de l'harmonisation de ses intérêts qu'il l'avait convaincue autrefois de venir s'installer à Parme, où elle saurait servir sa politique ? Et si c'est surtout pour

[24] L'évolution du régime à cet égard est fortement soulignée (414-415, 426-427, 430). Avant, tout en ne méprisant point l'argent, Mosca n'a pas pensé à en gagner beaucoup (134, 305, 413). Il n'a ni volé comme Soult en Espagne (111), ni profité autant qu'il l'aurait pu de sa position sous Ernest IV (305, 411).

[25] Dans l'exemplaire Chaper, Stendhal voulait ajouter cette recommandation de Mosca à Fabrice (1411) : « Décide le moins possible (...)». Rappelons d'autre part que lorsque Gina n'a pas encore consenti à s'établir à Parme et que Mosca lui offre déjà de quitter le ministère, Stendhal a tenu à préciser que (119) : « le comte Mosca était presque de bonne foi quand il lui offrait de donner sa démission ».

[26] Et c'est pourquoi il soumet d'abord à la duchesse la lettre de démission qu'il écrit au prince (298-299).

garder la duchesse que Mosca protègera Fabrice, est-il cependant sans arrière-pensée en proposant l'archiépiscopat pour son neveu ? Il sait après tout que ses ennemis ont déjà jeté leur dévolu sur le poste (193).

Cependant Mosca n'est pas un égoïste froid ; « c'est un homme aimable, et d'un cœur bien rare » (256). D'abord parce qu'il est assez hédoniste, et aux yeux de Stendhal l'hédonisme bien compris avait du moins cet avantage, qu'il nous préserve des pires excès, lesquels risqueraient de troubler nos plaisirs [27]. Ensuite parce que sa philosophie de l'intérêt débouche sur un utilitarisme qui est suffisamment généreux. Nous le voyons ainsi tolérer la religion comme « utile dans ce monde et dans l'autre » (137), et dire du mariage de convenance entre Gina et le duc Sanseverina-Taxis qu'il « n'est une friponnerie envers personne, voilà l'essentiel » (123). Logique, le comte est persuadé que les autres sont obligés d'agir de même, que ce soit en tant qu'individus ou dans leurs collectivités de classe ou de nation (123) : « Notre politique, pendant vingt ans, va consister à avoir peur des jacobins, et quelle peur ! (...) Tout ce qui pourra diminuer un peu cette peur sera *souverainement moral* aux yeux des nobles et des dévots. » Dans la morale, Mosca ne voit donc jamais que des valeurs relatives, comme nous aurons à le constater encore à propos de la justice. Et on pourrait certes se croire autorisé de postuler là une contradiction avec la fierté dont il fait preuve au sujet de sa noblesse d'âme et de naissance, puisque cette noblesse devait plutôt le porter à croire à des valeurs innées et absolues. Son sentiment de l'honneur le distingue après tout de cet autre utilitariste qu'est François Leuwen [28]. Mosca lui-même ne semble pourtant pas sentir le poids de cette contradiction. Car il croit apparemment, comme Stendhal lui-même, que dans la mesure où il se trouve posséder le sentiment aristocratique de l'honneur, d'un point de vue philosophique il s'agit là d'une exigence intime dont il lui arrive d'avoir hérité, et qu'il lui faut assurément satisfaire, mais d'une exigence qui n'a rien d'absolu et qui a bel et bien pour origine les intérêts de sa classe et de la monarchie [29]. Utilitariste affranchi ainsi des composantes illusoires des valeurs nobles, Mosca est par ailleurs très conscient — tout autant que l'était Stendhal — de la déformation que risque de subir sa philosophie dans le camp

[27] Cf. *LL*, p. 1030 : « Mon père a raison : il faut vivre à Paris, et uniquement avec les gens qui mènent joyeuse vie. Ils sont heureux et par là moins méchants. »

[28] Cf. *LL*, p. 1316.

[29] Cf. *DA*, t. 1, p. 189, 233, 235-236 ; *VHB*, p. 168. Mosca garde donc comme Stendhal un utilitarisme bien compris comme base philosophique pour ses exigences d'honneur et de générosité. Cf. *DA*, t. 2, p. 172 : « Dans presque tous les événements de la vie, une âme généreuse voit la possibilité d'une action dont l'âme commune n'a pas même l'idée. A l'instant même où la possibilité de cette action devient visible à l'âme généreuse, il est de *son intérêt* de le faire ». Et Mosca « avait une de ces âmes rares qui se font un remords éternel d'une action généreuse qu'elles pouvaient faire et qu'elles n'ont pas faite » (163).

opposé, aux mains des républicains bourgeois [30]. Plus que ne l'est aucun autre héros, il se trouve en somme assez à l'aise devant le conflit qui chez Stendhal est toujours prêt à rebondir entre la philosophie de l'intérêt et la morale cornélienne. Plus primitivement noble, Gina le lui reprochera toujours un peu, y voyant la source d'une courtisanerie suspecte et indigne d'un aristocrate [31]. Mosca tirera cependant de sa philosophie l'avantage sur elle de pouvoir mieux s'adapter aux réalités du gouvernement, qui est toujours affaire du plus ou moins utile [32] ; Fabrice l'appréciera « à mesure que les affaires lui apprenaient à connaître la méchanceté des hommes » (472). Et nous verrons que c'est essentiellement grâce à cette philosophie qu'au moment de la révolte, Mosca aura peut-être une idée plus juste des véritables intérêts du peuple et de l'état de Parme que ne l'a Ferrante Palla [33]. En fait, ce qu'il y a de nécessairement désagréable dans le rôle que le comte s'est choisi, se trouve presque entièrement racheté par sa lucidité honnête, lucidité qui ne laisse pas comme Fabrice s'aveugler sur lui-même [34], ni tromper les autres quant à ses mobiles [35]. Lui connaît l'*examen personnel* que négligent la duchesse et son neveu. On s'aperçoit même qu'afin de se garder contre toute prétention et toute hypocrisie, le comte le plus souvent exagère la part de l'intérêt dans ses mobiles. Ainsi, par exemple, lorsqu'il prétend ne jamais vouloir faire pendre personne, uniquement parce que « les fils et la famille du pendu me vouent une haine qui durera autant que moi et peut-être abrègera ma vie » (139). Ainsi probablement, lorsqu'au début du roman il prétend servir Ranuce-Ernest rien que pour pouvoir gagner sa vie, comme s'il n'avait aucune ambition de mieux ordonner les affaires de l'état [36].

---

30 Stendhal fait dans la *Chartreuse* une satire jolie du calcul purement quantitatif de l'intérêt chez les libéraux, lors de l'évasion de Fabrice (396) :

> « Quelques libéraux connus par leur imprudence, et entre autres le médecin C***, agent payé directement par le prince, ajoutaient, mais en se compromettant, que cette police atroce avait eu la barbarie de faire fusiller huit des malheureux soldats qui avaient facilité la fuite de cet ingrat de Fabrice. Alors il fût blâmé même des libéraux véritables, comme ayant causé par son imprudence la mort de huit pauvres soldats. »

Ces sortes de calcul semblent à Mosca, comme à Stendhal, des duperies aliénantes. Cf. 288 ; *DA*, t. 2, p. 37-38 ; *LL*, p. 1358 ; Michel Crouzet, « Misanthropie et vertu : Stendhal et le problème républicain » : *Revue des Sciences Humaines*, jan. 1967, p. 29-52.

31 Par sa « prudence méticuleuse », « cette âme vulgaire n'est pas à la hauteur des nôtres » (284).

32 Voir la discussion très pertinente à cet égard entre Lucien Leuwen et Coffe (*LL*, p. 1267-1268).

33 Cf. *infra* p. 159-163.

34 Notons que c'est aussi sa philosophie de l'intérêt qui ne permet pas à Mosca de s'aveugler comme Fabrice sur une action comme la simonie (212).

35 *VHB*, p. 206 : « Un diplomate est moins bas en ce qu'il dit ouvertement : « Je ferais tout ce qu'il faut pour avancer ». Le peuple méfiant aime d'ailleurs mieux pouvoir voir les mobiles, même bassement intéressés, de ses hommes politiques (*LL*, p. 1312-1313).

36 Non que Stendhal le trouve méprisable de gagner ainsi sa vie, et si possible un peu de gloire (*LL*, p. 1192-1193). Mais il est également clair qu'il ne voit pas en Mosca un Talleyrand voulant uniquement faire la grande fortune que son train de vie exige (*MSN*, p. 329).

Ce que Mosca estime alors être dans les possibilités d'un gouvernement, nous le verrons un peu plus loin. Nul doute cependant qu'à ce jeu le comte entend toujours gagner, puisque ne suffit pas une attitude défensive (111-112) : « Une fois entré dans cette sorte de jeu d'échecs, choqué des insolences de mes supérieurs, j'ai voulu occuper une des premières places ». Comme on le voit, le comte Mosca, qui n'éprouve aucune difficulté à accepter le besoin social de l'ordre et de la répression, sait d'expérience que tout ordre implique une hiérarchie, et que celle-ci est toujours le résultat arbitraire de la réussite de certains dans un jeu où tous ont poursuivi leurs intérêts [37]. Pourquoi cet aristocrate exceptionnellement intelligent se refuserait-il alors de briguer le succès en laissant son empreinte sur l'ordre qu'on finira par imposer à Parme ? Mais il y a plus. Car le tenter est pour lui une gageure tout aussi passionnante et glorieuse que la maîtrise d'un champ de bataille. Stendhal lui-même en savait quelque chose, et Mosca illustrerait parfaitement ce qu'il avait dit dans *De l'Amour* des plaisirs que donne le pouvoir [38]. Si Mosca aime donc gagner et régner, il faudrait cependant préciser ce qui à cet égard le distingue, non seulement de la duchesse, mais surtout de Ranuce-Ernest et d'un personnage comme François Leuwen. Car eux tous aiment aussi régner, sans que ce rôle leur réussisse toujours [39], tandis que Mosca réalise à ce jeu une belle et heureuse maturité, telle qu'au fond ne l'atteindront jamais ni François Leuwen, ni même Gina.

Pour la duchesse, la distinction à faire est aisée. Mosca ne se sent nullement appelé comme elle à rivaliser avec les forces de la nature. Au contraire, nous avons vu que la répression de la nature est plutôt son fait, et c'est pourquoi dans la politique, Mosca paraîtra toujours plus formaliste et plus passif que son amie, ayant l'air de suivre plutôt que de devancer les initiatives finalement imprévisibles de cette nature qu'il voudrait contrôler. De plus, le pouvoir que cherche Mosca est extérieur à lui-même, alors que Gina veut exercer une force qu'elle sent se produire en elle, et nous avons vu que chez le comte cela introduit une conscience dans le jeu qui manquera toujours à la duchesse. Or, cette même conscience dans le jeu le distingue également du prince, plus absolument esclave de ses passions et de ses frayeurs. Car celles-ci font que c'est la possession même du pouvoir que le prince aime avant tout, tandis que Mosca, joueur véritable, apprécie surtout de le reconquérir, gageure toujours renouvelée. Comme l'a dit à propos de l'argent Stendhal, « pour un pays comme pour un individu, ce n'est pas tant être riche qui fait le bonheur, c'est de le devenir » [40]. Mosca aime donc ce jeu pour lui-même, et il se réjouit au fond de savoir qu'il ne suffit plus d' « avoir reçu le pouvoir de la Provi-

[37] C'est là le sens de l'histoire racontée par Fabrice et approuvée par Mosca, qui explique l'origine de la fortune des del Dongo (186).

[38] *DA*, t. 1, p. 201 n. Pour un exemple de cette tentation chez Stendhal lui-même, voir le *Journal*, p. 735 et *RNF*, p. 576 : « L'on me mène à l'église des Jésuites, (...). Je sens un peu de ce respect qu'inspire le pouvoir, même le plus scélérat, lorsqu'il a fait de grandes choses. »

[39] A propos du prince, Stendhal dira dans l'exemplaire Chaper que c'est « un homme d'esprit gâté par la toute-puissance » (1412).

[40] *VDR*, t. 1, p. 121.

dence », mais qu' « en ce siècle-ci, il faut beaucoup d'esprit et un grand caractère pour réussir à être despote » (306). Dès lors, on sent qu'il ne lui déplaît pas non plus de jouer à partir d'une position de faiblesse, où il ne doit sa situation qu'à son talent de ménager les peurs toujours renaissantes du prince, « source unique de la faveur dont je jouis » (127). De même, il met son amour-propre à gagner avec autant de grâce que possible, avec un minimum d'efforts et surtout sans gaspillage de sang. Le coup qu'il préfère est le coup psychologique, et il sait tout aussi bien tirer parti de tout le symbolisme prestigieux du pouvoir que cuisiner la presse du pays et travailler le bruit public [41]. Toujours il évite ces mouvements violents qui, selon Gina citant Napoléon, conviennent si mal à ceux qui sont au pouvoir (448). Surtout, nous avons déjà remarqué que la conscience de jouer lui donne la sagesse de ne pas mettre tout son amour-propre à gagner la partie engagée (413), et même en gagnant, de ne pas se croire en droit d'être toujours « plus heureux qu'un autre » (154). Intéressé mais beau joueur, Mosca atteint par là au désintéressement qui manque absolument à Rassi et au prince, désintéressement qui est pour Stendhal, et surtout dans *La Chartreuse de Parme,* la marque des meilleures administrations comme des âmes les plus heureuses [42]. Et si c'est là un paradoxe, soulignons que c'est bien à l'esprit du jeu que le comte devra le bonheur de savoir maintenir un équilibre entre l'intérêt personnel et le désintéressement. Pour avoir refusé son attitude ludique, Ferrante Palla, rêvant, entre autres choses, à des rapports d'une pureté impossible entre la vie privée et la vie publique, verra sa politique condamnée au donquichottisme [43].

On peut d'ailleurs mesurer la réussite morale de Mosca à l'égard de la possession du pouvoir en le comparant à ses prédécesseurs dans l'œuvre romanesque de Stendhal, et notamment à François Leuwen et au marquis de La Mole. Qu'ils possèdent réellement, ou qu'ils aspirent au pouvoir, pour étudier ces personnages, c'est toujours sous le même angle que Stendhal les prend. Or ce qui l'intéresse à leur sujet, c'est la question morale et psychologique suivante : comment peut-on, à un âge plus avancé que celui des jeunes héros, ré-

[41] Voir la manière dont il s'y prend pour subjuguer la volonté de Landriani à coups de grand cordon (151), ou pour prévenir Ernest V contre les abus en lui montrant la statue cassée de son père (429). Voir sa fondation d'un journal ultramonarchique, « dont l'idée est peut-être mon chef-d'œuvre » : « au fond j'aime mieux cent absurdités atroces qu'un seul pendu. Qui se souvient d'une absurdité deux ans après le numéro du journal officiel » (138-139). Voir en outre la manière dont Mosca sait faire supprimer ou changer le sens de toute nouvelle gênante, qu'il s'agisse de la promenade aux flambeaux (239-240), ou de la manière dont Fabrice s'y est pris pour s'évader (396). C'est bien lui qui verrait comme Stendhal dans l'art politique, la « manière d'amener les autres à faire ce qui nous est agréable, dans les cas où l'on ne peut employer ni la force ni l'argent » (*RNF*, p. 423).

[42] Dans les *Mémoires d'un Touriste* il venait justement d'en louer les avantages politiques à propos du régime de la Grande Chartreuse, « *juste et impassible* » (t. 2, p. 241).

[43] Stendhal insiste, par exemple, sur les scrupules qu'a Ferrante en gagnant sa vie comme un nouveau Robin des bois (355-356).

soudre ce même problème qui les tourmente tous, à savoir, celui de réconcilier la vie intime des sentiments et de leurs valeurs idéales avec la vie de la raison, de la science et de la société ? Peut-on être en même temps un homme heureux, homme de passions ou de plaisirs intenses, et un homme sachant faire le nécessaire sur le plan politique pour une société donnée ? La solution du problème renvoie toujours Stendhal à une certaine vision qu'il avait des grands diplomates de l'Ancien Régime. Il donnera par conséquent à Mosca plusieurs traits qu'il avait auparavant donnés au marquis de La Mole et à François Leuwen, à certains papes et cardinaux des récits italiens, aux condottieri comme Fabrice Colonna : de l'esprit, de l'individualisme, du savoir-vivre mondain, et un côté conservateur plus ou moins fortement marqué [44]. Mais sous d'autres rapports on n'a aucune difficulté à distinguer Mosca de ses prédécesseurs, et surtout de monsieur de La Mole et de François Leuwen. Car eux sont riches et Mosca pauvre, et la nécessité de gagner sa vie semble pousser Mosca à acquérir un vrai pouvoir tel qu'il leur échappera toujours. D'autre part, Mosca est sans aucun doute plus proche qu'eux des jeunes héros en ce qu'il est vraiment passionné et ne craint pas les sentiments élevés comme le père de Lucien [45]. Tant sur le plan politique que sur le plan moral, Mosca est en somme nettement plus sérieux que monsieur de La Mole et que Leuwen. Il ne souffre pas comme eux de l'ennui et de la paresse [46], et ne donne pas dans la frivolité et les caprices pour essayer de s'en dédommager [47] ; prudent, il n'est pas comme eux « trop de premier mouvement pour être politique » [48], et n'a pas non plus l'extrême vanité intellectuelle qui est si marquée chez le père de Lucien [49]. Or cela suffit-il à expliquer comment Mosca réussira à joindre la vie d'un homme de vraies passions à celle d'un grand homme politique, alors que ces êtres moins passionnés n'arrivent quand même pas à peser lourd sur le plan gouvernemental ? Evidemment non, car en s'engageant plus sérieusement dans les passions comme dans les affaires de l'état, Mosca aggrave en réalité le dilemme dont selon Stendhal souffrent tous les hommes qui prétendent au pouvoir.

En fait, la vraie raison de son succès apparaît seulement si l'on compare le jeu de Mosca avec le jeu de François Leuwen. Car pour se désennuyer et pour satisfaire sa vanité [50], le père de Lucien joue aussi, à la Bourse et à la politique, « ce joujou à la mode » [51]. Mais

---

44 Cf. *RN,* p. 311, 416, 457 ; *LL,* p. 768-769, 777 ; *CI,* t. 1, p. 74-75, 172-174, 226. Il est vrai que dans sa jeunesse M. Leuwen a été républicain, mais il en est revenu, et en gagnant de l'argent est devenu assez conservateur, comme on le voit, par exemple, dans ses rapports avec le roi (*LL,* p. 1303-1304).

45 Cf. *LL,* p. 777, 1156, 1316.

46 Cf. *RN,* p. 452, 710 ; *LL,* p. 768.

47 Cf. *RN,* p. 441, 469 ; *LL,* p. 772.

48 *LL,* p. 1360. Cf. aussi *RN,* p. 628-630.

49 *LL,* p. 1098-1099.

50 *LL,* p. 1285-1289, 1410.

51 *LL,* p. 1312 ; Cf. aussi p. 1144 : « il fallait me mettre en position de jouer quelque bon tour à mes deux ministres ». Cela le rapproche de Talleyrand, qui n'aurait fait la politique, selon Stendhal, que pour payer ses plaisirs et satisfaire son goût du jeu (*LL,* p. 820, 823, 1111, 1338, 1571. Voir *MSN* p. 329-331).

son jeu n'est pas le jeu serré de Mosca qui voudrait mettre de l'ordre dans la nature. C'est plutôt divertissement et jeu de hasard, mise au défi railleuse d'une Providence et d'une société que Leuwen méprise avant tout [52]. Dans une esquisse pour la continuation du roman, le banquier devait faire voir le néant de toutes les manœuvres ministérielles par un coup d'une gratuité absolue, en ne faisant renverser un Ministère que pour le reconstituer identique [53]. Suprême pari par lequel Leuwen se serait enfin révélé un Dieu-Banquier irresponsable à la mesure de la monarchie de juillet [54]. Mosca par contre joue sérieusement — comme nous savons qu'on le peut — afin de substituer par son jeu si réglé l'ordre social qui est nécessaire au « primitivisme » de Gina et de Fabrice. Son jeu est donc moins du côté du divertissement gratuit, que du *ludus* savant qui selon Caillois et Huizinga rend possible l'essor de la culture [55]. Or un tel jeu n'a de vertu que réglé, et Mosca se montrera résolument hostile à tout changement qui en détruirait l'équilibre, que ce soit une révolution de plébéiens, ou tout simplement un prince naïf, partenaire impossible dans ce jeu de la raison, puisqu'il ne sait « garder trois jours de suite la même volonté » (412). C'est là un jeu qui est tout autre que celui de François Leuwen, un jeu qui permet de faire le nécessaire pour la vie de la cité, sans pour autant obliger Mosca à renoncer à ses intérêts intimes. Mosca ne voudrait pas comme Leuwen, être un dieu qui s'amuse aux dépens des hommes ; il voudrait plutôt être Dieu comme l'est Wolmar dans *La Nouvelle Héloïse,* souverain organisant l'ordre terrestre qui conviendrait aux « *happy few* » [56].

La politique que Mosca mènera face aux réalités de son époque se révélera parfaitement cohérente avec les conceptions que nous venons d'analyser. Utilitaire et homme d'esprit, il rejette comme Stendhal lui-même tout effort pour imposer l'autorité en ce qui concerne les idées, mais en accepte la nécessité dans les affaires pratiques de l'état, sachant que le jeu social est toujours arbitraire dans son ordre comme dans ses origines [57]. Aristocrate et soldat, il semble comme de raison prendre l'armée comme modèle de cette nécessité, puisque l'autorité s'y légitime par les buts qu'elle se propose. Se nommer général en chef devant les émeutiers de Ferrante est une action qui lui plaît par sa franchise absolue (407), et ce qu'il trouve le plus à louer dans Ernest IV, c'est qu'il « avait fait la guerre et commandé des corps d'armée, ce qui lui avait donné de la tenue ; on trouvait en lui l'étoffe

52 *LL,* p. 1112-1113, 1283, 1289, 1330-1331.

53 *LL,* p. 1571.

54 Nous avons déjà remarqué que l'assimilation entre son père et Dieu affleure continuellement dans la pensée de Lucien (*LL,* p. 1161, 1359).

55 Caillois emploie *ludus* pour distinguer le côté plus organisé des jeux, celui qui contribue le plus à la création de la culture, et qui a surtout intéressé Huizinga, *op. cit.,* 113-130.

56 Le rapprochement n'est peut-être pas aussi arbitraire qu'on pourrait le penser ; il reste beaucoup à dire de l'influence de ce roman et des *Confessions* sur les romans de Stendhal.

57 137. Pour Stendhal, le seul impérialisme absolument néfaste est celui de la pensée (*CA,* t. 2, p. 484-485).

d'un prince, et je pouvais être ministre bon au mauvais » (411-412). Sans doute Mosca aimerait-il mieux avoir, dans l'armée comme dans l'état, une autorité jeune et de génie, réunissant tous les prestiges comme le fait une femme aimée aux yeux de ses serviteurs [58]. Tel fut aussi le bonheur de l'armée républicaine dans cet Age d'Or sur lequel le roman s'ouvre (27) : « Ces soldats français riaient et chantaient toute la journée ; ils avaient moins de vingt-cinq ans, et leur général en chef, qui en avait vingt-sept, passait pour l'homme le plus âgé de son armée ». Mais Mosca sait que le plus souvent l'autorité que la raison impose dans l'intérêt de la cité réprime la passion de la jeunesse et s'identifie forcément avec les vertus tristes de la vieillesse (154) : « Ah ! quelques soins que je prenne, c'est surtout mon regard qui doit être vieux en moi ! » Gina ajoutera, « Quel malheur ce serait d'être ministre jeune ! » (256). La conscience sceptique de Mosca l'inclinera donc à vouloir pallier ces inconvénients en acceptant en connaissance de cause l'autorité qui se trouve déjà en place, aussi longtemps que celle-ci saura commander le consentement de la majorité. Ainsi lorsque les rois seront tombés, le comte servira volontiers Napoléon, et lorsque celui-ci aura échoué à son tour, Mosca ne verra pas pourquoi les monarques restaurés constitueraient des autorités moins acceptables, étant donné que désormais l'époque exige une politique de gestion. On comprend que Mosca puisse consentir, avec tranquillité sinon sans regret, au pouvoir supérieur et déterminant du prince qui finira par révolter Gina.

Cela dit, lorsqu'on veut pénétrer plus avant dans la politique de Mosca, on a d'abord l'impression que Stendhal a cherché à ne pas y donner trop de précision. Visiblement, il a craint d'alourdir la stylisation si raffinée qui donne tant de grâce à ce roman. Que devient, en effet, le libéralisme de Mosca, auquel l'incline forcément son esprit [59] ? S'il finit en chef des libéraux, l'ayant été auparavant des ultras (118, 412), n'est-ce là qu'un reflet de la gratuité à laquelle le prince a su réduire les partis [60], ou n'est-ce qu'un trait lancé encore par Stendhal contre le caractère intéressé des libéraux — en Italie comme dans d'autres pays [61] ? Faut-il en conclure qu'il manque à Mosca des convictions un peu sérieuses [62] ? En réalité, Stendhal nous a laissé des indications suffisamment parlantes pour que nous puissions dégager les composants principaux de sa politique. De ceux-ci il ressort que ses

[58] Cf. *supra* p. 112-114.

[59] On sait que selon Stendhal, comme selon le prince et la princesse dans la *Chartreuse*, l'esprit est toujours « un peu cousin germain du jacobinisme » (426, 147).

[60] 119 : « Le prince était fort attentif à ne pas décourager celui des deux partis qui n'était pas au pouvoir ; il savait bien qu'il serait toujours le maître, même avec un ministère pris dans le salon de madame Raversi ».

[61] 126 : « il [Conti] tient aussi à reproduire l'affabilité noble du général Lafayette, et cela parce qu'il est ici le chef du parti libéral (Dieu sait quels libéraux !) ».

On sait que dans *Le Rouge et le Noir*, Stendhal ne traite pas autrement les libéraux français, et que M. de Rênal anticipe, avec plus de cynisme, sur la manœuvre de Mosca passant du parti ultra au parti libéral (p. 436, 668).

[62] Comme semble le suggérer L. Bersani, *Balzac to Beckett*, p. 93-94.

convictions ne diffèrent pas essentiellement de celles de Stendhal lui-même.

Sceptique et pragmatique, Mosca le reste, face à l'état comme face à l'autorité et face à la vertu altruiste. Comme Stendhal, il a compris que ce qui compte ce n'est pas tant les articles d'une constitution mais la manière dont on les applique [63], ce n'est pas tant les méfaits isolés mais la tenue générale d'un régime [64]. Est-ce jamais l'état lui-même d'ailleurs qui peut donner le vrai bonheur, lequel ne peut être que personnel [65] ? Mosca paraît en douter, car nous le voyons rejeter les illusions d'un républicanisme qui est trop rigidement adonné au calcul purement quantitatif [66], et il évite manifestement de trop intervenir dans les affaires personnelles du peuple. Ce qui, soit dit entre parenthèse, éclaire encore le parallèle que Stendhal finit par établir entre le régime de Mosca à Parme et la Toscane sous les grands-ducs, pays où le fameux ministre Fossombroni « a adopté une excellente règle d'administration : pour gouverner bien, semble-t-il dire, il faut gouverner le moins possible » [67]. Aussi Mosca sait-il fort bien qu'il y aurait même de la tyrannie à forcer un peuple à assumer plus de liberté qu'il n'en veut [68], et c'est probablement là ce qui a suggéré à Stendhal de faire suivre Napoléon par Mosca en Espagne [69]. Car la grande leçon de cette guerre était pour Stendhal le refus obstiné du peuple espagnol, quelque opprimé qu'il fût, de se laisser imposer la liberté [70].

Cependant, la politique de Mosca ne se laisse pas réduire à une politique de laissez-faire. Il paraît chercher, au contraire, à profiter des dures leçons qu'avait données aux Italiens l'occupation française de leur pays. Leçons d'efficacité et d'ordre administratifs qui malheureusement rendront Mosca suspect aux yeux des libéraux officiels (118-119), mais qui ouvrent en réalité la voie à une réforme lente et sûre. Mosca ne ressemble-t-il pas absolument à ces hommes décrits par Stendhal dans ses reportages sur l'Italie [71] :

---

63 Cf. *PDR*, p. 891-892 : « Qu'importe la *lettre* d'une charte ? C'est la manière de la mettre en pratique qui fait tout. »

64 Cf. *RNF*, p. 418 : « Bel exemple, qui montre le ridicule des vertus domestiques dans un roi, surtout quand les journaux salariés veulent nous les donner en échange des vertus de son métier ! Ah ! Dieu nous accorde un Napoléon, quand il devrait chaque mois se donner le plaisir de trancher la tête lui-même à deux ou trois de ses courtisans ! »

65 Cf. *LL*, p. 1515 : (Lucien) « Moi, je ne sens point que j'aurai un bonheur suprême avec la République. Ma sensibilité ne sera point choquée par les spectacles atroces, les arrestations préventives, le massacre de la rue Transnonain, etc. etc. Mais l'absence de ces maux n'est point pour moi le bonheur. Il me semble que le mien dépendra toujours de mes actions personnelles. Il faudrait d'abord avoir une passion, ensuite pouvoir la satisfaire. »

66 Cf. *supra*, note (30).

67 *CA*, t. 2, p. 83 et 493. Voir aussi *C*, t. 1, p. 882 : « Je ne veux pas que le g(ouvernement) se mêle *le plus possible* de mes affaires ».

68 *VDN*, p. 63, 65, 153-158.

69 111. Et non l'exemple de tant d'officiers italiens qui y ont combattu, tels les Bertoletti, Pino, Lechi, Zucchi (*RNF*, p. 422).

70 *VDN*, p. 153-158.

71 *RNF*, p. 378-379.

> que Napoléon avait recrutés de Domodossola à Fermo et de la Pontebba à Modène, pour remplir les emplois de son royaume d'Italie. Ces anciens employés, reconnaissables à l'air fin et à leurs cheveux grisonnants (...) soutiennent qu'avant les Deux Chambres, il fallait à l'Italie vingt ans du despotisme et de la gendarmerie de Napoléon. (...). Ils étaient remarquables moins par le génie et l'enthousiasme que par l'*esprit d'ordre* et par l'*activité* continue, qualités fort rares chez un peuple passionné, esclave de la sensation du moment.

Comme eux, Mosca voit la solution présente dans la continuité et non dans la rupture ; il dira, un peu comme Stendhal lui-même sous le régime de Louis-Philippe [72] : « Avec ces propos de république, les fous nous empêcheraient de jouir de la meilleure des monarchies. »

Les autres fervents de Napoléon dans la *Chartreuse,* de Gina et Fabrice à Ferrante et Giletti, semblent surtout aimer rêver à son propos du seul roi qui soit presque arrivé à unifier toute l'Italie en en expulsant les autres étrangers [73]. Pour Mosca aussi cela avait sans doute été vrai, et il n'oubliera jamais ces aspirations nationalistes. Comme chez Stendhal, le droit de la conservation de soi qui est à la base de son utilitarisme, s'applique aux pays comme aux personnes [74], et « l'utilité de la patrie » devrait primer tout chez celui qui voudrait donner le bonheur à son pays [75]. Mais tout ce que nous apprenons de Mosca suggère qu'il a fini par partager l'avis en fin de compte plus nuancé de Stendhal lui-même sur cette image de l'empereur. A savoir que, même si Napoléon a donné l'exemple utile de l'expulsion des étrangers, lui-même était aussi un envahisseur, et après son départ les Italiens devraient apprendre à résoudre eux-mêmes les problèmes qui les désunissent, et non plus en attendre des autres la solution [76]. Car nous voyons Mosca mêlé aux manœuvres diplomatiques qui se rapportent à l'unification de l'Italie, même si en l'occurence celles-ci doivent compter encore avec les prétentions ridicules d'un Ernest IV à « se faire roi constitutionnel de la Lombardie » (293). Et à l'occasion de la révolte, nous verrons Mosca craindre surtout l'intervention dans les affaires de Parme de « deux ou trois régiments fournis par l'étranger » [77].

Le premier fil perceptible dans la politique de Mosca est donc un nationalisme raisonné. Le deuxième fil est constitué par sa compréhension, si différente de celle de Ferrante, des véritables intérêts politiques des Italiens. Comme Stendhal, il semble penser que les Italiens de son temps n'auront ni ne mériteront la liberté qu'autant qu'ils auront combattu pour elle [78]. Que d'ici là ce qu'ils devraient demander

---

72 412, Cf. *infra* p. 220-222, 224-225.

73 49 (Fabrice) : « Il voulut nous donner une patrie (...) ».

74 *VDN*, p. 64.

75 *VDN*, p. 49 : « En revenant d'Egypte, [Napoléon] était utile à la patrie et à lui-même ; c'est tout ce qu'on peut demander aux faibles mortels. »

76 Cf. *PDR*, p. 891 ; *Une position sociale,* p. 395. C'est pourquoi Stendhal peut comprendre que certains Italiens aient pensé que les incursions napoléoniennes ne valaient pas mieux que d'autres (*MSN*, p. 183).

77 413. Cf. *C,* t. 2, p. 274 : « On dit vaguement que M. de Saurau voulait pousser les libéraux à faire quelque imprudence afin de donner motif aux Autrichiens d'entrer en Toscane. »

à leurs états respectifs — suivant l'exemple du peuple français — ce n'est pas tant la liberté, mais la sécurité personnelle, l'égalité devant une justice honnête, l'absence d'une ingérence excessive de l'état dans leurs affaires, et surtout moins d'actions purement arbitraires de la part du gouvernement [79] :

> On veut l'exécution de la Charte sans secousse, une marche lente et prudente vers le bien ; que surtout le gouvernement se mêle le moins possible du commerce, de l'industrie, de l'agriculture ; qu'il se borne à faire administrer la justice et à faire arrêter les voleurs par ses gendarmes.
>
> le véritable cri de la civilisation est : Point d'arbitraire.
>
> Ce n'est pas la *liberté* qu'il faut aux peuples, mais *point d'arbitraire.*
>
> les Chartreux étaient rois absolus dans ces montagnes, et il me semble qu'ils y étaient assez aimés, et avec raison. Ils distribuaient au peuple le plus grand des bienfaits : *un gouvernement juste et impassible.*

Or ces choses, les Italiens sont loin de les avoir encore, et même ils les conçoivent à peine, comme Stendhal le répète sans cesse [80]. A plus forte raison leur rêve d'une Charte n'est-il qu'une fantaisie de leur amour-propre. « M. de Metternich a raison (...) en avançant que le gouvernement de l'opinion ou des deux chambres n'est pas un *véritable besoin* pour l'Italie ; ce n'est un besoin que pour quelques âmes généreuses qui ont vu les pays étrangers ou lu des voyages » [81]. Ils n'ont même pas une exigence profonde de cette justice qui leur manque toujours [82], justice sans laquelle il ne saurait y avoir aucune république authentique [83]. Or, pourquoi tout cela leur fait-il défaut ? D'abord parce qu'il leur manque toujours une éducation vraiment moderne et cette habitude de l'examen personnel que défend le catholicisme [84]. Mais aussi et surtout parce qu'en Italie, il n'y a pas eu cette redistribution de la propriété qui fut le résultat fondamental de la révolution française et dont le contre-coup a été la réclamation d'une justice meilleure [85] :

> Les idées d'*ordre* et de *justice* qui, depuis le morcellement des biens nationaux, sont au fond du cœur du paysan champenois ou bourguignon, sembleraient le comble de l'absurdité au paysan de la Sabine .

Dans la *Chartreuse,* Ludovic montrera combien les Italiens sont loin d'entrer dans cette voie, par sa manière de réagir à l'idée de de-

---

78 *CA,* t. 5, p. 242 : « Aucun peuple n'a jamais plus de liberté qu'il ne *force* son souverain à lui en accorder ». Cf. aussi *VDN,* p. 357.

79 *Mélanges,* t. 1, *Politique,* p. 255 ; *VDN,* p. 72 ; *MSN,* p. 425 ; *MDT,* t. 2, p. 241.

80 *PDR,* p. 662, 1038.

81 *RNF,* p. 427. Cf. aussi *C,* t. 2, p. 304, 726, 763.

82 *HPI,* t. 2, p. 149 (en Italie) : « la justice a laissé tomber son glaive et n'a conservé que son bandeau. »

83 Mosca : « Ces gens [les juges] sont toujours les mêmes, se dit-il, et l'on songe à une république à Parme » (449, 1429).

84 Cf. *PDR,* p. 663.

85 *PDR,* p. 1038, Cf. aussi *MSN,* p. 173.

venir propriétaire (387). Stendhal ira même jusqu'à prétendre que les Italiens n'ont pas assez souffert pour reconnaître la vraie valeur de la justice, et dans *Rome, Naples et Florence* il avait mis dans la bouche d'un prêtre du midi la thèse maistrienne là-dessus qui peut fort bien expliquer pourquoi Mosca aime souligner que Rassi est « notre bourreau »[86] :

> la *terreur,* et la terreur inspirée par les évêques, est nécessaire à ces peuples, que Napoléon n'a pas assez profondément réveillés. L'assassinat et les tortures frapperont à leur porte : alors ils comprendront que la justice mérite qu'on fasse quelque chose pour l'acheter. À moi qui vous parle, dans ce malheureux pays, que me fait la *justice ?* Si je n'avais pas des amis et un crédit personnel je serais écrasé. Quel service la *justice* m'a-t-elle jamais rendu ? Ne vois-je pas tous les jours violer les serments les plus sacrés ? (...). La crainte de la mort, ajoute don Francesco, étant la passion la plus constamment puissante sur l'homme, même le plus abruti, c'est en travaillant sur cette passion que l'on peut espérer de donner des lumières aux peuples : de là, vous voyez dans les desseins de Dieu l'utilité des assassinats et des vexations d'Espagne.

Tout cela fait valoir le besoin qu'ont les Italiens de « quarante ans d'administration d'un despote, homme de génie comme Napoléon »[87], administration qui leur apprendrait ce que c'est qu'une bonne justice[88] : « Des tribunaux indépendants, et l'adoption des codes français (...) suffiraient pour vingt ans aux besoins de l'immense majorité ».

Or ces choses, Mosca les comprend aussi bien que Stendhal, et nous verrons que l'insurrection fera souligner de nouveau l'importance de cette question de la justice. Par conséquent, le comte s'efforcera surtout de vider les prisons de Parme et d'éviter toute effusion de sang. Et ce sera là ce que nous apprenons de plus précis sur sa politique intérieure, constatation qui cadre d'ailleurs avec le relief que donne l'ensemble du roman aux questions générales de crime et de justice.

Comme toujours, Mosca gardera cependant à ce propos tout son sens du relatif. Dans le grand dialogue avec Fabrice après la fugue de ce dernier à Grianta et son refus de tuer le valet du cheval maigre, Mosca opposera son scepticisme à l'idéalisme naïf de Fabrice[89] :

> — Si j'étais ministre, cette absence de juges honnêtes gens blesserait mon amour-propre.
> — Mais il me semble, répliqua le comte, que Votre Excellence, qui aime tant les Français, (...), oublie en ce moment une de leurs grandes maximes : Il vaut mieux tuer le diable que si le diable

---

[00] *RNF*, p. 557.
Dans la *Chartreuse,* Mosca et Gina traitent Rassi en bourreau (124-281), et Barbone ne nous laisse pas oublier l'importance symbolique de ce personnage à Parme (268). Or, l'on sait que pour Stendhal, de Maistre était surtout « l'ami du bourreau », mais H.F. Imbert a remarqué qu'il n'était pas aussi totalement hostile que l'on pourrait s'y attendre à l'idée maistrienne que la terreur puisse paradoxalement servir à enseigner la valeur de la justice (*op. cit.*, p. 297).

[87] *CA*, t. 1, p. 223.

[88] *C*, t. 2. p. 726. Voir aussi *Ibid.*, p. 304 ; C, T. 3, p. 54.

[89] 184. Tout comme Gina essaiera plus tard d'expliquer la vérité sur la justice de Parme à Ernest V (447-448).

> vous tue. Je voudrais voir comment vous gouverneriez ces âmes ardentes, et qui lisent toute la journée l'histoire de la *Révolution de France,* avec des juges qui renverraient acquittés les gens que j'accuse. Ils arriveraient à ne pas condamner les coquins les plus évidemment coupables et se croiraient des Brutus.

Cela donne certes à Mosca un air cynique, si on le compare au comte Pietranera qui prône « cet esprit de justice sans acception de personne, que le marquis appelait un jacobinisme infâme » (42). Et Stendhal est en fait très heureux que Fabrice n'ait pas tué le valet comme le lui recommandait Mosca. Il ne cache pas non plus qu'en tant que ministre, le comte se permet bien quelques petites injustices envers un Giletti, envers la Fausta et envers le savant aux cheveux roux (188, 240). Mais ce que ces vétilles doivent surtout nous faire comprendre, c'est que Mosca ne croit pas en la possibilité d'une justice absolue qui ne serait dénaturée par aucune circonstance personnelle ou politique. Il préfère voir franchement dans l'opération de la loi une action essentiellement politique qui dérive du rapport des forces. Même Ferrante Palla accepte cette logique[90], et tout le roman en confirme le bien-fondé. Même lorsque Mosca et Fabrice essaieront de faire juger avec probité le meurtre de l'infortuné Giletti, « les juges voulaient l'acquitter par acclamation, et dès la première séance. Le comte eut besoin d'employer la menace pour que le procès durât au moins huit jours, et que les juges se donnassent la peine d'entendre tous les témoins. Ces gens sont toujours les mêmes, se dit-il » (448-449). Parfois, mais l'on ne peut s'y fier, c'est l'intrigue et le hasard seuls qui se chargent de suppléer aux défauts de la justice humaine[91]. Mosca a donc raison de rester pragmatique et de chercher avant tout une atténuation de la violence dont a fait preuve la justice à Parme. Il videra les prisons, sachant qu'il n'agit qu'à sa volonté, et qu'il n'instaure guère une justice absolue. N'empêche qu'il les vide effectivement, et fait preuve par là d'une compréhension admirable des véritables intérêts des Italiens.

Par certains côtés, Mosca n'est donc peut-être pas tout à fait indigne de ce libéralisme à la tête duquel il finira par se trouver officiellement, surtout si on le compare à d'autres libéraux tels que Fabio Conti et la marquise Raversi. La priorité qu'il semble accorder, suivant l'exemple de Napoléon, à l'ordre, à l'intégrité du terroir et à l'amélioration de la justice, touche après tout à l'essentiel. C'est ce que montrera encore son grand « crime », la suppression de la révolte, qu'il faudra dès à présent considérer. Action violente qui cadre logiquement avec la pensée de Mosca, tout en dramatisant sur le plan politique le droit fondamental de la conservation de soi, mais action tragique qui ne manque pas non plus d'éclairer les limites de cette pensée.

Lorsque Mosca explique à Gina son abattage des émeutiers, c'est effectivement la persistance de cette logique qui doit nous frapper d'abord. Car nous avons déjà remarqué l'exaltation joyeuse que cette action produit également chez Mosca, en le délivrant momentanément de la répression psychique qu'il s'impose. Rappelons qu'il est sponta-

---

90 364 : « Je fus condamné à mort, et fort justement : je conspirais ».
91 Cf. *infra* p. 183-185, 192, sur le crime de Fabrice.

nément heureux de ne plus devoir louvoyer avec tact, d'avoir à agir courageusement, et de pouvoir déployer encore les vertus traditionnelles de sa classe, là où un soi-disant légitimiste comme le général qu'il fait remplacer, ne pense qu'à transiger et qu'à trahir (407). Enfin Mosca peut donner libre cours à la fierté aristocratique qu'il met à ordonner et à gagner. Mais comme toujours, même au plus fort de tant d'exaltation, il ne perd pas la raison de vue. A Gina, il se dira avoir défendu, d'une part les intérêts de sa classe et du souverain qui le paie, d'autre part ses propres intérêts de propriétaire et ceux de ses amis intimes [92]. Et nous avons vu qu'il croirait en outre desservir les intérêts de la patrie en laissant Ferrante Palla gagner. Car qui sont ces révolutionnaires et que veulent-ils au fond ? Une lecture attentive montre que Stendhal nous a soigneusement disposés à saisir le caractère primitif, désordonné et passablement aléatoire de la révolte attisée par Ferrante. Auparavant, nous avons vu le petit peuple italien toujours un peu trop prêt à faire émeute, que ce soit à propos des fouilles de Sanguigna (193), au sujet des aumônes de Fabrice à Bologne (215), à l'occasion du duel de Fabrice contre l'amant de la Fausta (243), ou encore lors du jugement délivré contre Fabrice [93]. On ne remue ces gens que trop facilement, et les carbonari « fous » comme Ferrante Palla prennent une responsabilité considérable en les lançant dans une révolte meurtrière qui débouchera difficilement sur les réformes dont rêvent ces meneurs idéalistes [94]. Il n'y a aucune raison de croire que Mosca se trompe en prévoyant qu'en cas de succès, la révolte aurait donné (413) :

> trois jours de massacre et d'incendie (car il faut cent ans à ce pays pour que la république n'y soit pas une absurdité), puis quinze jours de pillage, jusqu'à ce que deux ou trois régiments fournis par l'étranger fussent venus mettre le holà.

Et ce que veulent ces émeutiers, ce n'est d'ailleurs nullement cette république qui comblerait les passions esthétiques et religieuses de Ferrante Palla le poète, moins réaliste qu'un Gauthier ou qu'un Altamira [95]. C'est tout simplement une justice meilleure. Le peuple se ras-

---

[92] 407 : « je vais au palais, où l'on ne pénétrera que sur mon cadavre. (...). mon premier mot à Rassi a été : Il me faut la sentence contre M. del Dongo, (...). Au nom de Fabrice, j'envoie une compagnie de grenadiers à l'archevêque (...) mon palais va être brûlé (...) ».

Stendhal approuvait le manque d'hypocrisie d'un Lingay ou d'un Talleyrand lorsqu'ils déclaraient que leurs intérêts étaient ceux des puissants qui les payaient, non ceux du peuple (*C*, t. 1, p. 915).

[93] 248, 257. Voir par ailleurs les remarques dans *Rome, Naples et Florence* qui font prévoir les sentinelles placées dans l'église de la Visitation pour les sermons de Fabrice : « On sent tellement à quelle canaille on a affaire que chaque chapelle est gardée par une sentinelle la baïonnette au bout du fusil » (p. 576).

[94] Stendhal a toujours traité de « chimériques » les carbonari de son temps (*Une position sociale*, p. 402-403 ; *SE*, p. 1451 ; *CA*, t. 4, p. 268. Voir aussi H.F. Imbert, *op. cit.*, p. 265, 296, 345-346).

[95] Effectivement, ce qui distingue Ferrante, c'est sa haine du matérialisme, et sa soif religieuse de beauté et de pureté (365). Pour le réalisme plus grand d'Altamira et de Gauthier, voir *RN*, p. 496 ; *LL*, p. 1514. Or, remarque Stendhal à propos du révolutionnaire romain Crescentius, « Pour agir sur les hommes, il faut leur ressembler davantage ; il faut être plus coquin » (PDR, p. 852).

semble d'abord, non pour attaquer le palais du prince, mais pour « massacrer le fiscal général Rassi » et pour « faire sauver les prisonniers » (405, 406). Cela n'échappe pas à Mosca, et confirme la justesse de ses analyses ; en simplifiant un peu, il dira à Rassi et à Gina que ce sont « tous ces juges iniques » qui « sont cause de cette révolte » (407). Mosca ne juge pas alors, pas plus que Stendhal, qu'à Parme le peuple soit si misérable et si rempli de haine par suite d'abus vraiment excessifs qu'il lui vaille la peine d'encourir toutes les souffrances d'une révolution [96]. L'émeute est le résultat de maladresses réparables [97], et il faudrait plus qu'un moment d'enthousiasme pour changer les vieilles habitudes des Parmesans et pour leur enseigner les intérêts nouveaux qui seuls pourraient donner des suites heureuses à un bouleversement aussi radical [98].

Le comte a donc bien des raisons pour croire qu'il ne fait pas au fond un « mal inutile » en tirant sur ces émeutiers [99], et c'est là une des grandes différences entre son action et la confrontation gratuite avec des ouvriers confédérés dont Lucien Leuwen est le témoin [100]. D'autre part, la loyauté de Mosca envers le prince, si ridicule qu'elle puisse paraître, est profondément ressentie, et ne peut être entièrement méprisable [101]. On comprend que le soldat que le comte est toujours puisse refuser de devenir en temps de paix un de ces nouveaux « assassins polis » [102], mais accepter de faire feu lui-même sur l'opposition lorsqu'il y a lutte armée pour le pouvoir — dans la guerre d'Espagne il n'avait pas refusé non plus de tuer des espions (432). Et pourtant, toute cette logique honnête d'un soldat et d'un homme d'état éclairé n'empêche pas Stendhal de signaler tout ce qu'il y a aussi de choquant dans ces « fort vilaines choses » (405), où Mosca est résolu à « tuer trois mille hommes s'il le fallait » (412) et à se montrer peut-être enfin ce « monstre sans s'en douter » qu'on pourrait le soupçonner d'être (114). Or Stendhal le fait-il tout simplement pour provoquer le lecteur béat qui voudrait s'aveugler sur ces nécessités ? Ou est-ce plutôt pour nous montrer, avec toute l'honnêteté d'un grand roman-

---

96 A cet égard, il faudrait voir, par exemple, la comparaison que fait Stendhal entre les ouvriers anglais et italiens (*VDR*, t. 2, p. 264) : «L'Italien est tyrannisé, mais il a tout son temps à lui ; (...) ; je le tiens pour moins malheureux et surtout pour moins abruti que l'ouvrier de Birmingham ».

Sur la « haine farouche, ignorante, sombre, désespérée » comme le « meilleur symptôme d'indépendance pour un peuple opprimé », voir *Mélanges* t. 1, *Politique*, p. 188.

97 Cf. *MDT*, t. 1, p. 408 : « Ce sont les rois, me disait le préfet, qui par leurs maladresses, nous amèneront cette république qui dérangera notre vie pour dix ans. »

98 Selon Stendhal, comme selon de Tracy, il fallait surtout créer des intérêts nouveaux pour faire réussir une révolution (cf. Imbert, *op. cit.*, p. 240-242 ; *VDN*, p. 207).

99 *LL*, p. 1374. Stendhal lui-même s'est dit prêt à réprimer violemment une révolte (*C*, t. 2, p. 247, 447).

100 *LL*, p. 989-993.

101 Pas plus que ne l'est au fond, dans *Lucien Leuwen*, le royalisme sincère de certains nobles (*LL*, *p*. 927, 933).

102 Selon l'expression de Clélia (322). Dans *Le Rouge et le Noir*, Altamira disait de la France, « on fait les plus grandes cruautés, mais sans cruauté » (p. 496).

cier, le revers inéluctable d'une politique « napoléonienne » en Italie, et pour faire valoir les bornes inhérentes à une vision ludique de la politique ?

A notre avis, c'est tout de bon que Stendhal voudrait nous choquer, et pour des raisons très précises. Sinon, nous aurait-il montré le comte réduisant nonchalamment les morts à une abstraction inhumaine, comme l'a souligné Margaret Tillett [103] ? « Quant aux soixante et tant de coquins que j'ai fait tuer à coup de balles, lorsqu'ils attaquaient la statue du prince dans les jardins, ils se portent fort bien, seulement ils sont en voyage » (410). Cette nonchalance froide doit nous choquer, car elle souligne la violence psychique que dans le réel de la politique, même le plus humain des hommes peut être forcé à s'imposer ; à Gina, Mosca écrira, en faisant trop consciemment le fanfaron, « je vais me battre et mériter de mon mieux ce surnom de Cruel dont les libéraux m'ont gratifié depuis si longtemps » (407). Et cette violence doit nous choquer, car il ne faut pas que nous ignorions que l'ordre, même l'ordre nécessaire et utile, est toujours aussi à ce prix. Quelle autre action pouvait mettre aussi nettement en valeur les paradoxes multiples que représente Mosca, homme d'ordre passionné, aristocrate libéral, et âme sensible collaborant avec un régime réactionnaire ?

Mais il y a plus, car cette action tient étroitement à la vision ludique de la politique que Mosca a choisi d'adopter pour préserver son équilibre psychique. Nous avons vu qu'il aime un jeu réglé, qui élimine autant que possible les coups imprévisibles du hasard et qui permet par conséquent de calculer les résultats. S'il accepte d'abord sans trop regimber l'arrestation de Fabrice par le prince, c'est parce que, jusqu'au moment où on essaie de l'empoisonner, cela ne sort point des règles de jeu convenues (293, 297). Or une révolution change forcément, non seulement l'identité des joueurs, mais les règles mêmes du jeu politique. Et cela, Mosca ne peut l'accepter, car il perdrait la position dominante qu'il a su enfin se donner. C'est pourquoi, passé le danger principal, le comte choisit de réinstaller et de jouer contre la vieille opposition qui accepte les règles anciennes, et qu'il sait pouvoir dominer. Aussi laissera-t-il Rassi et Conti vivre et rentrer à Parme après la révolte [104]. De plus, il est manifeste que cette politique ludique ne convient au fond qu'aux classes dominantes, car elle exige toujours des joueurs qui soient à peu près sur un pied d'égalité, et elle ne peut que refuser ceux, en l'occurence les travailleurs, qui ne sauraient combattre à armes égales. Michel Plon l'a excellemment montré [105]. Or Mosca ne nierait assurément pas que sa politique ludique est fatalement une politique de classe ; il sait ce qu'il fait en éliminant l'opposition de Ferrante qui seule dérangerait tout son jeu. Mais ce dont il ne se rend peut-être pas compte, c'est qu'il risque de finir par aimer pour elle-même toute cette machine politique si délicate qu'il a réussi à monter à Parme, et par « s'attacher aux moyens plutôt qu'à la

---

103 *op. cit.*, p. 140.

104 448. Certes, dans l'immédiat, Mosca a besoin de Rassi pour faire lever la condamnation de Fabrice (407), mais à la longue, là n'est pas l'essentiel.

125 *La Théorie des jeux : une politique imaginaire,* F. Maspero, 1976. Sur l'égalité nécessaire des joueurs dans ces jeux voir Caillois, *op. cit.*, p. 60.

chose »[106]. Au moment de la révolte, cela n'est peut-être pas encore arrivé, comme le voudrait Irving Howe, car nous avons vu Mosca se décider à la répression en comprenant bien le besoin d'ordre et de justice qu'ont vraiment les Italiens[107]. Mais lorsque Stendhal nous dépeint sa fin, riche et gouvernant un état où Ernest V est « adoré de ses sujets qui comparaient son gouvernement à celui des grands-ducs de Toscane » (493), alors on peut craindre que cela ne se soit effectivement passé. Car cette dernière phrase du roman, d'un ton si admirablement distant, est pleine d'ambiguïté. Stendhal admirait sincèrement le gouvernement de la Toscane[108], peut-être de son temps le meilleur en Italie[109] : « Le souverain en Toscane est cependant absolu, mais les bons règlements de Pierre-Léopold ont créé un tiers état et une opinion publique ». Pourtant il trouvait que ce bonheur raisonnable avait quelque chose de compassé et de froid, et qu'il n'admettait guère le jeu des passions, la gaieté et l'amour des arts, toutes ces qualités qui dans la *Chartreuse* font pièce avec les talents séditieux de Gina et de Ferrante Palla[110] :

> Tel serait peut-être l'état de torpeur de la plus grande partie de l'Europe, si nous avions un gouvernement *assoupissant* comme celui de la Toscane.
>
> Mais combien durera-t-il ? D'ailleurs, il ne produira rien pour les beaux-arts ; l'enthousiasme est mort en Toscane depuis bien des années.

Alors que vaut l'ordre pourtant véritablement utile que Mosca a su donner au peuple parmesan en endiguant cette révolte si primitive ? Ne serait-ce là qu'un nouvel exemple de la manière dont même la meilleure des raisons est parfois condamnée à se tromper ? L'erreur politique qu'aurait certainement été la révolution de Ferrante Palla, aurait-elle été à d'autres égards une erreur fort fructueuse ?

La fin du roman de Stendhal a le mérite de laisser ces questions en suspens, sans essayer de les trancher. Car même si Mosca semble finir par présider avec bienveillance sur une sorte de vide passionnel — triomphe de la répression — le ton du dernier alinéa ne pousse pas trop au noir cette constatation. Comme l'atteste en même temps la fin de Fabrice, on ne saurait jamais fondre les valeurs diverses du jour et de la nuit, et Stendhal sait fort bien que ce qui convient aux passions et aux caprices personnels ne suffit jamais pour le bonheur de la cité. Il ne s'aveugle pas sur les rapports possibles entre les nécessités du monde réel et l'anarchie passionnée de Gina ou même l'ordre mystique de Fabrice. On n'a qu'à revenir à la comparaison entre le début et la fin du roman. Mosca n'a pas réalisé à Parme le bonheur que Gina a connu à Grianta et dans le Milan conquis par Bonaparte. Mais les guerres héroïques de l'empereur ont fini par perdre Milan aux Autrichiens et ont abouti à Waterloo. L'ordre finalement si différent que Mosca établit à Parme, ordre dicté par la raison, au moins

106 *JL*, t. 2, p. 69.
107 *Politics and the Novel*, p. 43.
108 *VDR*, t. 1, p. 55 n.
109 *C*, t. 2, p. 285.
110 *RNF*, p. 494 ; *VDR*, t. 1, p. 55 n.

n'est pas condamné à périr d'une manière si définitive ; car cet ordre ne prétend pas être mieux qu'une étape qui prépare lentement un avenir fort différent. La valeur que Stendhal accorde quand même à ce succès est encore montrée, si besoin est, par le contraste si frappant avec les échecs politiques de M. de La Mole et François Leuwen. Même le bonheur personnel ne sera pas refusé à Mosca ; il échappera constamment aux pires conséquences dont son entreprise le menace. La clairvoyance ne le rendra pas misanthrope ; la « vie double » qu'il mène ne le laissera pas aliéné ; son calcul prudent de l'ordre nécessaire n'usera pas son appréciation personnelle des valeurs nobles et passionnées ; il n'aura à sacrifier ni son amour ni ses principes en donnant aux autres ce qui leur est utile. Son bonheur sera durable, car il comprend que la survie peut aussi être un bonheur. Ainsi, l'ordre de la raison a également ses droits, et selon Stendhal ces droits ne sont ni inférieurs, ni supérieurs à ceux de la passion sublime et séditieuse. La raison de Mosca complète la passion de Gina, comme son activité politique complète le mysticisme de Fabrice, comme Sancho Pança complète Don Quichotte (186), comme le jour complète la nuit.

CHAPITRE V

Fabrice

1.

PREAMBULE

Dans l'éventail moral que nous présentent les personnages majeurs du roman, où faut-il situer Fabrice ? S'il n'est certes pas du côté du comte et de l'ordre de la raison, il n'est pas non plus du côté de la duchesse et de la transgression passionnée. De même son jeu ne tient pas de la *mimicry* de Gina, et somme toute fort peu de l'*agôn* de Mosca ; Stendhal l'a fort bien précisé après coup (522) : « La guerre, c'est-à-dire les combinaisons du jeu d'échecs, était à mille lieues de son caractère ». Pourtant le jeu et l'ordre sont essentiels à Fabrice, et afin d'éclaircir les perspectives de cette étude, anticipons un peu et disons dès ici que ce dont il s'agit chez lui, c'est d'une part d'un jeu qui est surtout aléatoire, conformément à ses superstitions, et d'autre part de la découverte progressive d'un ordre de solitude et de contemplation, qu'il nous faudra appeler mystique. Ordre qui peut revêtir plusieurs formes et qui peut servir des buts très divers, comme Fabrice l'apprendra en prison, mais ordre dont la structure fondamentale finira par résumer ses meilleures expériences et qui seul lui permettra de réaliser ses aspirations essentielles.

Analyser le jeu de Fabrice et sa découverte hésitante de cet ordre ne se laisse pourtant pas faire aisément. Fabrice évolue d'une manière plus radicale que ne le font Gina et Mosca, et les constantes de son caractère sont nettement plus difficiles à saisir. Peut-on même dire qu'il y a quelque suite dans le mélange extraordinaire de qualités réelles et de faiblesses que nous fait voir cette carrière surprenante ? Et même à supposer qu'il y ait toujours chez lui un fond qui finit par s'imposer, on a quand même quelque difficulté à prendre Fabrice au sérieux. A côté du comte et de la duchesse, il manque de force et semble être doué de vraiment trop de charme facile. Dire que c'est là le visage même du bonheur, cela n'en dit pas long, et la place que Fabrice doit occuper dans le panorama moral du roman n'en demeure pas moins obscure.

Notre première tâche sera donc de saisir ce qui fait l'unité du personnage et ce qu'aux yeux de Stendhal lui-même cette carrière de rêve a dû représenter (§ 2). Ensuite, il nous faudra suivre en détail les étapes décisives de cette évolution (§ 3, 4, 5). Car, à partir de son arrestation, Fabrice devra faire un apprentissage qui se révélera fort paradoxal. D'une part, il devra faire connaissance avec les limites qui s'imposent à tout jeu ; d'autre part, il aura à dégager l'essentiel de cet ordre mystique de ses avatars si divers. Initiation suprêmement ironique où la stratégie choisie par l'auteur se montrera dans toute son obliquité.

2.

UN REVE DE METAMORPHOSE

Pour saisir l'unité et le sens de Fabrice, l'essentiel est évidemment de trouver les clefs de cette transformation surprenante qui lui permettra de passer des fantaisies d'un gentilhomme léger aux méditations élevées d'un chartreux. Or, il nous semble que tout s'explique, à condition de saisir l'importance de deux traits fondamentaux de Fabrice. Un de ces traits, c'est son aspiration constante à l'air ; l'autre, c'est sa soif de l'harmonie. Au fond, ce que nous avons à comprendre, c'est le rapport entre ces deux désirs et le sens qu'ils finissent par donner à la métamorphose de Fabrice, métamorphose où la spiritualité finit par naître de la légèreté. Car c'est cette transformation dans le sens de l'aérien qui est au cœur de l'idée de Fabrice. Transformation combien appropriée chez le héros de ce roman qu'on a si souvent appelé mozartien ! Mozart n'est-il pas, après tout, au suprême degré, le compositeur qui nous a fait rêver de la possibilité de convertir la légèreté en spiritualité, et la grâce en profondeur [1] ?

Prenons donc d'abord chez Fabrice le réseau ininterrompu d'images qui l'associe étroitement à l'air, au léger et à la hauteur. Images qui font de lui un être qui est constamment charrié par les chevaux, les voitures, les barques, avant de faire l'ascension de la citadelle.

« Pas d'étourderie, au nom de Dieu ! pas de légèreté ! » insiste Clélia (334). Pour elle, la légèreté de Fabrice, c'est d'abord celle qu'il portait naguère « dans ses relations de cœur » (326), mais on voit que déjà elle se sert du mot pour désigner tout le côté frivole et nonchalamment heureux de son caractère que sa jeunesse nous fait connaître. D'autres images donnent une consistance marquée à cette association entre Fabrice et la légèreté. Au début, c'est en jeune cavalier que Fabrice avance dans la vie. Enfant, il « ne savait rien au monde que faire l'exercice et monter à cheval » (36). A Novare il « avait cette ressemblance avec la jeunesse française qu'il s'occupait beaucoup plus sé-

[1] Voir le commentaire de Stendhal sur les *Nozze di Figaro*, *VHMM*, p. 315 et suivantes.

rieusement de son cheval et de son journal que de sa maîtresse bien pensante » (109). Sa cravache « semblait faire partie inhérente de son être » (145). Blanès le connaît trop bien pour essayer de démontrer l'inutilité du latin autrement que par l'exemple d'*equus* (39). Naturellement, ses premiers rêves d'aventure veulent qu'il participe à Waterloo monté comme un chevalier de l'Arioste. En l'occurence, ce sera plutôt en Don Quichotte sans Rossinante fidèle qu'il verra la grande bataille ; ses déboires à la guerre seront rythmés par la conquête et par la perte successives de montures de toutes les couleurs (53, 55, 61, 69, 76, 83). Comme le répète Stendhal, le vrai père de Fabrice lui a pris son beau cheval (68-69, 80, 175-176), et il ne pourra jamais être, ni un héros des guerres de Napoléon, ni un héros des temps de la chevalerie [2]. Reste que Fabrice ne se sent « pas de joie de se trouver entre les jambes un cheval qui eût du mouvement » (61), et que ce bonheur traduit son goût d'une mobilité agile. Le mot de Ludovic, « *siamo a cavallo* », conviendrait à Fabrice chaque fois qu'il se sauve d'une situation mauvaise (213).

Or, ce qui devrait plus particulièrement nous frapper dans les variations que Stendhal joue sur ce thème est une accentuation légère des situations où nous voyons Fabrice se laisser passivement emporter par son cheval, où nous le voyons même luttant contre la pesanteur. Il est alors un cavalier qui ne dirige plus son cheval (62, 67), qui peut à peine tenir en selle (67, 90), qui risque de voir sa monture broncher (184, 188) — un cavalier même que les autres se mettent à enlever de sa selle, ou qu'ils auront à y porter (69, 92). Ces images font pressentir qu'à travers le roman le progrès de Fabrice pourra se lire en fonction du plus ou moins de portance qu'il atteint, des possibilités qu'il trouve à jeter du lest. On ne s'étonne pas de l'entendre protester à l'idée d'être fantassin, « il est plus commode d'aller à cheval » (80).

Ce désir chez Fabrice d'un allègement, d'un délestage, informe également le parti que Stendhal tire des images de voitures, de barques et de cages. Au cours du roman de nombreuses voitures emporteront doucement Fabrice [3]. Et dans le deuxième chapitre nous avons déjà évoqué les barques qui donnent de l'aisance à ses escapades et qui lui fournissent à l'occasion un bercement tout maternel [4]. Nous avons vu d'ailleurs que l'on peut rapprocher toutes ces barques de la cage flottante dans la prison qu'il occupera à la citadelle, en ce qu'elles l'aident parfois à accomplir des transitions initiatiques d'une douceur tout aérienne [5]. Il est dans sa nature de flotter, comme le soulignent ses rapports avec l'eau, si différents de ceux de Gina. Alors que la duchesse s'identifie à la force et à la turbulence de l'eau, Fabrice évite plutôt les tentations qu'elle éprouve d'assimilation et d'engloutissement [6]. Lui aime mieux flotter sur l'eau, se sentir doucement porté par elle,

---

[2] Sauf en amour ; cf. *infra* p. 192-193, et 382 : « il monta sur ce même parapet, et pria Dieu avec ferveur ; puis, comme un héros des temps de chevalerie, il pensa un instant à Clélia ».
[3] 70, 97-99, 384-386. Cf. aussi Durand, *op. cit.*, p. 185.
[4] Cf. *supra* p. 73 .
[5] Cf. *supra* p. 73-74.
[6] Cf. *supra* p. 106.

en contempler toute la surface. Deux scènes le montrent ravi à la vue de panoramas aquatiques où des bruits légers rappellent tout juste la présence tranquille des flots, panoramas où ce qui l'attire surtout est la fusion harmonieuse de l'eau avec le ciel (165-166, 177-178) :

> Les arbres (...) dessinaient le noir contour de leur feuillage sur un ciel étoilé, mais voilé par une brume légère. Les eaux et le ciel étaient d'une tranquillité profonde ; l'âme de Fabrice ne put résister à cette beauté sublime ; (...). Le silence universel n'était troublé, à intervalles égaux, que par la petite lame du lac qui venait expirer sur la grève.
>
> Fabrice distinguait le bruit de chaque coup de rame : ce détail si simple le ravissait en extase ; (...). Qu'il eût été heureux en ce moment de faire une lieue sur ce beau lac si tranquille et qui réfléchissait si bien la profondeur des cieux !

Aimant flotter, Fabrice aimerait encore mieux planer, et c'est en fin de compte à l'air qu'aspire cet être en quête d'allègement. Dans un premier mouvement, on voit qu'il aime à s'en intérioriser la pureté : « Comme après un grand orage l'air est plus pur, ainsi l'âme de Fabrice était tranquille, heureuse et comme rafraîchie » (212). Respirer librement est donc pour lui un bonheur (66) : « Ces regards ôtèrent un poids de cent livres de dessus le cœur de Fabrice (...). Fabrice respira profondément, puis d'une voix libre, il dit (...) ». Mais respirer cette pureté, c'est déjà, en s'en gonflant les poumons, sentir le désir de s'élever et de planer dans ce milieu sans pesanteur, à ces hauteurs où l'air est plus pur, comme dans ce ciel des Alpes qu'il aime, « toujours pur à ces hauteurs immenses » (166). Et ce « bon air », c'est évidemment au sommet de la citadelle que Fabrice l'atteindra enfin [7], là où la duchesse émerveillée l'a découvert dès son arrivée à Parme : « Là-haut, dans cette position élevée, elle trouva de l'air, ce dont elle fut tellement ravie, qu'elle y passa plusieurs heures » (131). A l'idée de ne plus pouvoir s'alléger en respirant cette pureté, à l'idée de ne plus se sentir comme planer dans cette « solitude aérienne » qu'habite la fille du gouverneur (312), Fabrice s'écriera un jour : « Est-ce que jamais l'on se sauva d'un lieu où l'on est au comble du bonheur, pour aller se jeter dans un exil affreux où tout manquera, jusqu'à l'air pour respirer ? » (355). Mieux adapté qu'on ne le croit à ce métier de marchand de baromètres, personne ne mesure la pression de l'air plus attentivement que Fabrice [8], et Stendhal ne sera satisfait de lui que lorsqu'il pourra « voler de ses propres ailes » [9].

Conformément à la logique de ces images, Stendhal jouera aussi continuellement sur une association entre la hauteur et cet être « spi-

---

[7] 114 : « une fois dans cette demeure élevée et *en bon air*, comme on dit à Parme, il faut un miracle pour que l'on se souvienne du prisonnier. »

[8] Nous n'ignorons pas les sources livresques sur les habitants de ces vallées — Silvio Pellico et Amoretti — qui ont probablement suggéré la possibilité de ce détail à Stendhal (L.F. Benedetto, *op. cit.*, p. 499-500). Mais ce qui nous intéresse, c'est pourquoi son imagination a trouvé l'idée bien venue.

[9] 455. Dans la même veine, Ludovic aura la fantaisie de comparer Fabrice au moment de son évasion « à un ange arrivant sur terre les ailes tendues » (397).

rituel » (35), parfois « au-dessus de tout ce qui pouvait arriver en ce monde » (463), lequel ne vaut quelque chose « que dans de certains moments d'exaltation » (189). Le plus souvent, les autres personnages ne verront que de la « hauteur » dans la simplicité de cette « âme trop haute pour chercher à imiter », âme pour laquelle « Tout est simple (...) parce que tout est vu de haut » (109, 144, 156). Comme son mentor l'astrologue Blanès, Fabrice ne sera véritablement heureux que tout en haut des clochers et des tours. Là il retrouve, avec la pureté et le silence, ces panoramas vastes qu'il aime parce qu'ils embrassent la vie entière. Et l'importance capitale qu'a chez Fabrice ce mouvement ascensionnel sera soulignée de même par les situations où il doit lutter contre la pesanteur du monde. Nous l'avons montré à propos de ses chevaux et d'autres images de chute font valoir les forces qui s'opposent dans le roman à ses tentatives de jeter du lest et de prendre de la hauteur. Mosca dira de sa fugue à Grianta, « que serait devenu Votre Excellence, (...), si lorsqu'elle galopait ventre à terre sur ce cheval emprunté, il se fût avisé de faire un faux pas ? Vous étiez au Spielberg, (...), et tout mon crédit eût à peine pu parvenir à faire diminuer d'une trentaine de livres le poids de la chaîne attachée à chacune de vos jambes » (184). C'est en « tombant de son haut » que Fabrice comprendra enfin que Ludovic le croit coupable de la mort de Giletti (216). Aussi Fabrice, lorsque ses ennemis triomphent, n'est-il plus qu'une charge inerte entre leurs mains, qu'ils emporteront à leur gré ; arrivé à la citadelle, c'est « devenu tout raide, attaché à sa sediola » que « quatre gendarmes l'avaient enlevé et le portaient au bureau d'écrou » (265). De cette prison il risque de ne sortir « que les pieds les premiers » (435). On comprend que la crainte principale que lui inspire le Spielberg, c'est cette idée que « l'on m'attachera à chaque jambe une chaîne pesant cent dix livres » [10].

Or, si sur le plan des images du roman, l'unité de Fabrice est donc établie dans une aspiration jamais démentie à la hauteur et à la légèreté aérienne, que nous suggère cette affinité ? L'imagination de Stendhal semble s'être complu à jouer sur toute la gamme si diverse de connotations que ces images ont acquise, et de le faire afin d'établir une continuité qui est surprenante entre les deux extrêmes d'un parcours qui va d'une légèreté toute mondaine à une certaine élévation spirituelle. Et non sans réussir à être persuasif, du moins sur le plan onirique ; car avant l'élévation (physique et morale) de Fabrice dans la tour Farnèse, cette affinité avec l'air convient fort bien à sa jeunesse qui est si pleine de mouvement et de liberté. Le sens précis que Stendhal attache à cette transformation de l'aérien est pourtant difficile à saisir. Pour commencer à le distinguer, il faudra maintenant revenir sur nos pas et réfléchir sur cette soif de l'harmonie qui est l'autre trait marquant de Fabrice. Car chez Fabrice il y a une correspondance entre ses rêves d'envol aisé et ses rêves d'harmonie.

---

[10] 176. Plus tard, il reviendra sur ce détail, 201.

Etablissons donc d'abord que c'est bien une harmonie que Fabrice recherche, même avant de s'en rendre compte. On sait qu'enfant, il est choyé par les femmes de sa famille, qu'il a la faveur de ses maîtres et qu'il est admiré par tous les petits paysans. Il ne se sentira donc ni « monstre », ni inférieur, et il y a une absence marquée chez lui, dans ce livre où la peur est partout, de tous ces sentiments destructeurs que sont la haine, l'envie, la peur. Mais tout cela ne donne qu'une définition négative de Fabrice ; l'idée positive qu'il se fait du bonheur est ce qui nous importe ici. Or si, déjà, il a dû nous sembler que Fabrice dédaigne la réalité, il serait au fond plus exact de dire qu'il finit toujours par y choisir ce qui répond à une attente très précise. Et ce que Fabrice s'attend à trouver, ce qu'instinctivement il voit quand il le peut, c'est un accord harmonieux : accord de la vie avec elle-même, accord de la vie avec sa propre personne. Pour le meilleur et pour le pire, c'est là l'attente qui informera la plupart de ses réactions. Le regard d'un artiste et d'un esthète que Fabrice jette constamment sur le monde en est sans doute la première preuve.

En effet, le bonheur que Fabrice s'attend à trouver, c'est d'abord le bonheur que donne l'harmonie de la beauté : « comment faire pour ne pas aimer la beauté et chercher à la revoir ? » (320) ; « il aimait Napoléon, par suite de sa folie pour ce qui était souverainement beau » (1400). C'est pourquoi les horreurs de la vie lui paraîtront avant tout comme des scandales esthétiques : « Ce qui le frappait surtout c'était la saleté des pieds de ce cadavre » (59) ; « Toutefois, la peur ne venait chez lui qu'en seconde ligne ; il était surtout scandalisé de ce bruit qui lui faisait mal aux oreilles » (63) ; « son cœur ne pouvait s'accoutumer à l'image sanglante du beau jeune homme tombant de cheval défiguré » (188). Cependant, si ce regard esthétique paraît parfois surtout naïf, comme lorsque le beau chant de la Fausta lui semble une promesse d'amour (227), la plupart du temps le sentiment de la beauté finira par jouer chez Fabrice au profit de sa sensibilité morale. Nous le voyons lorsqu'un air d'opéra lui fait épargner à Grianta le valet du cheval maigre (181), nous aurons encore à le voir en développant ce qui rend possible sa transformation en un être plus sérieux [11].

Toutefois, même l'importance que prendra chez Fabrice le point de vue esthétisant n'est peut-être pas la preuve la plus probante de sa prévision d'une harmonie. Ses superstitions et sa foi religieuse ne l'expriment-elles pas encore mieux ? Car il croit en un Dieu bon qui s'occuperait de lui, et le culte des présages lui permet de voir dans les changements constants dans le monde, non les signes d'une dissonance troublante, mais les manifestations directes d'un accord plus compréhensif. Et peut-être surtout faut-il souligner que ce qu'il y a de contradictoire dans les opinions que Fabrice affiche, s'explique par son sens de l'harmonie. Car grâce à lui il se refuse à considérer la possibilité d'un désaccord réel dans sa vie, et grâce à lui il restera fidèle à toutes les composantes diverses de son être, quelque mal assorties qu'elles soient. Il ne reniera jamais rien de la foi de son

[11] Cf. *infra* p. 176, 192.

enfance, où se côtoient l'église et la magie, et dans ses attitudes politiques, il demeurera tout aussi loyal tant aux préjugés de sa classe qu'au souvenir de cet empereur révolutionnaire que son oncle avait servi (148-149, 181, 221). Stendhal nous montre que dans ces cas, pour Fabrice il ne s'agit pas tant de rester constant à des principes, mais d'en tirer le bonheur que lui donne le sentiment de sa propre continuité (168) :

> C'est ainsi que, sans manquer d'esprit, Fabrice ne put parvenir à voir que sa demi-croyance dans les présages était pour lui une religion, une impression profonde reçue à son entrée dans la vie. Penser à cette croyance, c'était sentir, c'était un bonheur.

Voilà pourquoi dans *La Chartreuse de Parme* Fabrice sera celui qui aime toujours visiter les lieux de son passé [12], et voilà pourquoi il aura l'avantage de pouvoir se pardonner [13]. C'est son postulat d'une harmonie qui fait que Fabrice ne se sentira jamais en guerre ouverte avec lui-même.

Déjà, c'est un être naïf qui commence à se dessiner, être qui sera profondément choqué par tout désaccord violent entre la réalité et ses prévisions aimables, qu'il s'agisse des brutalités de la guerre, des insuffisances de la justice [14], de la trahison chez les autres [15], ou de leur hostilité envers lui-même [16]. Et on pourrait penser alors que Fabrice se comporterait comme tout idéaliste qui est fier et enthousiaste lorsque la réalité lui résiste, et qu'il aborderait celle-ci de front, pour s'y imposer ou pour la changer. Or même dans la première partie de sa vie, Fabrice le fera en fait très peu, et c'est là sans doute ce qui est le plus original chez cet être en quête d'harmonie. Il prend au contraire une voie tout autre, une voie qui correspond parfaitement à son affinité avec l'air, dans tout ce que celui-ci a de libre et de léger. C'est cette voie qu'il nous faudra maintenant essayer de préciser.

A ses débuts, ce qui distingue donc Fabrice de la plupart des jeunes idéalistes, c'est qu'au lieu de s'en prendre à la réalité lorsque celle-ci s'oppose à ses désirs, il choisit plutôt de s'y conformer dans la mesure où il le peut, et prend sur soi l'obligation de créer l'harmonie dont il a soif. Il a « cette disposition naïve à se trouver heureux de tout ce qui remplissait sa vie » (222), et la première forme que prendra chez lui la recherche de l'harmonie, ce sera une adaptation souple aux circonstances qui se présentent. L'air n'a-t-il pas de même le don de pouvoir toujours se plier aux formes changeantes du monde et de

---

12 Voir son retour à Grianta (174) et son souhait de revoir la plaine de Waterloo (175-176).

13 179 : « Eh bien ! je me pardonne ma peur ». Cf. aussi 206. Julien Sorel, on le sait, ne le peut pas.

14 Non seulement Fabrice s'attend à des juges intègres (184) ; il s'attend encore à ce que l'innocence trouve un écho infaillible dans leurs jugements (216).

15 Rien ne le choquera plus profondément que la trahison des généraux de l'Empire ou de son propre frère (74, 95).

16 A peu près la seule chose qui le mette véritablement en fureur est l'idée d'une injure personnelle, avec tout ce que celle-ci implique d'un désaccord voulu (53, 62, 75-76, 267).

la vie ? Cette stratégie se voit aisément à la bataille de Waterloo. Là Fabrice se confie instinctivement à l'amabilité de la cantinière et des aubergistes de Zonders. Mais son goût pour la société féminine n'est qu'une expression de l'accord qu'il cherche. Le caporal Aubry lui plaira également, et dans un incident révélateur, Fabrice, plutôt que de suivre Napoléon, restera avec des hussards qu'il prend à tort pour des amis (67-68, 66) : « c'était un de ces cœurs de fabrique trop fine qui ont besoin de l'amitié de ce qui les entoure ». Sur un autre plan, si l'on se demande pourquoi Fabrice se range si vite à l'idée d'une carrière ecclésiastique, on n'a aucune peine à voir que c'est tout d'abord parce que l'idée d'un désaccord avec sa tante lui semble encore impossible, ensuite parce que cette vie commode promet d'être en harmonie avec son idée de ses propres mérites.

Observons toutefois que si Fabrice a l'habitude de suivre la voie facile, ce n'est pas parce qu'il lui manque la capacité de lutter avec une réalité résistante. Son départ pour Waterloo montre le contraire, et à plusieurs reprises, Stendhal laisse voir qu'il garde en réserve tout le courage requis pour faire face aux difficultés. Ce qui distingue même Fabrice de Julien est que ses épreuves initiales suffisent à le satisfaire lui-même sur ce point, et qu'après la bataille de Waterloo il ne sent plus la nécessité, ni de montrer du courage par vanité, ni de nier une frayeur passagère (179, 206). Et ce n'est pas non plus parce qu'il lui manque l'esprit de voir les côtés noirs de la vie. Il fera front aux brutalités de la guerre (59) et verra la misère où vit Marietta (175) ; il verra l'injustice de ses privilèges (167, 207), la méchanceté et la petitesse des autres (151, 221, 472), et finira par se rendre compte au moins de certaines de ses propres faiblesses (319). Dans les limites imposées par sa foi et par son éducation incomplète, Fabrice a de l'esprit et sait voir juste [17]. S'il s'étonne toujours lorsque la réalité ne se trouve pas correspondre à ce qu'il en attendait, cela s'explique moins par un aveuglement réel que par la spontanéité de ses réactions et par son intérêt exclusif pour tout ce qui, pour lui, peut être source de bonheur. En effet, ne peut-on pas dire que ce jeune Italien est un véritable artiste de la jouissance ? Ce qui seul lui importe est le bonheur d'une harmonie, très peu la nature de cette harmonie ou la manière dont on l'atteint. Et au fond sa stratégie de souplesse, de souplesse si aérienne et mobile, sera ce qui lui permettra de dominer tant d'expériences variées et de les réconcilier dans son cœur. Ni les revers, ni les présages mauvais, ne pourront l'attrister outre mesure (82-83, 270, 380). Il saura accepter un avancement sans en tirer de vanité excessive et le perdre par la suite sans sentir trop de regret [18]. Le bonheur de sa démarche se traduit par sa gaieté : gaieté qui

---

[17] 148 : « Il avait des goûts vifs, il avait de l'esprit, mais il avait la foi ». 156 (Mosca) : « Et pourtant arrive-t-on à quelque détail où l'esprit soit nécessaire, son regard se réveille et vous étonne, et l'on reste confondu. »

[18] 192 : « il prit la chose en véritable grand seigneur qui naturellement a toujours cru qu'il avait droit à ces avancements extraordinaires, à ces coups de fortune qui mettraient un bourgeois hors de ses gonds ». 207 : « Grand Dieu, que je suis bien ici ! s'écria Fabrice. Fortune ! adieu, je ne serai jamais archevêque ! »

naît à l'improviste de la jouissance profonde de soi, gaieté qui est incompatible avec la conscience gênée des autres [19]. Et la grâce de Fabrice, c'est cette liberté qui est si spontanée et si aérienne, c'est cette grâce même dans laquelle Stendhal aimait l'absence de toute pesanteur [20].

On voit toutefois les pièges qui se préparent à ce personnage heureux. En cherchant à susciter l'harmonie par une stratégie de souplesse mobile, Fabrice risquera toujours de se perdre dans une dispersion futile, de se dissiper avec la brise au lieu de prendre de la hauteur. Et en effet, Stendhal exigera de lui qu'il apprenne à se diriger, qu'il apprenne à réorienter sa recherche de l'harmonie. Car que se passera-t-il lorsque Fabrice cessera de courir comme le vent sur la surface de toute chose et qu'il s'élèvera sur les hauteurs ? Essentiellement, qu'en s'élevant dans l'air et qu'en s'en intériorisant la pureté, il découvrira dans la contemplation passive une connaissance plus spirituelle d'un accord autrement compréhensif. N'est-ce pas ce que traduisent ces panoramas étonnants qui se découvriront à lui dans sa prison, panoramas qui reprennent sur une échelle plus vaste cette fusion harmonieuse des éléments qu'il aimait déjà à Grianta ? Le plaisir que Fabrice y prend ne trahit nullement, comme il le faisait chez Julien, quelque soif du pouvoir ; il montre plutôt qu'en se convertissant à une contemplation passive, Fabrice, au lieu de tenter comme auparavant de porter lui-même remède à tout désaccord survenu, est en voie d'approfondir sa compréhension de l'harmonie universelle et des rapports qu'il peut avoir avec elle. Dans sa cellule, Fabrice finira ainsi par vouloir vivre dans la contemplation mystique l'harmonie qu'il a d'abord essayé de vivre dans une souplesse par trop insouciante.

La transformation de l'aérien chez Fabrice semble donc avoir un sens précis pour Stendhal. Il semble que ce qu'il voudrait nous dire, c'est que, tout à l'encontre des apparences, dans une certaine attitude sociable qui est légère, gracieuse et même un peu frivole, il peut y avoir une intuition très saine des harmonies qui sont possibles, et que parfois on devrait même pouvoir convertir cette intuition obscure en une véritable connaissance spirituelle. La carrière de Fabrice symboliserait donc la possibilité que semblent offrir les qualités plus aériennes d'opérer une conjonction idéale entre deux morales qui semblent hostiles, l'une surtout pratique et mondaine, l'autre plus intime et spirituelle. C'est là sans doute un des plus vieux rêves de Stendhal, et nous aurons à y revenir, pour compléter cette interprétation. Mais avant de le faire, il faudrait nous demander sous quelles conditions Stendhal a pu croire une telle transformation possible chez Fabrice. Et là, nous tombons tout de suite sur deux traits de ce personnage dont nous n'avons pas encore parlé : son aptitude à se

---

[19] Voir les réflexions de Mosca à propos de Fabrice, 154, et *C*, t. 1, p. 90 : « L'âme qui dissimule ne peut être gaie ; elle a cette gaieté satirique et montrée qui repousse, elle n'a point cette joie pure de la jeunesse ».

[20] Cf. *VHMM*, p. 327-332, et R.N. Coe, « From Correggio to Class Warfare : notes on Stendhal's ideal of la "grace" », in *Balzac and the Nineteenth Century*, p. 250.

détacher et le sens qu'il a du jeu. Car c'est aussi parce que la vision de Fabrice est une vision détachée et ludique, profondément conforme à sa nature aérienne, que sa carrière peut esquisser le passage d'une morale à l'autre, et peut nous faire entrevoir brièvement une conjonction précaire entre elles.

Il est, en effet, évident que si la souplesse de Fabrice l'a aidé d'abord à créer l'harmonie à chaque retour de fortune, il n'y serait jamais parvenu s'il n'avait su, dès le début, se tenir moralement un peu à distance. L'idée peut surprendre, à le voir si heureux de vivre les divers incidents de sa vie. Mais si Fabrice est léger, il n'est pas étourdi, et sa légèreté est en fait désinvolture, une manière plutôt dégagée d'aller à la recherche du bonheur. Pour contradictoire que cela puisse paraître, pour s'adapter souplement à la vie, il lui faut savoir la tenir toujours un peu à distance. Et on voit effectivement que Fabrice est rarement débordé par les événements qui l'entraînent. Devant les dangers, nous avons vu que c'est parfois grâce aux jeux de mots qu'il réussit à s'en détacher [21]. Et c'est souvent sa vision esthétique qui l'aide à prendre un recul nécessaire. S'il en est ainsi devant les souvenirs que lui rappelle le château de son père [22], il en sera de même lors du duel avec Giletti et de l'évasion de la citadelle (195, 382) :

> il lui semblait vaguement être à un assaut public. Cette idée lui avait été suggérée par la présence de ses ouvriers qui (...) formaient cercle autour des combattants, mais à distance fort respectueuse.
>
> Je n'étais nullement troublé, ajoutait-il, il me semblait que j'accomplissais une cérémonie.

Et que fera Fabrice lorsque sa légèreté deviendra enfin plus spirituelle ? C'est encore en tenant la vie à distance dans une contemplation panoramique qu'il en saisira mieux l'harmonie. Pour la conversion de sa souplesse en une vie spirituelle, il est ainsi fondamental que la nature aérienne de Fabrice implique aussi une aptitude à prendre un certain recul devant le monde. Mais cette vision un peu détachée n'est pas qu'une vision esthétique. Elle est aussi manifestement une vision profondément ludique. C'est ce qu'ont déjà indiqué les idées si théâtrales que provoquent spontanément en lui l'évasion et le duel. Sans savoir aussi jouer, Fabrice ne saurait réussir la métamorphose dont Stendhal rêve.

L'étude du comportement ludique de Fabrice fera de nouveau ressortir la cohérence profonde de l'idée que Stendhal se fait de lui. Non négligeable est le rôle des jeux dans son éducation et dans sa vie. Et dans l'éventail analytique des jeux proposé par Caillois, ses préférences vont précisément aux jeux qui développent et renforcent chez

---

21 Cf. *supra* p. 44-45, 47.

22 169 : « Il n'est pas mal, se dit froidement Fabrice, cela est d'une bonne architecture. »

lui les dispositions que nous avons décrites. Sans refuser les jeux « agonistiques », Fabrice aime donc mieux ceux-ci lorsque la part du hasard est grande, et c'est surtout aux jeux aléatoires qu'il accorde la préférence. Or ce qu'enseignent l'*agôn* et l'*alea,* mieux que la *mimicry* ou que l'*ilinx,* c'est surtout la nécessité d'un détachement chez le joueur devant l'issue de la partie, détachement qui est analogue au détachement de la vision esthétique. De plus, le côté du jeu qui occupe surtout Fabrice, le côté aléatoire, n'est pas sans avoir sur le plan onirique un rapport profond avec son aspiration à l'air. Car les jeux où prédomine l'esprit compétitif sont naturellement plutôt terrestres, tandis que le ciel devient comme de raison l'élément le plus saillant dans le paysage imaginaire de tout joueur aléatoire — soit que celui-ci monte sur les hauteurs pour chercher dans les étoiles les messages de l'au-delà, soit qu'il choisisse comme dieu du sort, Hermès, le dieu des vents à pied ailé.

Etablissons pourtant d'abord la part importante donnée aux jeux dans l'apprentissage de Fabrice. Il convient, en effet, de noter qu'au cours de son enfance heureuse Fabrice apprend surtout à jouer, plutôt qu'il n'acquiert des compétences pratiques. Son ignorance demeure longtemps profonde, tandis qu'il passe « toutes ses journées à la chasse ou à courir le lac sur une barque » (37). A Milan, les fêtes chez la duchesse lui sont plus familières que les heures d'études chez les jésuites (35). De cette primauté donnée aux jeux au cours de son éducation, Fabrice reçoit une empreinte profonde. Il saura toujours retrouver — même en prison devant la bataille joyeuse livrée aux rats par le chien de garde (311-312) — l'exubérance impromptue qu'il a connue sur le lac de Grianta [23]. Il est un héros chez qui le goût du jeu est notamment plus développé que chez Julien ou que chez Lucien ; au deuxième chapitre nous avons vu que son langage même s'en ressent quelque peu [24].

A quels jeux vont donc les préférences de Fabrice ? Comme toujours dans ce roman si plein d'illusions, une des questions les plus importantes que nous avons à poser concerne ses rapports avec les jeux de la *mimicry.* La duchesse, nous l'avons vu, est tout à fait théâtrale, et dans le texte ce sera même elle qui fera connaître ce genre de plaisir à Fabrice (35). Or la souplesse joyeuse de Fabrice fait qu'il ne se refusera certes jamais aux déguisements provisoires et il y aura constamment recours tout au long de la *Chartreuse* [25]. Son détachement même lui permet de s'y prêter et il ne sera pas sans connaître les vrais plaisirs que peut offrir le masque (381) : « Quelques-uns ont prétendu que Fabrice toujours fou eut l'idée de jouer le rôle du diable ». Cependant, le plus souvent il s'agit tout simplement de déguisements auxquels les circonstances l'obligent, et à voir à quel point Fabrice est gêné d'avoir

[23] 46-47. Cf. aussi, à propos des *mortaretti,* 176-177. Cette exubérance, c'est la *paidia* de Caillois (*op. cit.,* p. 75-79).

[24] Cf. *supra* p. 44-45. René Bourgeois a très justement observé que les héros stendhaliens réussissent toujours mieux dans le monde à mesure qu'ils apprennent à mieux jouer (*L'Ironie romantique,* Presses Universitaires de Grenoble, 1974, p. 116 et suivantes).

[25] Marchand de baromètres, contrebandier, marchand de marrons, etc.

à soutenir ces rôles [26], on comprend que l'essentiel, c'est que Fabrice refuse toujours de s'aliéner dans toute *mimicry* extrême, et qu'il essaie en principe d'éviter les situations qui le forcent à se masquer [27]. Auprès de la Fausta, il se lassera vite des divers déguisements baroques qu'il doit porter pour lui faire la cour (229, 234, 237). Il ne peut pas supporter à la longue de sentir désaccordés son être intime et son extérieur. Et pour cette même raison, s'il lui arrive de s'exalter et de se donner en spectacle, comme il le fera dans ses sermons, en général sa pudeur lui interdit de se dramatiser comme la duchesse. Autant que Clélia, il est « ennemi mortel de toute scène publique » (459), et il choisira de finir sa vie loin des fêtes et des comédies de la cour. Pour qui veut au fond se sentir vivre en accord avec le destin, rien ne sert de se cacher sous un masque, à moins qu'il ne s'agisse d'une manœuvre à court terme.

Enfant, nous voyons Fabrice monter à cheval (36, 61), chasser (37, 73) et parfois aller à la pêche (39-40). Chasseur, il le restera plus spécialement jusqu'à son emprisonnement (72, 73, 95, 97, 132, 193), et Stendhal semble vouloir le souligner presque autant que son goût des chevaux [28]. Tous ces jeux sont sans doute les plaisirs conventionnels du gentilhomme campagnard de l'époque. Pourtant, dans la mesure précisément où ce sont là des jeux « agonistiques » qui développent la persévérance, la discipline, la confiance en soi, Stendhal insiste sur le fait que Fabrice applique ces aptitudes dans les affaires de la vie courante. Ce ne sera pas qu'au whist que Fabrice coupera le prince (463). A la guerre, ses réactions seront explicitement celles d'un amateur de sport qui entend toujours gagner et ne veut pas « se laisser jouer » (86, 73) :

> Mais, ne recevant point d'ordre de tirer, il se tenait tranquille derrière son arbre. Il était presque nuit ; il lui semblait être à *l'espère*, à la chasse de l'ours, dans la montagne de la Tramezzina, au-dessus de Grianta. Il lui vint une idée de chasseur ; il prit une cartouche dans sa giberne et en détacha la balle : si je le vois, dit-il, il ne faut pas que je le manque, et il fit couler cette seconde balle dans le canon de son fusil. (...) le cavalier tomba avec son cheval. Notre héros se croyait à la chasse : il courut tout joyeux sur la pièce qu'il venait d'abattre.

Ne nous étonnons donc pas qu'il réagisse fermement devant les dangers et les provocations, qu'il accepte de se défendre aussi vigoureusement à Parme que le lui conseille Mosca (185-186) : « Tuer le diable plutôt qu'il ne me tue (...) ; conserver par tous les moyens possibles, y compris le coup de pistolet, la position que vous m'aurez faite ».

Cependant, caractériser Fabrice par son goût pour ce qu'il y aurait d' « agonistique » dans ces jeux serait évidemment faire bon marché des nuances que présente son comportement. Nous avons dit qu'en

---

[26] Cf. à Waterloo, à propos de l'habit d'un hussard mort, 55, et au douanes, 200-202.

[27] La mammaccia de Marietta lui « conseille d'avoir habituellement l'air plus grand seigneur » (224) ; il « avait besoin d'efforts pour jouer le grand seigneur » (187-188).

[28] En amour, il sera encore chasseur (237, 247), et ce chasseur saura même ce que c'est d'être chassé, par la police et par ce « chien de chasse » qu'est Rassi (176, 218).

général il ne s'en prend pas à la réalité quand celle-ci lui résiste ; c'est Mosca, non Fabrice, qui est dans ce roman le joueur « agonistique » par excellence. Car c'est surtout défensivement que Fabrice cherche à jouer ; habituellement, il règle son jeu sur celui de son adversaire plutôt que de prendre les devants ; c'est précisément de *conserver* sa position qu'il promet à Mosca. Il lui manquera au fond toujours la volonté de triompher sur les autres [29], et il n'aura jamais, dans le calcul ludique, le sang-froid du joueur qui est exclusivement « agonistique ». Mais on peut en outre remarquer qu'entre tous les jeux « agonistiques », ceux auxquels Fabrice s'adonne — la chasse, la pêche et l'exercice à cheval —, sont souvent des sports solitaires où il n'y a plus d'adversaire humain, et où le joueur doit s'imaginer que c'est contre le hasard seul qu'il joue. Dans la préférence qu'il accorde à ces sports, Fabrice nous montre qu'au fond ce qu'il veut, ce n'est pas tellement vaincre les autres. C'est beaucoup plus mettre à l'épreuve tout seul, et uniquement pour sa propre satisfaction, l'adresse qu'il a pu acquérir et son aptitude à profiter du hasard. Et c'est bien la raison pour laquelle ce sera surtout en cavalier et en chasseur solitaire que Fabrice avancera dans le roman. Or, si le promeneur solitaire que nous voyons ainsi dans les forêts de Grianta, dans les champs de Novare et de Sanguigna, doit jouir en premier lieu de la liberté de son vagabondage, lorsqu'il y ajoute la chasse, le plaisir de ces errances paisibles est relevé de temps à autre par l'occasion que fournit le hasard de se mesurer contre quelque gibier, de gagner quelque aubaine (193) : « La journée était belle, il pouvait être six heures du matin : il avait emprunté un vieux fusil à un coup, il tira quelques alouettes ». Bien que Stendhal dans ses autres écrits soulignât habituellement la part dans la chasse de l'effort « agonistique », plutôt que les incertitudes aléatoires [30], nous voyons ainsi dans la chasse de Fabrice la part de l'aléatoire portée à son maximum. C'est « à *l'espère* » que Fabrice s'imagine quand il se voit à la chasse à l'ours (73). Et cela nous fait comprendre que ce que Fabrice aime dans ces jeux « agonistiques », c'est par-dessus tout les épreuves qui lui sont assignées par le destin, non les épreuves fournies par les hommes. Epreuves qui en lui donnant un but qu'il n'a pas choisi lui-même, peuvent confirmer à ses propres yeux le sens de sa destinée et son aptitude à lui faire honneur. N'est-ce pas justement dans ce sens que Fabrice accepte de jouer à Parme selon les règles de la vie politique, qu'il accepte celles-ci comme il accepterait de jouer dans une partie de whist avec les cartes qui lui échoiraient (37) ? La randonnée solitaire de chasse à travers la campagne semble être ainsi l'image parfaite de la forme assez particulière que prend chez Fabrice le goût du jeu « agonistique » : goût où finit presque par prendre le pas sur l'effort compétitif, le goût de la liberté vagabonde mêlé au goût de veiller, alerte mais détendu, à tout ce que

[29] De même, il ne se fait que lentement à la nécessité, pour pouvoir compter sur soi, d'acquérir son indépendance intellectuelle (137), et ne s'attribue pas impérieusement tout le mérite de ses succès (211). Le joueur vraiment « agonistique » a besoin d'être beaucoup plus fier et entreprenant.

[30] Cf. *DA*, t. 2, p. 20, 132. On peut soupçonner toutefois que dans ses randonnées de chasse à Civitavecchia, l'attitude de Stendhal n'était pas très différente de celle de Fabrice.

peut présenter le hasard. Evidemment, l'épreuve fournie par le destin n'aura de sens que dans la mesure où Fabrice saura lui faire face, lorsqu'enfin elle se présente. Et c'est pourquoi dans le roman une autre image, celle de son évasion de la citadelle, si solitaire et si hasardeuse, complète bien le portrait de son jeu. Evasion qu'il n'entreprend que parce que le destin l'y oblige, mais qu'il lui semble finalement accomplir « comme il eût fait en plein jour, descendant devant des amis, pour gagner un pari » (382).

Des trois protagonistes du roman, c'est donc Fabrice que hantent le plus les sortilèges du jeu aléatoire. Souple, il joue sa destinée à pile ou face, à la moindre idée que provoque chez lui le cours capricieux des événements. C'est bien ainsi qu'il se décide à partir pour tenter sa chance dans cette loterie qu'est la guerre [31] ; c'est bien ainsi que sur le champ de bataille il se laissera guider par son cheval (61-62), et que, plus tard, il entreprendra de visiter Blanès et de suivre la Fausta. Et ce sera encore ainsi que dans la prison il n'hésitera pas à jouer son va-tout sur l'amour. Or, si Fabrice a toutes les superstitions du joueur aléatoire classique, il en aura aussi, de plus en plus, la passivité essentielle [32]. Et dans la mesure où il est enclin à se considérer comme le jouet du destin, on comprend pourquoi Fabrice ne trouve rien d'extraordinaire à ce que les hommes aiment jouer eux-mêmes le rôle du destin envers leurs semblables, à ce que Gina et Mosca se plaisent à lui faire un sort si exceptionnel [33]. Non que Fabrice soit entièrement livré à la hantise du coup de dés ; encore moins qu'il soit dominé par l'angoisse et par la fureur auto-destructives du joueur aléatoire à outrance [34]. Il saura toujours éviter l'excès dans l'abandon de soi au destin et dans l'examen anxieux de l'avenir. D'abord, parce qu'il prend une vue très large et dégagée de la fatalité. Ensuite, parce qu'il porte une confiance illimitée dans les bonnes intentions du monde à son égard, et que dès lors, il n'hésite nullement à se défendre de son mieux dans les crises. Surtout, parce que Fabrice a la foi, une foi qui a un rapport profond avec la hantise aléatoire, et que cette foi le tranquillise au sujet de l'imprévu [35]. Dans son for intérieur, Fabrice concède ainsi au sort le privilège de faire la donne des cartes, et tout

---

[31] Selon Stendhal ; cf. *CA*, t. 1, p. 170 ; *HPI*, t. 2, p. 132.

[32] Cf. Caillois, *op. cit.*, p. 56, 83. Dans *De l'Amour*, Stendhal fait fort bien valoir la différence entre l'esprit actif, positif, compétitif, et celui du joueur aléatoire (t. 2, p. 266-267) :

« Ainsi les gens à argent (...) qui ont gagné cent mille francs dans l'année qui a précédé le moment où ils ouvrent ce livre, doivent bien vite le fermer, surtout s'ils sont banquiers, manufacturiers, respectables industriels, c'est-à-dire gens à idées éminemment positives. Ce livre serait moins inintelligible pour qui aurait gagné beaucoup d'argent à la Bourse ou à la loterie. Un tel gain peut se rencontrer à côté de l'habitude de passer des heures entières dans la rêverie, et à jouir de l'émotion que vient de donner un tableau de Prud'hon, une phrase de Mozart (...) ».

[33] Pour Gina faisant « le sort » de Fabrice, voir 134. Fabrice lui-même aimerait « faire la fortune » de Ludovic et de Théodolinde (205).

[34] Voir J. Halliday et P. Fuller, *The Psychology of Gambling*, Londres, Allen Lane, 1974, p. 181-189, sur le joueur qui cherche éperdument à renouveler l'assouvissement d'une angoisse fondamentale, et qui cherche en fin de compte toujours à perdre.

[35] Sur le rapport entre la hantise aléatoire et l'instinct religieux, cf. *ibid.*, p. 47-72.

se passe comme si son cœur heureux savait d'instinct s'adapter d'avance à tous les dénouements possibles du jeu [36].

C'est donc tout pénétré de l'esprit du jeu que Fabrice aborde la réalité. Et il faut tenir compte de ce trait lorsque nous nous demandons ce qui a pu, aux yeux de Stendhal, rendre possible sa métamorphose. En effet, le jeu de Fabrice ne s'accorde-t-il pas parfaitement à son naturel aérien, à la souplesse et à la grâce légères qu'il met d'abord à chercher l'harmonie ? Le côté exubérant et enfantin de son jeu, sa « figure toujours riante » (107), le montrent voulant rendre le monde léger et malléable à ses désirs [37]. Ne nous fait-on pas voir l'empreinte profonde laissée par cette habitude du jeu dans la manière aisée qu'il a d'aborder la réalité sociale [38] ? Mais il y a plus. Car nous avons dit que les jeux qu'il préfère sont justement ceux qui renforcent chez lui la part du détachement dans sa vision esthétique [39]. On pourrait même soutenir que Fabrice, en privilégiant dans les jeux « agonistiques » la part du hasard et du destin, fait accroître encore ce détachement moral, puisqu'il affranchit ainsi son esprit de toute obsession trop exclusive du but à gagner et de l'adversaire à vaincre : « Tout est simple à ses yeux parce que tout est vu de haut » (156). Or, chez cet être toujours « passionné dans ses plaisirs » (39), le sentiment de détachement n'est certes pas absolument continu. Mais il ne cessera de se développer, et en se tournant toujours plus vers la contemplation religieuse, que fait Fabrice, sinon réaliser autrement, et peut-être mieux, cette prise de distances qu'ont encouragée chez lui le goût du jeu et le sentiment esthétique ? Stendhal s'emploie à nous faire sentir le caractère ininterrompu de cette évolution psychologique. Il le fait en nous montrant Fabrice heureux à jouer aux « jeux d'enfant » en prison avec son chien et avec Clélia [40]. Il le fait en nous montrant que la contemplation fabricienne des harmonies universelles sera, plutôt que la contemplation d'un vrai mystique, la contemplation plus capricieuse et plus détachée d'un esprit qui restera toujours profondément esthétique et ludique [41].

Plusieurs thèmes convergent ainsi chez Fabrice sur cette métamorphose de rêve par laquelle Stendhal fait ressortir le rôle d'une certaine grâce aérienne dans la recherche de l'harmonie. La souplesse légère, le détachement, le sens du jeu, sont tous inséparables de ce rêve, et de la réconciliation que celui-ci esquisse entre la morale mondaine et la morale spirituelle. Car rappelons que c'est bien la possibilité d'une telle synthèse que la carrière de Fabrice paraît suggérer à Stendhal.

---

[36] Cf. *supra* p. 172-173.

[37] Cf. 39-40, et D. W. Winnicott, *Jeu et réalité*, Gallimard, 1971.

[38] Cf. 159, où il traite la société en « comédie », et 1416, où Stendhal explique que Fabrice avait bien « accepté les grandes vérités qui avaient effrayé le prince comme les règles du whist ».

[39] A l'opposé de ce détachement, c'est le plaisir donné par la perte momentanée de soi dans le labyrinthe des métamorphoses et des vertiges qu'aiment surtout les adeptes de l'*ilinx* et de la *mimicry*.

[40] 343 ; c'est le mot de Clélia à propos des alphabets. Cf. aussi *infra* p. 189.

[41] Voir les panoramas de la citadelle, 307-308, 310-311, 312-313, et *infra* p. 202-203.

Tout se passe comme si Stendhal avait voulu rapprocher ce qu'il y avait pour lui de meilleur dans les attitudes ludiques, mondaines et religieuses envers le monde, et comme si ce qui l'y autorisait, c'était la possibilité dans toutes d'un détachement aérien et léger. Et, de fait, c'était là sans doute ce qui était pour Stendhal lui-même la véritable spiritualité [42]. Car cette idée d'une spiritualité légère, capable de passer de la désinvolture gracieuse au sentiment proprement religieux, est manifestement analogue à la spiritualité que Stendhal aimait distinguer dans le style de certaines œuvres préférées, dans les opéras de Mozart, dans les comédies de Shakespeare, dans le grand roman de Cervantès. L'histoire de Fabrice est la tentative de dépeindre la forme que pourrait prendre dans une vie cette spiritualité tout aérienne, si compréhensive et si harmonieuse, que ces œuvres savaient exprimer. Et depuis longtemps, Stendhal rêvait à la possibilité de réaliser dans une vie une synthèse aussi heureuse. N'avait-il pas quelque chose d'analogue en vue dans ces moments où il allait jusqu'à penser à réconcilier les vertus respectives des jésuites et des jansénistes [43] ? Déjà, dans *Le Rouge et le Noir,* l'évêque de Besançon laissait entrevoir l'idéal en se maintenant avec sympathie et humour au-dessus des querelles de ces sectes [44]. Stendhal lui-même, en vieillissant, ne devait-il pas être très conscient de la manière dont le mélange de frivolité et de détachement ironique qui avait caractérisé sa propre vie était en train de déboucher sur une vision souriante, autrement spirituelle du monde ?

Ce rêve de plénitude humaine est un de ceux qui ont le plus touché Stendhal, et il témoigne encore à quel point la *Chartreuse* est orientée vers l'équilibre et vers la synthèse. Stendhal est pourtant resté lucide, comme le montrent tous les détails, et surtout ceux de la deuxième partie, que nous avons dû laisser de côté pour établir le sens du rêve. Ainsi, à partir de son séjour à Bologne, Stendhal tiendra à nous montrer tout ce qu'il en coûtera à Fabrice pour réaliser sa métamorphose, en lui infligeant des épreuves qui sont pleines d'ironies pour le lecteur. Car Fabrice n'accomplira son ascension aérienne que dans le cadre d'un ordre rigoureux qui mettra fin à son vagabondage et qui laissera fort bien entendre à quel point ses aspirations risquent de le rendre toujours complice des régimes autoritaires. Et même alors il ne pourra pas poursuivre son ascension jusqu'à l'infini, puisqu'il devra redescendre sur terre après ses séjours à la tour Farnèse. Pour un temps, c'est pourtant là qu'il réussira avec Clélia cette véritable synthèse dont son histoire fait rêver. Mais, comme ses qualités excluent forcément les avantages du jeu de Mosca, ce ne sera en fin de compte qu'au prix de son amour, qu'au prix de la solitude absolue, que Fabrice atteindra enfin cette spiritualisation définitive de l'aérien dont il a soif.

---

[42] Voir aussi les remarques de Proust sur le sentiment de l'altitude et la vie spirituelle chez Stendhal (*A la recherche du temps perdu,* Bibliothèque de la Pléiade, 1966, t. 3, p. 377).
[43] Cf. F.M. Albérès, *Stendhal et le sentiment religieux,* Nizet, 1956, p. 128-129, 138-139.
[44] *RN,* p. 410-413.

De toute évidence, jusque devant ce rêve de bonheur, Stendhal a donc su garder tout son sens de l'équilibre. Il a su le garder devant les faiblesses de Fabrice, avant et après son emprisonnement. Il a su le garder devant les difficultés de la transformation, et devant les limites qui s'imposent à tout jeu. Il a su le garder même devant la portée de ce rêve, en nous obligeant à comparer la destinée ultime de Fabrice avec les destinées si différentes de la duchesse et de Mosca. Pour suivre tout cela, il nous faudra maintenant étudier le tournant décisif qui nous fait si bien comprendre la nécessité des rudes épreuves qu'il aura encore à subir.

3

LE TOURNANT DECISIF

Plus que jamais léger et enjoué, Fabrice à Bologne se trouve en réalité au plus bas degré de sa destinée morale, n'ayant eu de la vie militaire, de la religion et de l'amour que des expériences dérisoires. La mort de Giletti le laisse réduit à une vie agréable, mais frivole et oisive, sans perspective d'avenir. Il risque de s'« irréaliser » et de se disperser pour de bon. Pour mieux saisir ses besoins profonds au moment de son emprisonnement, résumons donc toutes ses faiblesses, telles qu'elles nous apparaissent à Bologne, faiblesses que dans notre deuxième chapitre nous avons d'ailleurs déjà abordées [45].

Bien que Fabrice ait de l'esprit et bien qu'il sache voir les côtés noirs de la vie, il raisonne encore mal sur ceux-ci (168). Et on ne peut guère douter que sa préoccupation avec le bonheur, que son exigence d'une ambiance sans heurt, que sa désinvolture assez capricieuse, l'aveuglent encore de temps à autre sur lui-même et sur ses rapports avec la réalité sociale. Son inconscience habituelle, et le manque d'autocritique que renforce son catholicisme, sont même les défauts de ses qualités que Stendhal fait ressortir le plus, comme il le fait chez la duchesse. Leur bonheur est à ce prix, et il faut relire à ce propos aussi bien la scène où Fabrice essaie de se juger à Grianta que celle où il fait sa confession à Bologne [46].

Cet aveuglement partiel empêche Fabrice, en premier lieu, de se rendre suffisamment compte des éléments de vanité que lui donne parfois encore son assurance très aristocratique. Quoi que Stendhal ait dit sur les Italiens en général, il a tenu à signaler qu'au cours de son adolescence, Fabrice n'échappa pas entièrement à cette tare « si naturelle à l'homme » (450). Nous l'avons déjà suggéré à propos de la

[45] Cf. *supra* p. 96-98.

[46] 211-212 et 168 : « Il était bien loin d'employer son temps à regarder avec patience les particularités réelles des choses pour ensuite deviner leurs causes. Le réel lui semblait encore plat et fangeux ; je conçois qu'on n'aime pas à le regarder, mais alors il ne faut pas en raisonner. Il ne faut pas surtout faire des objections avec les diverses pièces de son ignorance ».

mort de Giletti [47], et lorsque Fabrice s'enfuit après, Stendhal n'oublie pas de nous montrer le ridicule de sa fatuité dans ses démêlés avec les douaniers et les mendiants de Bologne [48]. Juste avant son arrestation, cette vanité culminera dans ses rapports avec la Fausta (226) : « C'est avec regret que nous allons placer ici l'une des plus mauvaises actions de Fabrice : au milieu de cette vie tranquille, une misérable *pique* de vanité s'empara de ce cœur rebelle à l'amour ».

Or, si cette vanité est, somme toute, une faiblesse légère qu'il n'a que « par accès » (24), et dont Fabrice saura se guérir, ce que Stendhal trouve de plus grave chez cet adolescent si plein de vie, c'est que sa spontanéité heureuse risque de le rendre irrémédiablement naïf au sujet de ses relations avec autrui et avec la société en général. Car l'inconscience rendra Fabrice capricieux et négligent, même dans ses élans de sympathie et de générosité envers les autres. Il s'apitoie passagèrement sur la gêne où se trouvent Marietta et les mendiants de Bologne (175, 198, 215), mais il se flatte excessivement à l'idée de faire leur bonheur [49] et ne conçoit guère que ses gestes de générosité puissent porter le trouble dans ces existences modestes [50]. Au fond, la faiblesse de vouloir être aimé [51] réduit souvent sa sympathie à un attendrissement assez facile [52].

Stendhal n'a donc pas refusé de voir la triste logique des rapports avec la société que suppose l'envol heureux de Fabrice. Lui aussi illustre le paradoxe selon lequel les « *happy few* » seront toujours tentés de servir les régimes les plus réactionnaires. Et en effet, avec la soif que Fabrice a d'un accueil sans heurt et sans discorde, avec la loyauté qu'il sent à tout ce qu'il est par droit de naissance, comment saurait-il refuser les séductions de sa vie à Parme ? Il ne mettra donc jamais en question, ni l'autorité du prince, ni celle du pape ou celle de Dieu ; il ne pensera pas à contester la répression de la révolte [53]. Selon Stendhal, le mouvement démocratique du siècle exige la méfiance et l'examen de soi, ce qui exclut forcément Fabrice [54]. Lui n'a que des rêveries d'héroïsme (135) et l'heure du *Risorgimento* natio-

---

[47] Cf. *supra* p. 97-98.

[48] S'étant senti humilié dans la douane malpropre de la frontière autrichienne (200), Fabrice éprouve « le plus vif plaisir » d'être reçu « avec respect » dans la *trattoria* de Théodolinde (203). Et ce noble qui « trouvait les bourgeois ridicules » (108), finira par conclure devant la petite émeute de mendiants que son inconscience a provoquée (215) : « Je n'ai que ce que je mérite, (...), je me suis frotté à la canaille ». Voir aussi sa remarque à propos de Landriani, « Voilà ce que c'est que les gens du commun » (456).

[49] 205 : « il avait les larmes aux yeux ; il était profondément attendri par le dévouement parfait qu'il rencontrait chez ces paysans ; il pensait aussi à la bonté caractéristique de sa tante ; il eût voulu pouvoir faire la fortune de ces gens. »

[50] Qu'il s'agisse des mendiants de Bologne (215), ou de la carrière de Marietta (223-224).

[51] Comme l'archevêque Landriani, lequel « n'a qu'un faible, *il veut être aimé* » (150).

[52] Nous avons des exemples plaisants de cela lorsqu'il s'excuse d'avoir pris le large auprès de son père et de Fabio Conti (51, 392).

[53] Voir tout son dialogue avec le prince, 146-149.

[54] Cf. *MDT*, t. 2, p. 284, 484.

naliste, mouvement qui lui conviendrait mieux, n'était pas encore venue.

Avec une ironie fort délicate — car Fabrice est généreux, il n'aura jamais, du moins, cette mauvaise foi qui est le piège des aristocrates républicains [55] — Stendhal souligne ainsi à Bologne la rançon sociale du bonheur de Fabrice. Lors de la rencontre avec les mendiants, la « canne à pomme d'or » de son domestique Pépé met suffisamment en contraste leur misère et les avantages de Fabrice [56]. Sa confiance en un monde bienveillant est bien la confiance d'une classe nantie, et plus tard Stendhal ne nous privera pas de la comédie de voir Fabrice exiger la vraie justice du régime corrompu qu'il a voulu servir [57]. Bien plus, Stendhal tient à nous montrer que sur le plan de la société, l'harmonie dont rêve Fabrice ne peut au fond être réalisée qu'à l'échelle très réduite des petits clans d'amis personnels, voire des salons et des villages [58]. Car n'est-ce pas encore ce qu'il faut entendre, lorsqu'en recevant la lettre perfide, Fabrice sera trop pressé de quitter Bologne et de rejoindre ses amis ?

Cependant, gardons-nous d'exagérer là où Stendhal donne tant de finesse au jugement qu'il laisse transparaître sur Fabrice. La mort accidentelle de son rival Giletti, la vie de café qu'il mène à Bologne, tout l'épisode de la Fausta, donnent exactement la note qu'il faut. Comme nous l'avons dit dans notre deuxième chapitre, rien que l'enchaînement de ces événements trahit suffisamment chez Fabrice tout un ensemble d'attitudes qui n'est pas à l'abri du reproche [59]. Fabrice est en train de perdre contact avec la réalité de sa situation et de se disperser dans la futilité. Et c'est pourquoi, dans ce tournant, Stendhal se plaît à souligner que si Fabrice est plus éloigné que jamais de l'amour véritable (224-226), il l'est aussi de la religion. « Ne songeant plus à la carrière ecclésiastique, Fabrice avait arboré des moustaches et des favoris » (228) et doit se rappeler en écrivant à Gina de « ne jamais dire *quand j'étais prélat, quand j'étais homme d'Eglise* » (222). Sans cesse, l'ironie de l'auteur nous rappelle que cet hôte à l'auberge du *Pelegrino* (222), que ce *monsignore* qui maintenant va parfois jusqu'à se *déguiser* en prêtre (234), est en train de s'égarer de sa destinée ultime [60].

---

[55] Ce qui était désormais, selon Stendhal, surtout le cas en France, et cela d'autant plus qu'après 1830, il était presque impossible pour un jeune noble français d'échapper aux sentiments de culpabilité sociale. Il faut comparer, à cet égard, les réflexions de Fabrice sur le privilège (167) avec celles du jeune duc de Montenotte et de l'abbé de Miossince dans *Le Rose et le Vert*, nouvelle écrite l'année auparavant (p. 1112-1114, 1118).

[56] 215. Voir aussi le fait qu'aux fouilles de Sanguigna, « la présence de Fabrice était surtout convenable pour empêcher quelque petite émeute » de paysans jaloux (193).

[57] Cf. *infra* p. 192. Stendhal nous donne un autre exemple de cette sorte de contradiction dans *RNF*, p. 505-506.

[58] Nous pensons au village de Sacca et à ces salons du dix-huitième siècle qu'aimait Stendhal.

[59] Cf. *supra* p. 95-99.

[60] C'est aussi ce qui autorise peut-être Stirling Haig à voir dans la promenade nocturne en chaise de carnaval un double grotesque de la procession des nouveaux papes en chaise (*sedia gestatoria*), et par conséquent un premier écho dérisoire du siège de bois que Blanès lui a prédit (« The identities of Fabrice del Dongo », *French Studies*, avril 1973, p. 175).

On conviendrait donc sans difficulté que c'est une orientation nouvelle qu'exige désormais la vie de Fabrice. Avec humour, avec regret, mais surtout avec une logique profonde, Stendhal lui en donnera donc une, en l'enfermant dans la tour Farnèse. Il devrait d'ailleurs être évident qu'au fond Fabrice lui-même est prêt à mettre enfin sa vie en ordre. Sa vie oisive à Bologne lui pèse (227, 244). Ne dirait-on pas même qu'en revenant à Parme sur les talons de la Fausta, c'est inconsciemment une crise et un jugement que Fabrice cherche à provoquer ? Quelques indices involontaires semblent, en effet, trahir chez lui une inquiétude que n'aurait pas suffi à exaucer son action de grâces [61]. Il est dans l'attente : dans cette attente que les vrais joueurs connaissent lorsqu'ils pensent être enfin près d'une « remise en jeu » décisive de leur vie [62]. « Remise en jeu » qui chez Fabrice aboutira à un nouvel ordre, tel qu'il en a déjà eu, avec un mélange curieux d'inquiétude et de joie profonde, un pressentiment étrange.

4

L'APPRENTISSAGE DE L'ORDRE MYSTIQUE

En mettant fin à ses années d'errance et de souplesse, son emprisonnement fait donc subir à Fabrice des épreuves qui se sont montrées nécessaires à la métamorphose de l'aérien. D'abord, la brutalité politique du régime, matérialisée dans cette citadelle, mais aussi sa passion pour Clélia, finiront par l'obliger à devenir moins désinvolte, à confronter une réalité cruelle qui met des obstacles à son amour et qui menace sa propre survie. Fabrice a beau être heureux en prison, nous verrons Stendhal exiger qu'il y commence à distinguer les limites que la réalité finit par mettre aux possibilités du jeu dans la vie. Cependant, c'est par la même occasion que se découvrira à Fabrice l'existence d'une voie tout autre pour la satisfaction de la soif qu'il a d'allègement harmonieux, une voie qui évite mieux les risques d'une volatilisation futile. Car c'est en apprenant à diriger sa soif, à la soumettre à une règle, que Fabrice pourra réaliser, sur un plan plus spirituel, toutes ses aspirations à l'air. Ce sont ces leçons rigoureuses qui désormais vont orienter le récit.

---

61 Car si l'on interroge les mobiles qui lui font poursuivre jusqu'à Parme cette Fausta qui ne le touche guère (244, 229), tout ne s'explique pas par sa pique de vanité (226, 228), ni même par le désir informulé de revoir Gina (229, 244), ni par l'envie sourde de connaître enfin le vrai amour (244). Parfaitement lucide sur le danger qu'il court ,Fabrice s'explique n'importe comment les actions que lui dictent des émotions inquiètes (228-229). Ne dirait-on pas qu'il cherche inconsciemment à provoquer une traduction en justice ? Voir aussi nos remarques, *supra* p. 98, sur le nouveau duel sur lequel Stendhal a choisi de terminer l'épisode.

62 Cf. J. Duvignaud, *Le don du rien*, Stock, 1977, p. 176-180.

Stendhal connaissait assez bien lui-même les plaisirs de la dispersion pour apprécier les avantages d'un ordre[63]. Mais quel est donc enfin cet ordre, révélé par la prison, qui se montrera si nécessaire ? Peu à peu, le lecteur apprendra qu'il peut revêtir des formes très différentes, qu'il peut servir des fonctions très diverses, mais que, dans l'essentiel, c'est un ordre solitaire et contemplatif, qu'il faudra appeler mystique. D'un certain point de vue, c'est l'évidence même, mais ce qui est fondamental, c'est de saisir qu'il s'agit bien d'un ordre, et d'un ordre qui peut en outre exister sur des plans très différents, tant spirituels et intérieurs que plus visiblement physiques. Le moine, l'amant et le prisonnier d'état peuvent tous se rencontrer dans cet ordre. A moins de le comprendre, il nous semble impossible de suivre l'enchaînement des paradoxes auxquels Stendhal soumet Fabrice jusqu'à sa mort dans la chartreuse. On risque, par exemple, de ne pas voir que si la figure de Clélia finit par s'estomper et par s'évanouir dans le mystère[64], que si Sandrino meurt, c'est aussi parce que cet amour, qui semble pourtant constituer la seule destinée véritable de Fabrice, ne se révélera en fin de compte qu'une préfiguration nécessaire de cet ordre. Toute la stratégie si oblique que nous avons décrite dans notre deuxième chapitre permet à Stendhal à chaque moment de jouer sur plusieurs tableaux, de laisser à de menus détails le soin de maintenir présent le fil moral qui mènera Fabrice, par-delà sa passion, à la cellule d'un chartreux. Bien plus, ce seront ces mêmes détails qui nous feront constamment voir toutes les ambiguïtés morales qui distinguent chaque avatar de l'ordre. Car Stendhal restera vigilant jusqu'à la fin, et il n'entend pas privilégier, aux dépens de l'ordre de Mosca ou des transgressions de Gina, l'ordre mystique qui est nécessaire à Fabrice. Choisir pour soi un ordre, c'est forcément en rejeter d'autres, et la fin si écourtée du roman réussit une vue d'ensemble fort ironique sur ces destinées. La contemplation solitaire et passive, dans laquelle Fabrice résume tout ce que lui ont appris les jeux, l'amour, la religion et l'art, n'est moralement pas une victoire décisive.

On a toujours vu que Fabrice est depuis longtemps préparé au bonheur qu'il découvre dans sa cellule. Mais d'habitude, on ne l'explique que par son goût de la solitude, et on oublie de souligner à quel point il s'est déjà montré disposé à accepter les ordres établis et leurs hiérarchies implicites. Voyons-le à l'armée, par exemple. Là il fait preuve d'une entente intuitive du système de commandement et des règles qui l'organisent (85). Et comme à Waterloo il obéit au caporal Aubry et au colonel Le Baron (72-76, 85), dans sa carrière ecclésiastique il ne se révoltera pas non plus contre les pouvoirs de ses supérieurs. Du roi, il dira toujours de même, « c'est de l'obéissance aveugle qu'on lui doit » (147). Car Fabrice est naturellement respectueux, comme il le montre à coups répétés devant Mosca, Blanès et

---

[63] Ainsi que l'a noté F.M. Albérès (*Stendhal et le sentiment religieux*, p. 48). Octave se disait justement « qu'une légèreté de tous les moments rend tout esprit de suite impossible » (*A*, p. 82).

[64] Comme le remarque Jean Prévost, *La Création chez Stendhal*, p. 353.

la duchesse[65]. A l'occasion, il négligera certes les intentions de ses supérieurs et il ne se pliera pas aveuglément à n'importe quelle autorité. Mais contre le principe même de l'ordre, et contre la part de répression qu'il implique, nous ne le voyons jamais près de se révolter sérieusement. Voilà encore ce qui fera de lui un être qui malheureusement ne se refusera pas à servir des régimes réactionnaires, comme celui du prince à Parme.

Que les traditions de la noblesse aient nourri en Fabrice le respect des hiérarchies ne peut évidemment pas faire de doute. La souplesse et le goût de l'accommodement ne l'y poussent-ils pas également ? Mais il y a plus. Son rêve esthétique d'une harmonie implique l'intuition d'un ordre cosmique, et sa superstition et son sens du jeu renforcent fatalement cette intuition. On pourrait même aller plus loin, et supposer que la superstition et le jeu ne sont pas pour peu dans la diminution chez Fabrice du sentiment d'un antagonisme irréductible entre l'ordre et la liberté. Pour ce qui est de la superstition, F. M. Albérès l'a fort bien montré, en suggérant que chez Fabrice, c'est la reconnaissance de limites absolues au libre arbitre qui libère paradoxalement son âme[66]. Car l'impossibilité de connaître par avance le chemin qui est prescrit finit naturellement par lui rendre le droit de « jouer avec la vie ». Mais en fait les leçons que Fabrice tire du jeu et de la superstition ne font qu'un à cet égard. Car dans le jeu, n'est-ce pas le rapport entre la liberté du participant et les règles qu'il accepte de respecter, qui en a si souvent fait un modèle idéal pour la résolution des conflits entre le déterminisme et la liberté individuelle, entre le hasard et le prévu[67] ? Et n'avons-nous pas déjà signalé que dans la *Chartreuse* on nous fait voir dans la pensée superstitieuse un rapport entre l'ordre et la liberté qui est, à certains égards, analogue à celui qu'offre le monde du jeu[68] ? Tout cela indique que c'est précisément à cette idée atténuée de l'ordre, que peuvent suggérer la superstition et le jeu, que Fabrice consent dans son cœur. Il ne se le dit pas d'une manière claire, mais on le voit à son attitude ludique envers la théologie et la politique[69].

Fabrice consent donc intuitivement à l'idée de restrictions absolues posées à toute liberté. Sa foi tranquille trahit cette attitude, et c'est cette rêverie sur l'ordre cosmique, effectuée à travers la superstition, le jeu et la beauté, que Fabrice traduira plus tard en une méditation plus religieuse sur les harmonies universelles. L'évolution qui renou-

---

[65] 151 : « Fabrice se plaisait fort dans la société du comte : c'était le premier homme supérieur qui eût daigné lui parler sans comédie ».
171 : « Fabrice lui ayant obéi en silence comme c'était sa coutume ».
144 : (à la duchesse) « Eh bien ! es-tu contente de moi ? »

[66] F. M. Albérès, *Stendhal et le sentiment religieux*, p. 97.

[67] Cf. par exemple, Philip Lewis, « La Rochefoucauld : the rationality of play », *Yale French Studies*, N° 41, 1968, p. 144-147.

[68] Cf. *supra* p. 83-84.
Rappelons à ce propos, à quel point le jeu et la superstition s'entremêlent dans la vie de Fabrice : il apporte à l'astrologie une attitude ludique, et chez ce joueur aléatoire, la superstition se mêle constamment à la poursuite de ses jeux (38-40).

[69] Dont il accepte les règles, sachant qu'elles ne sont que de convention (137).

vellera la foi de Fabrice après une jeunesse de jeu et de superstition est par conséquent profondément cohérente. Au rôle qu'y joue son intuition d'un ordre, on serait même en droit d'ajouter une autre hantise qui n'est pas sans rapport : sa recherche d'un père meilleur. Car chez lui, le manque d'un père rassurant contribue assurément à la superstition et à l'amour du jeu aléatoire, lesquels sont au fond des interrogations de ce Père qu'est pour tous le Destin [70]. Or la religion ne traduit-elle pas tout aussi bien le besoin d'un Père [71] ? Ce ne sera ainsi qu'après la mort du sien, que Fabrice deviendra moins superstitieux et que sa foi se renouvellera (355-356). Une logique profonde veut que la *Chartreuse*, de tous les romans stendhaliens, celui qui est le plus orienté vers le jeu et vers le hasard, soit en même temps le plus religieux, et que Fabrice finisse par consentir à la règle des chartreux.

La citadelle de Parme, prison paradoxalement heureuse, est évidemment l'image principale qui peint dans toutes ses ambiguïtés l'ordre fondamental que découvrira Fabrice. Par rapport à sa vie antérieure, n'est-ce pas, en effet, une impression irrésistible d'ordre qu'elle donne, pareille en cela aux monuments de Rome, face aux hésitations de l'autobiographe, au début de *Henry Brulard* ? Quoi de plus opposé que cette forteresse massive à la souplesse volage de Fabrice ? Les sbires devront le réduire à une charge emmenottée et inerte, pour arriver à l'y faire entrer (265).

C'est, du moins, en nous présentant d'abord ses aspects négatifs que Stendhal nous introduit à cet ordre. Et face à une brutalité si réelle, que vaut tout d'abord le sens ludique de Fabrice ? Trouverait-on beaucoup de démentis plus violents à donner au rêve de tout transformer en jeu ? Mais en fait, rien n'est simple quand il s'agit du jeu, et Stendhal le soulignera, en plaçant tout de suite après l'incarcération de Fabrice sa rencontre avec le chien de garde folâtre [72]. En effet, d'une part Fabrice ne perdra nullement le don du jeu en entrant dans la citadelle, et il saura toujours en tirer des avantages indéniables. Car, jusqu'à un certain point, le sens du jeu peut transformer le réel. Fabrice ne découvrira-t-il pas ainsi un champ de jeu qui est idéal dans le lieu clos de cette prison — soit qu'il y trouve son bonheur « à jouer avec ce chien » (312), soit qu'il entame avec Clélia le jeu plus grave de l'amour (cache-cache sentimental d'abord, qui est un véritable jeu d'enfant (343) ? Et cette découverte n'a-t-elle pas sa part dans le bonheur de son emprisonnement ? C'est même un peu parce que Fabrice saura effectuer son évasion comme s'il allait « gagner un pari », qu'il s'en tirera si bien (382). Et c'est aussi un peu parce qu'ils sauront toujours jouer, que l'amour de Clélia et de Fabrice triomphera de presque tous les obstacles. Ne le voit-on pas à la manière dont Fabrice saura communiquer avec elle, en jouant délibéré-

---

[70] Cf. J. Halliday et P. Fuller, *The Psychology of Gambling*, p. 2-12, 14-15, 24-27, 206-209.

[71] Cf. *Ibid.*, p. 47-59. Ce livre résume avec beaucoup de force les affinités psychologiques entre la religion et le jeu aléatoire, du point de vue œdipien.

[72] 311-312. Sur le nom de Fox donné à ce chien, et sur le renfort qu'il donne à l'association entre celui-ci et le jeu, voir l'Appendice.

ment avec les textes religieux (334, 393), et à la manière dont ils s'appartiendront enfin, en réalisant une parodie plaisante des termes du vœu fait à la Madone ? Mais d'autre part, la réalité atroce de la forteresse renouvellera cette série d'avertissements qui finira par obliger Fabrice à reconnaître que le réel ne se laisse pas toujours déjouer. Il a vu la mort à Waterloo, il l'a frôlée dans deux duels, et on essaie maintenant de l'empoisonner au milieu de son bonheur [73]. Et les derniers obstacles que rencontre son amour se révéleront tout aussi réels que ces attentats dans la prison. A partir de son emprisonnement, il semble ainsi que Stendhal voudrait que Fabrice finît par faire front à l'infranchissable écart qui existe entre certaines réalités et le jeu. La nécessité de préserver sa vie, les exigeances de la passion, ne peuvent finalement pas être éludées. Pour Stendhal, ce sont là les limites qui s'imposeront toujours au bonheur de jouer sa vie, et Fabrice l'aura peu à peu appris, lorsqu'après la mort de Clélia il entrera dans sa chartreuse.

De ce point de vue, la citadelle incarne une réalité hostile, et du même coup, elle matérialise tout ce qu'il y a de répressif dans l'ordre. Construite jadis afin de punir la transgression primordiale de l'inceste, maintenant elle est « reine, de par la peur, de toute cette plaine » (113). Surtout, la complicité profonde des grands ordres de l'état dans la répression des hommes, ne manque pas de s'y faire voir. Le prince a la justice pour remplir sa prison, et pour la garder, son armée. L'église lui fournira un symbolisme hypocrite pour déguiser un peu sa violence [74]. Tous ces ordres s'entendent, en effet, pour exiger l'obéissance de leurs sujets, et pour l'imposer, tous ont recours à la même détention cellulaire [75]. Le principe est affiché dans la tour Farnèse par le nom d'« *Obéissance passive* » qu'on a donné à la prison de Fabrice (310). C'est donc tout d'abord comme répressif, et plus spécialement comme l'aboutissement logique du système répressif exercé par l'Etat, que Stendhal veut nous présenter cet ordre qui finira par ravir Fabrice [76]. A ce propos, il ne veut pas tricher.

Dans la mesure donc où la citadelle représente une réalité dangereuse, et une forme tyrannique de la réclusion, il faudra que Fabrice s'en évade. On sait cependant que la citadelle aura été pour Fabrice le théâtre d'une transformation surprenante, et que toutes ses expériences y sont paradoxales. Château du destin [77], cette chartre mena-

[73] Rappelons que c'est en désirant participer à la guerre comme à un jeu héroïque que Fabrice est parti pour Waterloo, et que dans le duel avec Giletti, il s'est d'abord cru « à un assaut public » (195). A chaque occasion, il est violemment rappelé à la réalité.

[74] Chapelets (320), jeûnes (303) et abat-jour salutaires (314).

[75] Voir sur l'obéissance dans la monarchie, *JL*, t. 2, p. 273, et dans l'église, *RN*, p. 381, 393.

[76] La répression politique à Parme est certes un exemple extrême du principe à l'œuvre, mais rappelons que si Mosca vide les prisons de Parme, il ne les abolira pas.

[77] Château garni « d'une quantité de paratonnerres » et terminé en pentagone (308), il représente un tournant décisif où le destin se jouera, comme dans beaucoup de jeux, comme dans les mythologies du Tarot et des francs-maçons.

çante laisse prévoir une chartreuse. Lieu de ténèbres et « antichambre de la mort » (277, 281), c'est dans la lumière que Fabrice y vivra, et dans une illumination mystique [78]. Forteresse massivement terrestre, Fabrice s'y envolera pourtant dans la cage flottante de sa prison, et respirera un air plus pur. Ordre brutal, il y découvrira une liberté paradoxale, la « liberté du couvent » (273), analogue à cette liberté dans l'ordre que lui suggèrent la superstition et le jeu. Même l'obéissance que le prince y exige se révélera une source inattendue de vertus tout à fait authentiques.

En fait, nous avons déjà laissé entendre que depuis longtemps Fabrice a eu un pressentiment de cet ordre ambigu. Chasseur, il s'exaltait dans l'épreuve solitaire, pareil aux chevaliers errants. Vrai fils de Blanès, l'austérité d'une retraite l'a déjà ravi dans le clocher de Grianta, et l'idée d'une prison l'a depuis longtemps fasciné. Peu lui coûtera donc de perdre ces fêtes qui font le bonheur de la duchesse. S'il a été trop inconscient, jusque-là, pour pouvoir prévoir dans un tel ordre une solution à son aspiration à l'air, il y reconnaîtra cependant son bonheur, une fois qu'on le lui aura imposé.

Or, si l'ordre qui convient à Fabrice est bien l'ordre de la réclusion, ce qu'il nous faut rappeler maintenant, c'est que cet ordre peut revêtir, et revêtira effectivement pour Fabrice, des formes fort différentes. C'est ce qui ressort des similitudes entre la prison du détenu et la cellule du contemplatif, entre le captif d'amour et le captif de Dieu. A partir de son emprisonnement, l'histoire de Fabrice sera précisément celle d'une exploration intuitive de ces différentes formes de réclusion, jusqu'à ce qu'il y ait distingué l'ordre essentiel qui lui convient et les valeurs qui s'y attachent. Par conséquent, l'expérience de Fabrice dans la prison sera beaucoup plus paradoxale qu'on ne le dit. Car non seulement Fabrice y est heureux, mais encore, il croit l'être uniquement parce qu'il y est un captif de l'amour, et parce que sa petite cellule exprime parfaitement sa dévotion, selon le jeu de l'amour courtois. Et cependant, la forme que prend cette dévotion amoureuse, et les vertus qu'elle engendre, sont par essence religieuses. Bien plus, il faut oser suivre jusqu'au bout les paradoxes qu'on nous présente, et remarquer que ces vertus religieuses sont exactement les mêmes que celles que le prince voudrait si hypocritement exiger des victimes de sa justice. Car, que fera Fabrice après tout, dans la prison de l' « *Obéissance passive* » ? Il commencera justement d'y apprendre les vertus de l'obéissance, mais d'une autre façon que celle prévue par les pouvoirs de l'état. Car ce n'est pas l'obéissance au prince, ni même encore l'obéissance à Dieu, qui lui enseigneront ces vertus. C'est l'obéissance à Clélia, le guide spirituel dont il a maintenant besoin. Et tout ce jeu de paradoxes suggère qu'il faudra encore longtemps pour que Fabrice apprenne à chercher une dévotion vraiment religieuse dans cet ordre contemplatif. Nous aurons à revenir sur ces ironies, lorsque nous étudierons sa fin.

[78] Cf. *supra* p. 41, sur le thème de la lumière.

Saisi par les sbires du prince et jeté dans la citadelle, voilà donc Fabrice obligé de redresser un peu sa vie. Et de ce point de vue, il nous faudra considérer l'aspect pénitentiel de cet ordre. Sachant qu'il a tué en état de légitime défense, Fabrice refuse d'y penser (268), mais Stendhal n'entend pas s'aveugler sur les ironies de la situation. Si le prince est un tyran, qui prétend même pousser jusqu'à la pénitence les ennemis qu'il persécute [79], cela n'empêche que Fabrice est un aristocrate assez frivole qui s'est cru « au-dessus des lois » (216), et dont le comportement général n'est pas tout à fait exempt de reproche. Nous avons vu que dans son for intérieur, Fabrice semble s'en douter lui-même, et qu'il semble vouloir être jugé. Cependant, si l'appareil judiciaire du prince est certes incapable de rendre des jugements équitables, Fabrice ne les trouvera pas non plus dans les avis de ses amis [80]. Et le comble de l'ironie est qu'il ne les trouvera même pas, lorsque lui et Mosca se concerteront pour obtenir un procès impartial (431, 448-449). En fait, la part de blâme qui lui incombe pour des raisons plus générales, il trouvera seulement à l'expier — et beaucoup plus que de raison — par le temps que le prince l'oblige de passer à la tour Farnèse. Ainsi éclate toute la portée ironique de l'avertissement donné par l'auteur (216) : « il ne calculait pas que dans les pays où les grands noms ne sont jamais punis, l'intrigue peut tout, même contre eux. » Car c'est seulement grâce à ces viles intrigues que Fabrice parvient à purger le peu de peine qu'il méritait, selon cette vraie justice qu'on lui refuse. Mosca est le seul à le comprendre, en se récapitulant ses malheurs, « En effet, il a bien acheté sa belle fortune » (457).

Toutefois, on sait que dans l'immédiat, c'est à peine si Fabrice réfléchit sur cet aspect de la réclusion, tant s'épanouit son naturel dans cette « solitude aérienne » (312). Longtemps encore, il ignorera de même la part nécessaire de l'examen de soi dans tout ordre solitaire et mystique. Frappé par la beauté de Clélia, frappé par la paix de cette solitude et par l'harmonie du panorama, pour lui ce nouvel ordre sera d'abord l'occasion d'une contemplation qui est riante et facile, purement esthétique et ludique. Comme tant de fois auparavant, ici c'est donc encore la beauté qui aiguillonne son sens moral, en mettant Fabrice au-dessus de toutes les considérations vulgaires [81]. Et cependant, cette rêverie flottante d'un artiste ne saurait suffire pour amener un tournant décisif dans sa vie — la journée passée au clocher de Grianta l'a depuis longtemps montré. C'est la présence de Clélia qui ajoute la rigueur nécessaire, en transformant ce recueillement en un ordre amoureux aux exigences précises. Car cet amour est bien un ordre. Il l'est, bien sûr, par rapport à ses amourettes antérieures, et au désordre dont Gina le menace. Mais il l'est surtout en ce qu'ici, il ne ressemble à rien tant qu'à l'amour courtois, entrevue à travers Pétrarque [82]. Dorénavant, c'est à Clélia que Fabrice obéira, comme dans

---

79 Et qui y réussit parfois, à en juger par le *Te Deum* que les prisonniers font chanter pour Fabio Conti (378).

80 Voir les réflexions trop limitées de Gina, 286-287.

81 Cf. *supra* p. 172.

82 On sait que dans la *Chartreuse,* il est assez souvent question de Pétrarque, 408, 458, 464 ; mais voir aussi, sur l'amour courtois, *DA,* t. 2, p. 233-248.

un couvent ou dans une caserne on obéit à une seule règle : l'analogie, que peint si bien la petite cellule de Fabrice, n'avait pas échappé à Stendhal [83]. Bien plus, comme dans l'amour courtois, cette obéissance n'est consentie qu'au nom de certaines valeurs idéalistes dont Clélia devient désormais tant le juge que le symbole [84]. Pour Stendhal, la cristallisation naît forcément d'une façon arbitraire, mais cela n'empêche qu'entre les belles âmes elle ne saurait être durable, à moins de passer par une série d'épreuves où les deux amants vérifieront leur respect mutuel de ces valeurs [85]. Grâce à l'ordre amoureux, Fabrice s'appliquera donc à réaliser les valeurs nobles — la loyauté, le dévouement et l'esprit de sacrifice — valeurs que sa rêverie d'artiste ne l'obligeait pas en elle-même à rechercher. Mais ce que Fabrice ne sait pas encore, et ce que nous verrons Stendhal souligner, c'est que cet élan idéaliste dans la contemplation solitaire et soumise, aurait déjà pu prendre la forme d'une retraite proprement religieuse.

Trop heureux dans sa prison pour réfléchir sur ce qui lui arrive, Fabrice évadé sait à peine expliquer la mutation profonde qui s'est produite en lui. Il sait seulement qu'il veut rentrer dans cette prison au service de Clélia, et ce désir exprime on ne peut mieux la satisfaction qu'il éprouve maintenant d'avoir quitté son errance légère pour un ordre plus étroit (382) : « Combien je suis différent (...) du Fabrice léger et libertin ». De plus, exilé de cette prison heureuse, dans la liberté ne l'attend qu'un asservissement autrement dur où il connaîtra désormais l'introspection désespérée [86]. Dès lors, Fabrice se montrera persuadé qu'il ne saurait fuir plus longtemps les obligations et les ordres, et qu'il lui faut choisir entre ceux que la vie lui présente. Poussé aussi par le désespoir d'abord, il se mettra donc à mieux remplir les obligations de son état de prêtre (455), et il ne tardera pas à se mettre au service du comte, du prince et de sa famille [87]. Il n'est pas jusqu'à la vie dédoublée qu'il consent à mener avec Clélia, qui ne traduise sa volonté de couler sa vie dans un moule étroit. Or, pourquoi cela, sinon parce qu'en prison, Fabrice a appris à rechercher dans un ordre très restrictif la réalisation des plus hautes valeurs, et parce que cet ordre lui a enseigné à ne plus confondre la liberté avec l'errance, l'obéissance avec l'esclavage.

[83] Dans *De l'Amour*, un rapprochement s'esquisse entre les services amoureux, religieux et militaires (t. 1, p. 150-151).

[84] Cf. *DA*, t. 1, p. 55-56.

[85] On le voit encore mieux peut-être dans *Lucien Leuwen*, comme aux pages 998-999.

[86] 450 : « Ce fut une grande leçon de philosophie pour Fabrice que de se trouver (...) beaucoup plus malheureux dans cet appartement magnifique, avec dix laquais portant sa livrée, qu'il n'avait été dans sa chambre de bois de la tour Farnèse, environné de hideux geôliers, et craignant toujours pour sa vie ».

[87] Voir sur sa famille, 450, 493, sur le comte, 469, sur le prince, 471, sur l'Eglise, 470, 489.

Dès que Fabrice s'est évadé, Gina s'aperçoit de cette transformation, qui dépasse les effets de son désespoir. Maintenant, elle le voit bien au-dessus de toutes ces idées de vengeance qui autrefois l'auraient tenté [88] ; maintenant, il arrivera même à Fabrice d'être gêné à l'idée de rester un mauvais prêtre aux yeux de l'église (452). « Ce qui rendait le changement plus frappant, c'est qu'avant ces derniers temps, si la figure de Fabrice avait un défaut, c'était de présenter quelquefois, hors de propos, l'expression de la volupté et de la gaieté » (458) ; « tout était anéanti chez notre héros, même la vanité si naturelle à l'homme » (450). Au fond, lorsque dans un de ses beaux sonnets, Ferrante Palla imagine Fabrice « jugeant les divers incidents de sa vie » en sortant de la prison (397), il n'anticipe que de très peu sur le retour fondamental sur lui-même qu'accomplira le nouveau solitaire dans son petit habit noir.

5

LA FIN DE FABRICE

Redescendu sur terre, Fabrice approfondira donc sa vie spirituelle dans le désespoir amoureux et dans la lutte pour son amour, jusqu'à ce qu'il soit réuni avec Clélia dans ce renouvellement de l'ordre amoureux que marquent les barreaux de l'orangerie où il promet encore de lui obéir (488). Pourtant, il importe de remarquer qu'en s'engageant dans cette liaison nocturne, les deux amants n'excluent en fait nullement le monde et ses impératifs. Car en consentant à dédoubler leurs vies, ils chercheront à réaliser ce rêve d'existences parfaitement équilibrées qu'évoque le roman dans son ensemble. Jusqu'au dénouement tragique, ils s'efforceront ainsi de réconcilier la morale mondaine et la morale spirituelle, la lumière diurne et l'illumination nocturne, les exigences des autres et la contemplation amoureuse.

On sait, cependant, que cette réussite exceptionnelle ne sera que de courte durée. Fabrice, cet être si enthousiaste et assoiffé d'harmonie, n'a pas le sang-froid de Mosca et supporte mal d'avoir à se masquer [89]. Avoir toujours à jouer double jeu, même pour vivre avec Clélia, sera à la longue pour lui, plus répressif que la solitude absolue. D'autre part, Fabrice est un joueur aléatoire, et couve au fond des exigences de révélation définitive, au-delà des jeux et des accommodements. Dans un geste sauvage venu de son inconscient, il finira donc par briser l'équilibre qu'ils ont eu tant de peine à établir.

[88] Voir 400, alors que peu avant elle croyait toujours lui plaire en le vengeant (371), comme s'il était toujours l'adolescent qui s'était rué sur le Genevois paisible (95).

[89] Cf. *supra* p. 144-145.

C'est ce dernier geste tragique, et les problèmes qu'il soulève, que nous devons maintenant analyser. Car, quoi qu'on en ait dit, il ne s'agit là, ni d'une apothéose de l'amour courtois, ni d'un suicide masqué, comme dans *Le Rouge et le Noir*[90]. Il s'agit, au contraire, d'une sécession qui, par rapport aux autres romans, a ceci d'original, qu'elle n'essaie de déguiser, ni son caractère intentionnel, ni son côté agressif. Une sécession qui ne dissimule pas que ce dont il s'agit chez Fabrice, c'est un désir irrésistible de tout quitter, même Clélia, afin d'atteindre dans la solitude la réalisation définitive de lui-même. Ayant pris avec elle son essor spirituel, Fabrice finira quand même ainsi par abandonner subitement Clélia, sous l'impulsion d'un « caprice » inquiétant (489), attiré, comme malgré lui, par une destinée distincte. Et cela explique pourquoi Clélia reste une figure assez peu définie, figure qui fait surtout écho aux impératifs profonds de Fabrice — à son amour des solitudes aériennes, à sa passivité superstitieuse[91]. Car c'est ainsi que se communiquent au lecteur la continuité ininterrompue, même au plus fort de son bonheur, des hantises profondes de Fabrice, et la force irrésistible de ce rêve d'un autre ordre plus solitaire et mystique encore, l'ordre de la chartreuse de Parme.

Ce désir grandissant de solitude implique donc une ambiguïté considérable dans l'évolution des rapports de Fabrice, tant avec les femmes qu'avec la religion. Et aucun thème n'illustre mieux la tactique si indirecte de la narration. Car Stendhal a surtout confié à une série de menus détails le soin de préparer le lecteur à ces ultimes développements.

Prenons d'abord l'exemple des femmes. Peut-être une veine de réserve à leur égard n'est-elle pas entièrement surprenante dans un roman où la féminité se montre souvent si redoutable. Gina et la Fausta y sont des Circés, capables de raviver chez tous les hommes les angoisses et les préjugés les plus primitifs[92]. Même l'amour qui est protecteur, s'y montre apte à emprisonner l'amant — c'est évidemment le cas de Gina, toujours si impérieuse, mais c'est aussi le cas de Clélia, qui soumet Fabrice à sa règle. Plusieurs personnages masculins du roman souffriront par conséquent d'un conflit entre leur idéal moral et l'empire exercé par les femmes. Lorsque Fabrice veut rejoindre Napoléon, un des amis de Vasi regrette que son mariage l'empêche de partir (50). Même Ferrante se sent tiraillé entre sa femme et son devoir public, entre Gina et la république, « la seule rivale que vous ayez dans mon cœur » (364, 419). Ayant payé son insurrection avec l'argent destiné à sa famille, il finira avec ses principes sapés par l'hostilité de la duchesse à leur réalisation[93].

---

[90] Voir, par exemple, Durand, *op. cit.*, p. 198 et B. Didier, « La Chartreuse de Parme ou l'ombre du père », *Europe*, juillet-août 1972, p. 154.

[91] Voir sur sa superstition, 484, sur son amour de la solitude, 322, sur son aspiration à l'air, 273. C'est à bon droit que Fabrice lui trouve une physionomie « angélique » (268-269).

[92] Voir le sonnet sur la Fausta, laquelle peut faire « de toi, en un moment, ce que Circé fit jadis des compagnons d'Ulysse » (226).

[93] Rappelons que dans *Vanina Vanini*, qui a tant de rapports avec la *Chartreuse*, Vanina constitue également une diversion qui se révélera fatale pour les projets patriotiques de Missirilli.

Toutefois, l'important ici, c'est que c'est surtout par rapport à Fabrice que ce conflit est souligné. Et on voit, en effet, le problème de l'auteur. Car d'une part, il faut que le lecteur sente toute l'importance des femmes pour Fabrice, importance tant spirituelle que pratique. Mais d'autre part, il faut aussi préparer le geste ultime par lequel Fabrice finira par abandonner Clélia. Et cela, l'auteur ne peut le faire que de la façon la plus discrète. Or Stendhal y réussira, au moyen d'une série de détails dont l'effet cumulatif sera de suggérer une opposition, dans la vie de Fabrice, entre les femmes et les intérêts graves, entre l'amour et la réflexion sérieuse. Opposition qui n'est certes pas constante, mais qui peut toujours renaître, même au sein d'un amour idéal.

Cette opposition latente chez Fabrice entre certains idéaux et le monde des femmes est donc déjà présente lors du départ pour Waterloo. Sentant que son expédition risque d'être compromise par l'émotivité féminine, Fabrice finira par dire à ses sœurs, « Vous me trahiriez à votre insu »[94]. A Waterloo, lorsqu'il veut se battre, il lui faudra de même quitter la cantinière. Plus tard, c'est en fuyant les difficultés de ses rapports avec Gina et Marietta, qu'il entreprend ce pèlerinage à Grianta qui marque le début de sa maturité morale. Et même alors que Fabrice y médite en haut du clocher de Blanès, c'est encore en faisant diversion à toute réflexion sérieuse, que l'idée des femmes se présente à lui. Tout à coup, le son des *mortaretti* lui arrive, ce son qui rend les femmes « ivres de joie » : « ce bruit singulier (...) chassa les idées un peu trop sérieuses dont notre héros était assiégé »[95]. Et que fera Fabrice alors ? Il saisira la lunette de Blanès, l'instrument et le symbole même du savoir supérieur que possède ce vieillard, pour la braquer sur les belles villageoises ! La réflexion morale cède la place à Eros. Certes, Stendhal n'en veut pas à Fabrice d'avoir la joie de vivre de son âge, et il ne lui en voudra pas non plus de se divertir avec Marietta après la mort de Giletti. Mais, pour que le lecteur n'oublie pas la diversion dans sa vie morale que Marietta fait aussi, Stendhal ajoute au moment de leur rencontre, « Toutes les idées sérieuses furent oubliées à l'apparition imprévue de cette aimable personne » (222). Par la suite, dans l'épisode de la Fausta, Bettina ne lui fera pas d'autre effet (235-236) : « La petite femme de chambre était fort jolie, ce qui enleva Fabrice à ses rêveries morales ».

Si le conflit latent chez Fabrice entre l'amour et la vie spirituelle n'est donc jamais perdu de vue, l'essentiel, c'est qu'on nous le rappelle dès le début de sa liaison avec Clélia. Car que signifie cet anneau pastoral que l'archevêque demande à Clélia de remettre au prisonnier, et qu'il met lui-même sur le pouce de la jeune fille (278) ? Est-ce la bénédiction involontaire de l'Eglise que reçoit ainsi leur liaison ? Ou ce don ne laisse-t-il pas plutôt entendre qu'en fin de compte l'Eglise

94 Gina souligne l'importance de la remarque, en observant « Parlez donc avec plus de respect (...) du sexe qui fera votre fortune » (51).

95 177. Stendhal souligne tout ce que ce moment a de cocasse en rappelant qu'enfant, Fabrice laissait ces *mortaretti*, qui rendent les femmes « ivres de joie », « lui partir entre les jambes, ce qui faisait que (...) sa mère voulait le voir auprès d'elle. »

sera la véritable épouse de Fabrice ? L'ambiguïté est certes voulue, mais étant donné la cohérence du thème que nous avons commencé à tracer, c'est surtout la dernière interprétation qu'il ne faut pas perdre de vue.

Si, dès le début, une ironie délicate prépare ainsi le moment où Fabrice devra abandonner les femmes, à partir de son emprisonnement, Stendhal le fait plus spécialement prévoir par l'état de ses rapports avec l'Eglise et la religion. Nous savons qu'une fois à la citadelle, Fabrice mûrit grâce à son amour. Toutefois, même au plus fort de cette passion, Stendhal tient à nous signaler à quel point il évite encore le côté religieux de sa destinée. Seulement ainsi s'explique vraiment la multiplication, dans la tour Farnèse, de signes religieux aussi ambigus. Certes, ils servent aussi à entretenir une ambiance initiatique et à sacraliser cette passion, comme l'observe Gilbert Durand [96]. Mais dans ces détails — qu'on passe le plus souvent sous silence — il s'agit également d'autre chose.

Après la mort de Giletti et l'action de grâces à Saint-Pétrone, nous avons vu Stendhal souligner que Fabrice s'éloigne de la religion. Or, c'est ce qui rend d'autant plus frappante l'ambiance religieuse qui enveloppera tout son séjour dans la prison. Certes, cette ambiance est en premier lieu attribuable à la malveillance du prince, qui aime orner de « bamboches religieuses » ses vengeances particulières (303). C'est lui qui inspire la distribution de chapelets et de pénitences (320, 303), la condamnation d'un Fabrice pour son « *impiété notoire* » (260), et la construction d'abat-jour « afin d'augmenter une tristesse salutaire et l'envie de se corriger dans l'âme des prisonniers » (315). Tout cela est, comme la chapelle aux têtes de mort, « une invention de la haine qui ne peut tuer », et illustrera la connivence dans la répression de l'Eglise et de l'état (309). Voilà ce qui est clair. Mais Stendhal n'entend pas laisser les choses là, et il donnera à bien de ces détails une inflexion étrange qui finit par rendre un son tout à fait différent. Au point que lorsqu'on évoquera plus tard Fabrice « sortant de la citadelle (...) comme il fût sorti de la *Steccata* », la comparaison entre la prison et l'église paraîtra tout à fait pertinente (482). Car si en prison Fabrice prend son essor, en faisant de l'ordre qu'on lui impose un ordre amoureux et un ordre contemplatif, il ne faut pas que le lecteur oublie qu'il aurait déjà pu s'agir là d'un ordre plus strictement religieux, et que cette possibilité, Fabrice la néglige. Les inventions hypocrites du prince soulignent ainsi à quel point l'amour, même l'amour de Clélia, s'oppose quand même toujours un peu chez Fabrice à sa destinée ultime. Et non seulement les inventions du prince. Car l'épisode de l'anneau archiépiscopal le suggérait déjà un peu, et Stendhal tient à nous rappeler que Fabrice néglige ses offices en prison (315). Alors n'est-ce pas encore ce conflit qui pointe, lorsque Fabrice, s'étant écrié, avec un peu d'impiété, « Si Clélia daignait ne pas m'accabler de sa colère, qu'aurais-je à demander du ciel ? », entreprend de percer cet abat-jour qui ne doit lui laisser « que la vue du ciel », avec la croix même de son chapelet (315-320) ? Et n'est-ce pas ce conflit qui pointe

[96] *Op. cit.*, p. 194 et suivantes.

de nouveau lorsque Fabrice déchire un bréviaire pour mieux parler à sa maîtresse (334) ? On le voit, rien ne nous oblige à traduire ainsi ces détails, et l'auteur s'abstient de commenter. Mais le conflit moral que nous y discernons est identique à celui suggéré par l'épisode de la lunette de Blanès, et tous ces détails forment une série cohérente. L'ironie de Stendhal est tout aussi oblique lorsque les soldats prennent Fabrice pour le diable, alors que c'est justement habillé en prêtre qu'il entreprend son évasion, au son d'un *Te Deum* grotesque (378, 381). Et il ne faut pas croire inconsidéré l'observation selon laquelle Fabrice tient son journal amoureux en marge des œuvres de saint Jérôme, le patron ascétique des solitaires si hostile à l'amour charnel [97]. Un sous-entendu si uniforme dans cette suite de détails ironiques ne saurait pas être fortuit.

Dans la citadelle Fabrice se trouve donc constamment en porte-à-faux par rapport à la religion, et après son évasion, ce conflit ne cessera d'augmenter. Clélia, qui est si pieuse, en restera fort consciente [98] ; quoi qu'il fasse, les circonstances semblent se moquer de Fabrice et paraissent vouloir le contraindre à devenir un prêtre plus digne. Toute sa tristesse amoureuse, toute l'indifférence qu'il montre envers son avancement nouveau, ne font que lui créer à tort une réputation de piété (455, 458). Il n'est pas jusqu'aux sermons qu'il prêche pour se faire entendre par Clélia qui n'augmentent son succès apostolique. Et Fabrice ressent fort bien cette pression que les circonstances exercent. Il est lui-même suffisamment choqué par le succès « mondain » de ses sermons pour se sentir obligé de réprimander ses auditeurs (476). Il pensera, sans doute, à tout cela aussi, lorsque Stendhal dira qu'à la fin de sa vie « il avait trop d'esprit pour ne pas sentir qu'il avait beaucoup à réparer » (493). Et entretemps, s'accroît constamment son goût de la solitude et du silence (470) :

> Le monde où il passait sa vie lui déplaisait mortellement, et s'il n'eût été intimement persuadé que le comte ne pouvait trouver la paix de l'âme hors du ministère, il se fût mis en retraite dans son petit appartement de l'archevêché. Il lui eût été doux de vivre tout à ses pensées, et de n'entendre plus la voix humaine que dans l'exercice officiel de ses fonctions.

C'est au point que déjà l'idée d'avoir à sacrifier son amour, et de se retirer dans un couvent, n'aura nullement l'effet sur lui auquel on aurait pu s'attendre. Lorsque Clélia lui demande de consentir à son mariage, il fera une retraite à Velleja et lui donnera son consentement dans « une lettre remplie de l'amitié la plus pure », lettre qui agace à

---

97 On ne peut savoir si Stendhal avait une connaissance directe de la célèbre épître 22 (voir, sur tout ce sujet, l'étude la plus moderne sur saint Jérôme, J. N. D. Kelly, *Jerome, his life, writings and controversies,* Londres, Duckworth, 1975, p. 101-102, 106-107, 187-189). Mais il semble avoir été approximativement renseigné sur la vie de saint Jérôme et sur ses rapports avec les femmes (*PDR,* p. 984, *Mélanges, III, Peinture,* p. 232), et il lui est arrivée d'écrire, à propos d'une visite à la cathédrale de Bourges, « Je l'avoue, j'ai éprouvé une sensation singulière : j'étais chrétien, je pensais comme saint Jérôme que je lisais hier » (*MDT,* t. 1, p. 346).

98 Voir les scrupules de Clélia dès le début de leur liaison, 357, 377-378, 453.

juste titre Clélia, laquelle ne manque pas d'y discerner une résignation un peu trop prompte au sacrifice de leur amour (454).

A suivre de près la narration si nuancée de la *Chartreuse,* aucun doute ne devrait donc subsister sur l'antagonisme qui chez Fabrice est toujours prêt à rebondir entre l'amour et la vie spirituelle. L'issue du conflit se trouve renvoyée à plus tard par les trois années de bonheur avec Clélia, et par la tentative suprême qu'ils font pour contourner toutes les contradictions. C'est alors que le naturel aérien de Fabrice sera le plus près de réaliser la plénitude humaine dont rêvait Stendhal. Pourtant Fabrice finira par rejeter cette division si ludique de leurs vies en régimes diurnes et nocturnes. Tout se passe comme s'il ne pouvait plus différer l'entrée dans cet ordre mystique qu'il a depuis si longtemps pressenti dans l'ordre carcéral, dans l'ordre amoureux, dans l'ordre de la contemplation esthétique.

Ce dénouement brusque où se mêlent, d'une manière un peu inquiétante, la violence gratuite et le pathétique, le rachat et l'échec politique, reste assurément ambigu. Cette fois, Stendhal n'a pas abrégé son roman parce qu'il n'avait plus rien à dire ; au contraire, cette fois ce sont les autres qui l'ont obligé à couper court, alors qu'il avait encore trop sur le cœur. Bien plus, à en juger par le titre du roman et par ses remarques sur la mort de Sandrino [99], ce dénouement semble avoir eu pour lui une importance considérable. Il ne se laisse pas réduire à une quelconque lecture univoque, et pour lui rendre pleinement justice, il nous faudra savoir varier notre optique.

Certes, il n'y a rien de plus caractéristique chez Stendhal que les dénouements où la sécession du héros entraîne la mort de sa maîtresse ou sa retraite dans un couvent. Et dans le roman du dix-neuvième siècle, il n'y a rien de plus conventionnel que le châtiment d'un amour interdit par la mort d'une enfant [100]. D'ailleurs la critique freudienne a fort bien su déceler dans la répétition de tels dénouements chez Stendhal, le contre-coup du ressentiment qui lui est resté contre les femmes après la perte de sa mère [101]. Mais ce qui fait la différence dans la *Chartreuse,* et ce que, d'un point de vue littéraire, il importe avant tout de souligner, c'est que là où les romans antérieurs prétendaient qu'Armance ou madame de Rênal abandonnaient spontanément la vie parce que celle-ci n'avait plus rien à leur offrir, c'est manifestement en victimes du héros que Clélia et Sandrino meurent. En effet, nous verrons que c'est à peu près conscient de ce qu'il fait, que Fabrice cède à cette dernière poussée de ses impulsions profondes. Tout se passe comme si Stendhal, avec la lucidité acquise depuis *Henry Brulard,* était arrivé à reconnaître en lui-même un reste de ressentiment agressif contre les femmes, et bien plus, comme s'il avait réussi à mettre cet aperçu au service d'un portrait cohérent de Fabrice. Précisons cependant un peu les choses.

---

[99] Cf. *JL,* t. 3, p. 210 : « Je pensais à la mort de Sandrino ; cela seul me fit entreprendre le roman » ; cf. aussi *C,* t. 3, p. 396.

[100] Stendhal l'avait déjà évoqué dans *Le Rouge et le Noir,* p. 321-322.

[101] Voir plus spécialement, G. Mouillaud, *op. cit.,* p. 185-191, G. D. Chaitin, *The Unhappy Few.* Bloomington, Indiana University Press 1972, p. 73-85.

En voulant ravoir son fils, Fabrice trahit encore sa vieille faiblesse de vouloir toujours être aimé [102] : « je veux le voir tous les jours, je veux qu'il s'accoutume à m'aimer ; je veux l'aimer moi-même à loisir ». Peut-être veut-il aussi devenir à son tour le vrai père qu'il n'a jamais eu lui-même, et « cristalliser » comme Julien sur l'avenir de son fils, maintenant qu'il n'a plus d'ambition [103]. Toutefois, les moyens qu'il trouve pour réaliser ce « caprice de tendresse » (489), se révéleront fort brutaux envers les personnes mêmes qu'il aime, et on dirait que c'est à dessein que Stendhal lui fait un peu exagérer ses plaintes sur sa solitude « éternelle », « fatalité unique au monde » (490, 491). Car sous les mobiles apparents de Fabrice, c'est au fond autre chose qui perce, et cette autre chose éclatera, lorsqu'en conséquence de son stratagème, Clélia et Sandrino mourront. Stendhal nous montre, en effet, Fabrice, à la fois conscient du danger qu'il fait courir à Clélia et à son fils, et incapable d'abandonner son plan (491, 492) :

> Fabrice, de son côté, ne pouvait ni se pardonner la violence qu'il exerçait sur le cœur de son amie, ni renoncer à son projet.
>
> La marquise n'en fut pas moins au désespoir, et Fabrice vit le moment où son idée bizarre allait amener la mort de Clélia et celle de son fils.

Comment dire mieux que Fabrice est en proie à un désir inavoué d'anéantir tout son amour, et comment le comprendre, dans le contexte du roman, sinon par référence à cet antagonisme, toujours prêt à renaître chez lui, entre l'amour et sa destinée spirituelle ?

De la part d'un auteur qui s'avouait bien son propre goût de la solitude et sa répugnance pour le mariage, mais qui s'imaginait toujours en amoureux malheureux, l'aperçu est suffisamment extraordinaire [104]. De nouveau, *La Chartreuse de Parme* nous montre Stendhal se dépassant dans l'auto-analyse. Cependant, c'est aussi visiblement la logique du caractère fabricien qui a facilité l'aperçu, et Stendhal le met brillamment en œuvre pour découvrir dans un seul geste combien même l'amour heureux finira par gêner Fabrice dans son essor spirituel. En effet, on décèle sans peine une part de révolte dans ce caprice qui met aussi cruellement en jeu les vies de Clélia et de Sandrino. Révolte qui surprend un peu chez Fabrice, toujours si souple et si prêt à obéir, mais qui semble dorénavant incapable de supporter les accommodements, de tolérer ces contradictions éternelles que traduit tout au long du roman le jeu subtil de la lumière et de l'obscurité. Il ne semble plus accepter aussi aisément le dessein apparent de la Providence, et lui qui avait obéi à Blanès lui défendant de le revoir « *de jour* » (173), maintenant s'insurge contre un ordre amou-

[102] 490. Cf. aussi, *supra* p. 184.

[103] 490. Voir *RN*, p. 639, 642, et *Mélanges, V, Littérature,* p. 143, où Stendhal parle de la cristallisation d'un père sur l'avenir de son fils.

[104] Sur son goût de la solitude, voir G. Blin, *Stendhal et les problèmes de la personnalité,* p. 386-401. C'est le narrateur qui parlait au début de la *Chartreuse* de ces « ermitages qu'on voudrait tous habiter » (45).

Sur son hostilité au mariage, cf. *J*, p. 1263, 1306 ; *C*, t. 1, p. 342 ; *MDT*, t. 1, p. 224. Sur son peu de goût pour les enfants *DA*, t. 2, p. 114-115.

reux qui lui interdit de jamais porter la lumière dans son bonheur. On dirait que la persistance de l'arbitraire et de l'absurde dans la vie, a réveillé en Fabrice le joueur aléatoire, et l'a poussé à un dernier coup de dés.

De ce point de vue, la fin de Fabrice rappelle un peu les fins d'Octave, de Julien et de Mina de Vanghel, fins qui trahissent cette impatience stendhalienne qui préfère le silence et la mort aux compromis et à la quiétude passionnelle. Mais si Fabrice finit par connaître un moment ce désir de s'insurger contre un morcellement progressif, contre une déperdition d'énergie, obscurément sa sécession se nourrit d'un idéal spirituel qui donne à tout ce dénouement un sens quand même moins absolument désolant.

La révolte de Fabrice contre l'ordre amoureux, lequel l'a déjà transformé, n'est pas, en effet, une révolte radicale contre la direction qu'a prise sa vie, ni contre le principe même de l'ordre. C'est au contraire un souhait inavoué d'un ordre plus radical encore, ordre qui seul lui permettra de réaliser définitivement — ne fût-ce que pour un temps — l'envol spirituel qui est l'aboutissement logique de son aspiration à l'air. On le voit à la manière dont après la catastrophe, Fabrice ne se révoltera pas contre l'ordre divin en se tuant, mais cherchera un ordre monastique. Et Blanès indiquait déjà la signification que l'on doit attacher au geste de Fabrice lorsqu'il s'isolait, lui aussi, avant de mourir, dans le silence et dans la contemplation, ayant d'abord fait ses adieux à ceux qui lui étaient chers (171). C'est comme si Stendhal pouvait s'avouer enfin une des vérités intimes de sa vie : que dans son for intérieur il pressentait qu'on ne saurait jamais atteindre une certaine spiritualisation de soi par l'entremise des autres, et même par l'amour ; qu'au fond on ne saurait l'atteindre que seul, et peut-être tout au plus à l'approche de la mort, dans la retraite du contemplatif... et de l'écrivain[105]. Ainsi nous voyons que dans sa vie avec Clélia, Fabrice était pourtant resté trop dépendant de son amour, comme le montrait sa soif inquiète de se sentir à chaque instant aimé (490) : « Les affaires et les hommes me sont à charge dans ma solitude forcée ; (...) et tout ce qui n'est pas sensation de l'âme me semble ridicule dans la mélancolie qui loin de toi m'accable ». Par malheur, même si Clélia est celle qui l'a aidé à prendre son envol initial, ce ne sera, en fin de compte, que lorsqu'il l'aura brusquement quittée que Fabrice se possédera suffisamment pour réaliser son être essentiel. Vérité dont Stendhal ne nous cache pas le caractère suprêmement tragique, et que Fabrice aura payé cher pour l'avoir reconnue intuitivement.

Il semble ainsi que ce soit une spiritualisation définitive que Fabrice cherche dans l'obédience des chartreux. Et pourtant Stendhal ne nous dit strictement rien sur ce qui se passe dans son âme dans le couvent, sinon qu'en attendant de rejoindre Clélia, il veut purger sa conscience,

---

[105] Il s'en était peut-être parfois douté (*J*, p. 830 : « Je ne mets pas mon capital à avoir des femmes »), et les faits de sa vie le confirment, mais on a l'impression qu'à cet égard, la fin de la *Chartreuse* constitue pour lui une prise de conscience définitive.

sentant « qu'il avait beaucoup à réparer » (493). L'expiation épuise-t-elle alors la signification de la chartreuse ? On voit qu'après le sacrifice de Clélia cet impératif n'est pas oublié, mais ce n'est sans doute là qu'un seul aspect d'expériences beaucoup plus riches, expériences dont nous ne devons pas mettre en doute le caractère plus ou moins religieux. Les additions proposées après coup montrent Stendhal craignant surtout de n'avoir pas suffisamment insisté sur l'authenticité de la foi de Fabrice [106]. Même Julien Sorel s'était posé la question religieuse avant de mourir [107], et dans ces circonstances, comment Fabrice pourrait-il alors éviter la dévotion, lui qui n'a jamais perdu la foi ? D'ailleurs, cette attente apaisée, dans une chartreuse, du dénouement qu'arrêtera la Providence, montre que Stendhal avait parfaitement compris le rapport profond entre la hantise aléatoire et l'instinct religieux. Après l'emportement brutal de son dernier coup de dés, rien de plus logique que ce refuge cherché dans un renouvellement de sa foi.

Cependant, de quelle nature seraient ces expériences religieuses, que Stendhal semble trouver suffisant de désigner par le silence — ou impossible de suggérer autrement ? Or, on ne peut douter que chez Fabrice chartreux, la solitude doive amener une rêverie analogue à celles qu'elle a déjà provoquées à la tour Farnèse et à Grianta, rêverie où se mêlerait désormais, à la pénitence et à la contemplation, l'abandon de soi à la Providence. On peut même croire que dans cette rêverie, Fabrice atteint enfin cette connaissance plus approfondie de lui-même, à laquelle il s'est largement dérobé, puisqu'il n'a plus ce bonheur extrême, qui excluait, dans la citadelle, toute réflexion poussée sur lui-même. Mais surtout, comme toujours chez lui, cette contemplation doit porter sur l'harmonie et sur l'ordre du monde, sur l'alliance heureuse entre la plaine et la montagne, entre l'eau et le ciel, entre la nature et la culture (166, 177-178, 310-311). Contemplation rendue désormais plus complexe par les aléas multiples de sa vie, et par le sourd travail du temps. Or, si c'est donc aussi dans son passé que Fabrice recherche maintenant les empreintes de l'ordre et de l'harmonie, on comprend mieux l'ellipse de Stendhal au sujet de cette contemplation. Car où se trouve ce passé de Fabrice, sinon déjà dans le texte écoulé ? Bien plus, nous avons vu au deuxième chapitre, qu'en soulignant le jeu de la répétition dans la vie, l'ensemble de ce texte suggère un ordre qui devient uniquement perceptible au coup d'œil rétrospectif [108]. N'est-ce pas alors cet ordre secret — annoncé par les présages — que dans la chartreuse Fabrice découvre, en réfléchissant sur son roman ? Et l'apaisement de sa retraite ne suggère-t-il pas que la découverte de cet ordre est une partie essentielle de l'harmonie plus compréhensive qui désormais se révèle à lui ? Le lecteur qui revoit

---

[106] Voir l'addition à l'épisode de Zonders dans l'exemplaire Chaper : « Son caractère profondément religieux et enthousiaste prit le dessus. Il avait des visions » (1394). Voir aussi l'addition de l'exemplaire Royer sur le rapport entre sa foi et sa croyance aux présages (V. Del Litto, « Corrections et additions inédites pour la deuxième édition de la Chartreuse de Parme ». *Stendhal Club*, n° 35, 15 avril 1966, p. 222).

[107] *RN*, p. 691-693.

[108] Cf. *supra* p. 74-85.

le roman avec Fabrice ne saurait conclure autrement. La contemplation que nous devinons ainsi reste probablement toujours trop capricieuse pour être celle d'un véritable mystique. Mais un tel aperçu des rapports qu'il y aurait entre lui et les forces occultes du monde, est une expérience proprement religieuse [109].

Aux yeux de Stendhal, on ne saurait atteindre une composition aussi définitive avec la vie, qu'au prix d'un retour prolongé sur soi, accompli dans la solitude, l'ascèse et le silence. Chez Fabrice, l'ordre religieux, si longtemps évité, prend ainsi finalement la place de tous les ordres, même de l'ordre amoureux. Et l'autorité indiscutable de Dieu supplante enfin toutes ces autorités — de Napoléon à Clélia — que Fabrice n'a cessé de rechercher. Dans cette obédience plus rigoureuse, qui exige de lui tous les sacrifices, une métamorphose définitive peut enfin se produire de son aspiration à l'air en une spiritualité complète — spiritualité si complète, en effet, qu'elle entraînera bientôt la disparition de Fabrice de ce monde.

Certes, jamais Stendhal ne saurait consentir lui-même à cet abandon de soi à Dieu, pas plus qu'à la liberté paradoxale du cloître. Mais c'est précisément parce qu'il s'était fait le poète du conflit et du désir absolu, qu'il demeurait constamment hanté par la tentation inverse, comme le montrent ses portraits bienveillants de prêtres et son admiration profondément ressentie pour la communauté de la Grande-Chartreuse [110]. Surtout, l'attitude si masquée et si ironique qui était la sienne en tant que romancier, le portait à apprécier le détachement que la religion pouvait donner. Car face au monde, comme face au temps passé, c'est une distanciation morale et physique qui favorise cette mise en ordre qui est symbolisée par la chartreuse de Fabrice. La retraite de Fabrice vient ainsi couronner cette aptitude au détachement que nous avons déjà remarquée chez lui, et dans laquelle *La Chartreuse de Parme* semble chercher un point de convergence idéale entre la morale mondaine et la morale spirituelle, entre l'art, le jeu, le savoir-vivre et la religion. Or dans la *Chartreuse*, on peut au fond résumer dans les vertus du désintéressement toutes les vertus que Stendhal distinguait dans l'acquisition d'un tel recul. Et s'il est certain que Fabrice accède à une morale supérieure par sa passion pour Clélia, il est non moins certain qu'il y accède également par son aptitude à se détacher de toutes les pressions du moment — fût-ce par désespoir amoureux, par esthétisme ou simplement par enjouement. Si c'était vrai lorsque ce furent la beauté et le chant du valet au cheval maigre qui empêchèrent Fabrice de le tuer, cela est encore vrai lorsqu'à la tour Farnèse, la beauté de Clélia et l'enchantement du panorama, les ébats du chien de garde et les rires de Grillo, lui font oublier d'être malheureux. Evadé et au désespoir, ce sera l'indifférence même de Fabrice envers les intérêts de ce monde et les avantages de sa position,

---

[109] Le quiétisme de cette contemplation trahit peut-être, s'il faut relever certaines indications du texte, la tendresse fénelonienne que Stendhal associait avec Fabrice (81, 147, 455-456). Cf. à ce propos, H. F. Imbert, *Stendhal et la tentation janséniste*, Genève, Droz, 1970, p. 176-177.

[110] *MDT*, t. 2, p. 240-241.

qui lui donnera les vertus du désintéressement au milieu du privilège (450, 470-471) :

> Une foule d'avantages, conséquence de sa brillante position, ne produisaient chez lui d'autre effet que de lui donner de l'humeur.
>
> Le prince continuait à le traiter avec une distinction qui le plaçait au premier rang de cette cour, et cette faveur il la devait en grande partie à lui-même. L'extrême réserve qui, chez Fabrice, provenait d'une indifférence allant jusqu'au dégoût pour toutes les affections ou les petites passions qui remplissent la vie des hommes, avait piqué la vanité du jeune prince ; il disait souvent que Fabrice avait autant d'esprit que sa tante. L'âme candide du prince s'apercevait à demi d'une vérité : c'est que personne n'approchait de lui avec les mêmes dispositions de cœur que Fabrice.

Fabrice finit ainsi par accomplir dans la contemplation religieuse, un détachement progressif qui est pour Stendhal l'essence même de la spiritualisation, et l'attrait majeur de l'expérience religieuse[111]. Détachement définitif du héros qui porte à son comble cette célébration du désintéressement sur lequel convergent tant d'aspects du texte, qu'il s'agisse de l'amitié des « *happy few* », de la bienveillance de Mosca, de l'idéalisme de Ferrante Palla[112], ou de la grâce aérienne que l'auteur a su donner à son ironie — même lorsqu'il parle de choses atroces. Vertu qui a peut-être suggéré à Stendhal de résumer tout son roman dans l'image d'une chartreuse, puisque l'année auparavant, dans les *Mémoires d'un touriste,* ce sont au fond les vertus du désintéressement qu'implicitement il a louées dans les traditions de la Grande-Chartreuse[113].

A la fin de sa vie et au bout de ses métamorphoses, Fabrice réussit donc pour un temps cette conversion exemplaire de la légèreté en spiritualité qui semble avoir hanté Stendhal tout au long de cette œuvre. Et dans la perspective de notre étude, ce qui importe surtout, c'est que c'est grâce à une mise en ordre de sa vie, et dans une obédience des plus étroites, que cette conversion est devenue possible. Peut-on douter alors de la valeur que dans cette fin, Stendhal semble par ailleurs attacher aux succès du comte Mosca, incarnation de l'ordre

111 Voir aussi G. Mouillaud, *op. cit.*, p. 119-120.

112 La vertu passionnée de Ferrante Palla n'a-t-elle pas également pour origine une réflexion esthétique et religieuse qui rend insupportable au médecin don-quichottesque la laideur de la misère et du matérialisme (365 : « j'ose croire que je suis désintéressé. (...). La pauvreté me pèse comme laide : j'aime les beaux habits, les mains blanches... ») ? Voir aussi les aubergistes de Zonders, 91-93.

113 Bien que le mot lui-même ne soit pas prononcé ; cf. *MDT*, t. 2, p. 237-241. Que la description de cette visite doive être rapprochée de *La Chartreuse de Parme,* ne peut faire de doute. Stendhal est réveillé dans la Grande Chartreuse « par un bruit de cloches épouvantable et par des coups de tonnerre qui faisaient trembler la maison. (...) il y avait quelque chose du jugement dernier » (*Ibid.*, p. 232). Fabrice est réveillé de même dans le clocher de Grianta « par le tremblement général du clocher (...). Il se leva éperdu et se crut à la fin du monde, (...), il lui fallut du temps pour reconnaître le son de la grosse cloche (...) » (174). Même *Don Quichotte,* source d'inspiration si fondamentale pour la *Chartreuse,* comme nous le verrons dans notre prochain chapitre, est évoqué au cours de la visite (*MDT*, t. 2, p. 226).

raisonné ? Peut-on fermer l'œil sur les échecs qu'ont subis les folies généreuses, tant de Ferrante que de Gina, et se méprendre sur le sens du refuge que la duchesse finit par chercher dans son mariage avec le comte ? Toute la fin du roman reconnaît avec sérénité qu'on ne saurait à tout jamais éviter les exigences humaines de l'ordre.

Cependant l'ordre mystique qui convient à Fabrice n'est qu'un ordre parmi bien d'autres, et ne peut répondre, ni aux besoins de tous, ni à tous les impératifs de la vie. Même s'il y a lieu de croire que Fabrice se rapproche, dans sa dernière contemplation, de l'auteur lui-même qui tente d'exprimer la coexistence si paradoxale du comique et du tragique, de la raison et de la folie, de la lumière et de la nuit, ce n'est pas à lui qu'échoit la vision la plus compréhensive de l'harmonie secrète. La fin du roman s'efforce de rétablir une distance critique entre le lecteur et Fabrice, en nous obligeant à comparer les destinées des trois protagonistes, tous un peu isolés les uns des autres (même Gina, établie à Vignano, de Mosca, rentré à Parme). La mort de Sandrino souligne que Fabrice n'aura pas réussi à fonder une dynastie comme l'avait fait Alexandre Farnèse [114] ; il n'aura même pas réussi à substituer, à l'oppression qu'implique toujours la famille, une solution viable fondée sur le triangle amoureux. Pas plus que les forces diluviennes de Gina, sa légèreté n'est devenue féconde ; c'est Mosca qui prendra en charge la cité. Surtout, c'est l'endroit où Fabrice meurt qui marque les restrictions posées par l'auteur à toute son aventure spirituelle. Car pourquoi Fabrice meurt-il au milieu d'un bois, sur une plaine et si près de la terre ? Pourquoi ne meurt-il pas en un lieu élevé, exalté comme dans la tour Farnèse, ainsi qu'il conviendrait à une célébration sans réserve de son aspiration à l'air ? Stendhal n'a pourtant pas refusé une mort élevée à Julien. Pourquoi, sinon parce que Stendhal veut souligner le poids de la réalité et les faiblesses de son héros, en l'obligeant à retomber dans un endroit certes protecteur, mais sans aucun prestige physique. Au bout du compte, ce n'est peut-être que dans l'art seul que l'aventure de Fabrice peut servir d'exemple ; la réalité a d'autres exigences auxquelles l'ordre mystique ne saurait répondre [115].

Spécifiquement, c'est toujours par rapport à la société que les carences de Fabrices sont évidentes. Blanès n'a pas encouragé Fabrice à devenir mystique mais à se rendre utile (178), et par conséquent, c'est peut-être alors qu'il essayait de mener de front sa carrière d'archevêque et sa liaison avec Clélia que Fabrice a vraiment atteint l'idéal de l'auteur [116]. L'obéissance absolue à laquelle consent Fabrice est après tout la vertu exigée par les régimes les plus répressifs [117]. Il n'aura pas réussi à allier la liberté extérieure à sa liberté intérieure.

---

114 Il nous semble que c'est parce que cette considération jouait, en effet, pour Stendhal, qu'il laissait échapper dans la note en bas de la page 231, une allusion aux sources immédiates du roman qui insiste sur le fait que le fils naturel d'Alexandre Farnèse était devenu « le premier souverain de la famille Farnèse ».

115 C'est ce que signale aussi peut-être la tournure légendaire que Stendhal a donnée à cette fin.

116 A l'exemple de ce bon Vicaire de Wakefield si admiré par Stendhal.

117 Cf. *JL*, t. 2, p. 273.

C'est là, dans *La Chartreuse de Parme*, tout le dilemme des « *happy few* » : s'élevant verticalement aux hauteurs de l'absolu, Fabrice échappe au mouvement horizontal de la réalité temporelle, et ne contribue plus aux efforts nécessaires pour diriger la société.

La destinée ultime de Fabrice n'est donc pas moins ambiguë que la destinée de Mosca. Seul l'auteur peut vraiment atteindre une vision d'ensemble qui est adéquate, car son jeu seul permet d'exprimer toutes les contradictions évoquées. C'est son jeu à lui qui s'achève sur un retour aux questions du début sur l'avenir de la cité, et qui souligne par là la fragilité de tous les Ages d'Or révolutionnaires, et la rechute de l'Histoire en une foire aux illusions. C'est son jeu à lui qui a su tracer cet éclatement de l'Epopée et en Farce et en Tragédie, pour finir quand même sur une acceptation de la vie et sur une constatation très mesurée de ce que l'art et le jeu peuvent faire avec elle. Fin de partie profondément ludique dans son réajustement constant d'équilibre et dans son refus de conclusions définitives. Pour les sept semaines extraordinaires qu'a duré ce jeu inspiré, Stendhal a réellement élargi les horizons de ses œuvres antérieures. En se prêtant avec grâce à la légèreté ludique, il a pu réaliser son plus grand roman.

CHAPITRE VI

Conclusion

On ne cesse de répéter que Stendhal est un romancier « impur » [1]. C'est vrai, et comme d'habitude il ne s'est évertué dans la *Chartreuse,* ni à éliminer toutes les négligences de forme, ni à maintenir une cloison absolument étanche entre sa propre vie et le monde du roman [2]. Toutefois, à s'intéresser trop exclusivement à cette part fascinante d' « impureté », on finit, soit comme Balzac par exagérer les imperfections formelles de cette œuvre, soit par n'y voir que la cohérence secrète que les hantises de Stendhal lui donnent fatalement [3]. Et malheureusement, par là on arrive à ne plus attacher suffisamment d'importance à la différence que représente la *Chartreuse,* et au caractère spécifique de sa réussite littéraire. Par contre, c'est là surtout ce que l'analyse précédente s'est efforcée de dégager. Nous avons essayé de montrer comment, en se livrant de nouveau à ses rêves les plus chers, Stendhal est cette fois arrivé à dépasser certaines limites de sa vision, et comment il a réussi à le faire en créant un roman qui a de fait toute la cohérence morale et formelle qu'auraient voulue Balzac et James. Etant donné la rapidité de la composition, c'est là le vrai miracle littéraire, miracle qu'entachent à peine une fin écourtée, quelques inadvertances négligeables, et ces « impuretés » cavalières qui assaisonnent tous ses écrits.

Il importait de préciser et de défendre cette cohérence classique, sous peine de ne pouvoir répondre aux problèmes qu'Henry James avait soulevés, problèmes moraux qu'esquivent en général les critiques mytho-poétiques et psychanalysantes. En fait, nous avons vu que Stendhal ne fait rien moins que se désintéresser des problèmes éthiques que le roman soulève à chaque page. *La Chartreuse de Parme* tient peut-être un peu de la « revanche sentimentale » et de « l'évasion dans la fantaisie », mais au demeurant très peu ; elle n'est nullement ce roman sentimental qui nous présenterait complaisamment une Italie et des protagonistes sans reproche. Et Stendhal est loin d'y prôner simplement une morale de la Renaissance approuvée sans réserves.

[1] Par exemple, G. Genette, *Figures* II, p. 155-193.

[2] L'introduction tardive de Gonzo, il l'avoue lui-même, est le résultat d'une négligence (478-479). Les notes chiffrées en bas de page trahissent encore son habitude de ramener tout roman à soi.

[3] Même si l'on ne fait pas valoir les mêmes imperfections que Balzac, ou, par ailleurs, qu'un Arnould Frémy (*Revue de Paris,* mai 1839).

On doit certes compter parmi les sources du roman des textes sur la Renaissance italienne, et Stendhal n'a pas songé à sevrer ces aristocrates si fiers de leur héritage culturel, mais ce fait ne saurait suffire pour expliquer les perspectives générales de l'œuvre. Nous avons vu combien est nuancé le jugement que Stendhal semble vouloir porter sur les « crimes » de ces personnages.

Il reste vrai que même ici, Stendhal n'a pas réussi une véritable synthèse de sa pensée. Et toutefois, nous avons vu à quel point la *Chartreuse* est orientée vers une telle synthèse et vers la réconciliation des contraires. A nos yeux, cela méritait d'être redit, après certaines lectures trop partielles [4]. Or, cette orientation de la *Chartreuse* se lit surtout dans la sérénité avec laquelle l'auteur y réfléchit sur l'exigence humaine de l'ordre (autant personnel que social), question que dans leur fureur rebelle ses romans précédents avaient plus ou moins éludée. Non que Stendhal ait renié sa fidélité première aux êtres d'exception qui sont portés à la transgression, ni qu'il ait distingué dans un seul ordre la solution au désarroi contemporain. Mais il ne s'est pas non plus rangé si exclusivement du côté de la folie séditieuse, comme au temps du *Rouge et le Noir*. Même à l'égard de la collaboration des « *happy few* » avec les régimes réactionnaires, la fin du roman n'est pas amère et s'efforce d'établir des jugements délicats, ajustés à chaque cas particulier. Au bout du compte, le monde de Parme ne se trouve pas rejeté sans appel comme le fut la France des romans antérieurs, et Stendhal s'intéresse beaucoup plus qu'auparavant aux personnages qui entendent vieillir sans renoncer à la société. Et de fait, cela s'explique aussi parce qu'avec l'âge, sa vision du monde s'est enrichie d'une autre dimension temporelle. D'où les perspectives plus rassurantes qu'il découvre en réfléchissant sur l'ordre que la vie peut révéler au coup d'œil rétrospectif ; d'où l'espoir que lui suggère l'équilibre entre la nature et la culture, entre l'ordre et le hasard, qu'a pu atteindre, à travers les siècles, le paysage de Grianta. Répétons pourtant que pour Stendhal, il ne s'agit nullement de faire valoir les avantages d'un seul ordre uniforme, dans quelque sphère de la vie que ce soit. Comme il convient à tout romancier dans une époque de doutes et de conflits, il s'agit plutôt d'explorer, autant que le recours à l'anarchie, les rencontres inéluctables de ses héros avec une multiplicité d'ordres possibles. Et rien ne pouvait mieux traduire l'esprit serein de cette enquête, laquelle voudrait trouver avant tout un équilibre entre la liberté et l'ordre, que le recours intuitif au vocabulaire du jeu. Schiller, Huizinga et Caillois n'ont-ils pas pu nous montrer, pourquoi le jeu est un modèle idéal pour ceux qui cherchent un tel équilibre ? De plus, le jeu est toujours plus ou moins léger, et nous avons vu que la légèreté de la *Chartreuse* est inséparable de sa signification spirituelle, au même titre que la légèreté de Mozart [5]. Car cette légèreté signale que devant les problèmes qui semblent solliciter un dogmatisme pesant, c'est sans illusion comme sans désespoir que l'auteur

[4] Comme, par exemple, celle de S. Felman dans *La « folie » dans l'œuvre romanesque de Stendhal*, p. 194-238.

[5] Sur la signification de la légèreté mozartienne, voir entre autres G. Lukács, *Gœthe and his age*, New-York, Grosset et Dunlap, 1969, p. 32-34.

prend ses dispositions, avec une gaieté et une grâce « aérienne » qui voudraient opérer un rapprochement suprême entre une certaine spiritualité et un rationalisme éclairé. Nous avons vu, d'ailleurs, que cette qualité « aérienne » est ce que Stendhal aimait louer, tant dans les comédies de Shakespeare que dans sa musique préférée. A cet égard aussi la *Chartreuse* voudrait s'offrir comme un essai de synthèse.

Tout cela veut dire qu'on ne saurait saisir la signification de la *Chartreuse* à travers ces sources innombrables que L. F. Benedetto et tant d'autres ont eu le mérite de repérer pour une foule de détails précis. Et l'on n'est pas plus en droit de présumer que parce que Stendhal a su en tirer la première idée de la *Chartreuse*, l'*Origine des grandeurs de la famille Farnèse* donne forcément la clef de son sens. Tout ce que nous avons pu dire de la *Chartreuse* semble pour le moins montrer le contraire. Et d'ailleurs, si au lieu de partir de cette *Origine* — et des textes connexes comme la *Vie de Cellini* et les *Mémoires* du cardinal de Retz — pour expliquer *La Chartreuse de Parme,* on prend plutôt pour point de départ les traits les plus accusés de cette œuvre, d'autres affinités littéraires semblent d'emblée plus éclairantes. Et nous ne pensons pas seulement ici à tout ce que la *Chartreuse* doit indubitablement aux œuvres du Tasse et de l'Arioste, si finement analysé par Durand. Car en fin de compte ce sont là des poèmes, et il ne faut quand même pas perdre de vue les romans qui sont venus compléter cet héritage dans l'imagination de Stendhal. Il y en a qui ont un rapport plus étroit avec ces qualités spécifiques de la *Chartreuse* que nous avons essayé de dégager, avec cette transparence si énigmatique, avec cette gaieté si désintéressée. Pour généralisées que soient les influences que trahissent ces rapports avec certains romans, nous verrons qu'elles sont plus spécialement pertinentes aux solutions qu'en l'automne de 1838, Stendhal a trouvées à ses dilemmes. Car, en effet, ce que maintenant il nous reste à faire, c'est justement à essayer de mieux situer *La Chartreuse de Parme* à l'égard de ces dilemmes et de tous les impératifs divers — personnels, politiques et littéraires — qui pesaient sur le jugement de Stendhal lorsqu'il entreprit d'écrire ce roman.

A nos yeux, nous ne saurions approfondir cette question, sans essayer d'abord de formuler une caractérisation générale de l'œuvre avec laquelle Stendhal a voulu répondre à la pression des circonstances. Car Stendhal était fort conscient qu'il s'y prenait autrement que dans le *Rouge*[6], et certaines caractérisations qu'on a voulu hasarder risquent sérieusement de nous fourvoyer sur la nature de cet « autrement », et sur le sens qu'il a pu avoir vers la fin des années trente. Or, quelque problématique qu'elle soit, c'est ici la théorie des genres que nous ne pouvons pas éviter[7]. Evidemment, le roman du dix-neuvième siècle est un fourre-tout où finissent par s'interpénétrer tous les grands courants littéraires — comiques, épiques, satiriques

[6] Cf. *Journal,* Cercle du Bibliophile, t. 5, p. 227.

[7] L'analyse des genres n'est en fin de compte, ni plus, ni moins difficile et problématique que l'analyse des époques littéraires, et dans la pratique nous sommes obligés d'avoir recours à l'une et à l'autre ; T. Todorov l'admet, dans *Les genres du discours*, Editions du Seuil, 1978, p. 44-60.

et « romanesques » [8] — et nous ne possédons pas à son endroit des catégories aussi précises et utiles que celles qui existent pour la poésie. Il n'en est pas moins vrai que c'est d'un œil très différent que nous voyons *La Chartreuse de Parme,* tant par rapport aux autres romans de l'époque que par rapport aux autres œuvres de Stendhal, selon que nous y distinguons, par exemple, une part prédominante du « roman réaliste », du « romanesque » ou de la « satire ». A condition de nous en tenir avec quelque rigueur aux catégories historiquement reconnues, l'étude des genres peut nous aider à trouver une formulation utile pour nos idées, à préciser tant les effets que Stendhal a voulu éviter en 1838 que ceux qu'il a voulu produire. Et, bien plus, par là nous arriverons, d'abord à mettre le doigt sur l'antécédent littéraire qui éclaire le mieux la stylisation de la *Chartreuse,* ensuite à préciser les rapports de ce roman avec le public auquel il s'adresse.

Or il est clair que maintes lectures de la *Chartreuse* ont été faites dans l'attente d'un roman plus ou moins réaliste comme le *Rouge,* d'où les conclusions hâtives quant à la dévaluation du réel et quant au manque de sérieux dans la présentation de la politique. Mais au fond, *La Chartreuse de Parme* est très loin des réalismes du *Rouge et le Noir* et de *Lucien Leuwen.* Et l'on risque également de s'égarer en la rapprochant de la littérature picaresque [9]. Car si nous écartons, pour l'instant, ces romans français du dix-septième et du dix-huitième siècles que les meilleurs spécialistes n'aiment pas confondre avec les romans espagnols incontestablement picaresques, autrement âpres et moralisateurs, nous sommes forcés de faire la constatation suivante [10]. *La Chartreuse de Parme* n'est pas une autobiographie fictive ; elle ne nous présente pas une société italienne qui serait avant tout corrompue ; même au cours de ses métamorphoses, Fabrice ne sera jamais un serviteur à gages et ne verra jamais les bas-fonds de la société ; il n'aura jamais à gagner son pain, et la solitude qu'il connaîtra ne sera jamais la solitude amère du *pîcaro,* condamné au cynisme dans ses rapports humains. Reste seulement que la *Chartreuse* est un roman dont la structure est assez décentrée et épisodique. Or, on peut évidemment se plaire à la rapprocher de ce point de vue des romans français, censément « picaresques », de Lesage, de Scarron et de Dide-

---

[8] A défaut de mieux, nous parlerons du genre « romanesque », là où les anglo-saxons utilisent « the romance » pour décrire tout ce paysage littéraire qu'on retrouve, par exemple, aussi bien dans les romans d'aventure populaires, les romans de chevalerie, les romans « héroïques » du dix-septième siècle, que dans certains poèmes narratifs, tels que ceux du Tasse et de l'Arioste. Cf. Northrop Frye, *Anatomie de la Critique,* Gallimard, 1969, p. 226-251 et *passim.*

[9] Cf. par exemple, S. Gilman, « The Tower as Emblem », p. 10.

[10] Voir surtout les remarques de A. A. Parker, *Literature and the Delinquent,* Edimbourg, Edinburgh University Press, 1967, p. V-VII, 3-9, 19, 54-55, 110-112, 120-122. En dehors du domaine espagnol, des romans comme le *Moll Flanders* de Defoe ou le *Simplicissimus* de Grimmelshausen correspondent mieux aux définitions rigoureuses du genre que les romans de Scarron et de Lesage.

Voir aussi sur le picaresque, Richard Bjornson, *The Picaresque hero in European fiction,* Madison-Londres, University of Wisconsin Press, 1977 ; M. Molho, *Romans picaresques espagnols,* Bibliothèque de la Pléiade, 1968, p. XI-CXLII.

rot que Stendhal relisait en 1838. Mais nous allons voir pourquoi, en le faisant, ce qu'on découvre est moins un rapport avec les vrais romans picaresques, qu'un rapport de plus avec *Don Quichotte*, l'œuvre qui a eu le plus d'influence sur ces romans français et qui justement les a éloignés du picaresque le plus authentique [11]. A vrai dire, la *Chartreuse* n'est picaresque que précisément dans la mesure où *Don Quichotte* le serait — c'est-à-dire très peu [12] — et nous verrons combien cela est révélateur de sa véritable ascendance littéraire. Sont plutôt picaresques chez Stendhal des récits comme A. — *Imagination* et *Le Juif*, et à moins de le voir on ne peut comprendre la réorientation qui a eu lieu dans la pensée de Stendhal au cours de l'année 1838, réorientation qui lui a permis de créer *La Chartreuse de Parme*.

D'autres critiques nous semblent alors avoir été mieux avisés lorsqu'ils soulignaient dans la *Chartreuse*, soit la part du « romanesque » [13], soit la part de la satire [14], soit même la part du *Bildungsroman* [15]. Ces critiques ont du moins reconnu combien ce roman s'éloigne des genres plus réalistes, même si une relecture de *Wilhelm Meister* n'arrive pas à nous convaincre que c'est plus spécialement à ce genre allemand qu'il faut rattacher les éléments initiatiques et irréels de la *Chartreuse*. Sur ces points et d'autres, le rapprochement exécuté par Gilman et par Durand entre la *Chartreuse* et le « romanesque » s'est en revanche révélé particulièrement fructueux. Nul doute que la rêverie poétique que ce roman veut provoquer chez le lecteur tient étroitement à cette ambiance aristocratique, à ces épreuves héroïques, à ces velléités allégoriques, et, pour tout dire, à ce « décor mythique » qui est celui de la fiction « romanesque » [16]. Cependant, nous avons déjà vu qu'en privilégiant trop exclusivement cette filiation, Durand en est arrivé à négliger la complexité d'une ironie qui n'épargne personne, et même à sous-estimer la sérénité qu'implique le refus d'accorder à Fabrice un triomphe définitif [17]. Trop orientées vers un exaucement de rêves pour admettre beaucoup d'ironie, les fictions « romanesques » tiennent toujours un peu de la littérature d'évasion. Tendance que Stendhal a certes voulu exploiter en 1838, pour les raisons que nous allons voir, mais à laquelle il a également voulu mettre des bornes dans son roman.

Que depuis Maurice Bardèche on ait beaucoup moins insisté sur les affinités de la *Chartreuse* avec les grandes traditions de la satire ne laisse pas de nous surprendre, alors qu'à bien saisir cette filiation, tant de problèmes de lecture se dissipent. Car la satire, témoin Swift, poursuit le plus souvent ses buts agressifs au moyen d'une fantaisie débridée, fantaisie qui réduit ses cibles à des silhouettes s'agitant dans un monde en délire. Cette fantaisie dénigrante renverse ainsi les

---

11 Cf. A. A. Parker, *op. cit.*, p. 7, 19.

12 *Don Quichotte* l'est finalement très peu, comme l'observe si bien Carlos Blanco Aguinaga, « Cervantes y la picaresca ; notas sobre dos tipos de realismo », *Nueva Revista de Filología Hispánica*, 1957, Ano XI, p. 313-342.

13 S. Gilman, *op. cit.*, et G. Durand, *op. cit.*

14 M. Bardèche, *op. cit.*, p. 366, 377-382.

15 S.-J. Spanberg, *The Ordeal of Richard Feverel and the Traditions of Realism*, Upsala, thèse dactylographiée, 1971, p. 78-97, 112, 134-135.

16 Pour ces velléités allégoriques, voir S. Gilman, *op. cit.*, *passim*.

17 Cf. R.M. Adams, *Strains of Discord ; studies in literary openness*, p. 94

utopies des idéalistes, et tend à substituer le simple au complexe dans un monde sans profondeur, peuplé de fantoches qui sont esclaves de leurs manies ridicules. Procédé d'abstraction qui permet au lecteur de prendre ses distances et de ne pas hésiter à lâcher la bride à son mépris [18]. Bardèche a bien vu que c'est à cette fantaisie simplifiante et renversante de la satire que correspond pour une part cette anti-utopie qu'est la principauté de Parme, où pullulent les Arlequins et les Polichinelles (162, 263), où le prince fait inspecter dans sa peur les étuis des contrebasses, où ce sont des coups de pied qui punissent un être aussi nocif que le fiscal Rassi. Comme l'a si bien dit ce même critique, c'est en multipliant de tels traits satiriques aux endroits les plus noirs de son tableau que Stendhal a également tenté de résoudre le problème de l'*odieux* [19].

Mais on peut utilement ajouter aux conclusions que Bardèche a tirées de cette parenté avec les satires d'un Swift et d'un Voltaire. Rappelons que c'est précisément un flottement entre le réalisme du *Rouge* et une fantaisie plus libre que de coutume qui semble souvent avoir troublé les critiques de la *Chartreuse*. Or, d'Aristophane à George Orwell, la satire, qui veut toujours convaincre en se donnant l'air d'un rationalisme très terre-à-terre, a le plus souvent cherché à rattacher sa fantaisie à la vie quotidienne par de nombreux détails violemment réalistes. On a même pu avancer que c'est justement cet équilibre entre un réalisme agressif et une fantaisie saugrenue qui définit le mieux la forme de la satire [20]. Envisagée sous cet angle, la diversité stylistique de la *Chartreuse* ne devrait plus poser de problèmes. D'autre part, on peut constater que les meilleures satires, parce qu'elles prétendent dire la vérité et dissiper toute illusion, n'essaient même pas de nous cacher l'essentiel de leurs propres stratégies [21]. Dans la mesure donc où la *Chartreuse* fait preuve d'une réflexion plus poussée sur elle-même que les romans antérieurs de Stendhal, elle semble de nouveau trahir l'ampleur des rapports qui existent entre elle et la satire [22].

Cela suffit. Car si Stendhal a su éviter que *La Chartreuse de Parme* ne devienne une rêverie trop idéaliste, en corrigeant par la satire la part de la fiction « romanesque », on peut également dire qu'il a refusé l'agressivité intense et univoque de la satire, en la corrigeant par la poésie du « romanesque ». Equilibre savant entre ces deux genres, qu'ont facilité les échanges formels qui avaient déjà — et pour cause — eu lieu entre leurs stylisations respectives [23], et qui devenait dès lors pour lui surtout une question de modulation de ton. Nous avons vu qu'en visant un effet de gaieté gracieuse et aérienne, Stendhal cherchait une harmonie réconciliatrice qui saurait toujours évi-

---

18 Cf. Matthew Hodgart, *Satire,* Londres, World University Library, 1969, p. 11-12, 115-118, 130, 185, 192 ; R. Paulson, *The Fictions of Satire,* Baltimore, Johns Hopkins University Press, 1967, p. 4, 15-16.

19 *Op. cit.,* p. 377-378.

20 Cf. M. Hodgart, *op. cit.,* p. 242.

21 Cf. N. Frye, *op. cit.,* p. 284 .

22 D'où, sans doute, la référence si symptomatique à un dessin caricatural dès la seconde page du roman (26).

23 Puisque le « romanesque » a si souvent servi de cible à la satire ; cf. R. Paulson, *op. cit.,* p. 4-5.

ter, autant l'appel trop grinçant à la haine — piège de la littérature satirique — que l'appel trop facile à l'évasion — piège de la littérature « romanesque »[24]. Or, si ces remarques sur l'entrecroisement dans la *Chartreuse* des genres « romanesques » et satiriques risquent d'apparaître pour l'instant à la fois trop évidentes et trop abstraites, elles nous aident pourtant à mieux formuler nos idées sur deux points importants. D'une part, elles soulignent encore combien cette œuvre se rapproche, parmi les romans contemporains, plutôt de ceux qui ont un caractère stylisé. D'autre part, elles nous permettent de mieux saisir la nature des rapports entre ce roman et l'œuvre qui se trouve avoir eu sur lui l'influence la plus éclairante, que Stendhal en fût conscient ou non. Cette œuvre, c'est *Don Quichotte.*

Dans *Don Quichotte* on reconnaît sans peine la dénaturation d'un décor « romanesque » par la fantaisie satirique. Bien plus, c'est en reprenant de certaines fictions « romanesques » une narration tout épisodique, et en fournissant Don Quichotte d'un serviteur doué d'un gros bon sens comique, que le roman de Cervantès a fini par acquérir, un peu comme La *Chartreuse de Parme,* des ressemblances toutes superficielles avec les romans picaresques[25]. Certes, l'héritage cervantesque est si important dans tout le roman occidental qu'on hésite toujours à mettre en valeur une influence plus spéciale, mais on ne doit pourtant pas confondre la présence diffuse de *Don Quichotte* derrière *La Chartreuse de Parme* avec le rayonnement général du roman de Cervantès. Il semble plutôt que si Stendhal s'est rapproché d'instinct dans la *Chartreuse* de ce chef-d'œuvre qu'il a toujours aimé, c'est parce que, dans un climat politique et moral qui n'était pas sans rappeler un peu le désarroi des Espagnols du temps de *Don Quichotte,* Stendhal a fini par retrouver les attitudes de Cervantès devant ses problèmes littéraires[26].

Certains rappels précis de *Don Quichotte,* et d'autres plus lointains, jalonnent d'ailleurs le texte de la *Chartreuse.* Après la fugue de Fabrice à Grianta, Mosca lui affirme que : « de tous temps les vils Sancho Pança l'emporteront à la longue sur les sublimes don Quichotte » (186). Or ce n'est pas là une remarque incidente. Car le comportement de Fabrice dans cette aventure est aux yeux de Mosca fort don-quichottesque ; déjà, il le lui a indiqué en disant de toute son escapade que c'est une « espèce de course au clocher que vous venez de faire avec ce cheval maigre » (185). Jeu de mots joli sur son esprit de clocher qui rappelle aussi les courses folles à travers champs de Don Quichotte sur Rossinante. Car la monture affamée du chevalier manchègue n'est-elle pas irrésistiblement évoquée par la maigreur de ce cheval emprunté, maigreur sur laquelle le texte de Stendhal ne cesse pas de

[24] Cf. *LL,* p. 1587, sur les pièges de la satire.

[25] Voir, sur *Don Quichotte* et le picaresque, Carlos Blanco Aguinaga, *art. cit.* Cervantès ne manque certes pas de faire la satire des romans picaresques ; voir ses remarques sur le galérien écrivailleur, Ginès de Pasamonte.

[26] Cf. Gerald Brenan, *The Literature of the Spanish People,* Cambridge University Press, 1953, p. 192.

revenir [27] ? Et Fabrice ne vient-il pas de subir, dans le clocher de Grianta, un rite de passage presque aussi ridicule que les rites que Don Quichotte s'impose [28] ? Ne s'est-il pas déjà attendu, en rejoignant Napoléon, à des aventures dignes d'un preux ? Relevant donc par certains côtés du Chevalier de la Triste-Figure, Fabrice deviendra peu à peu au cours du roman aussi pâle que celui-ci, jusqu'à ce que dans son petit habit noir il nous paraisse plus mort que vivant [29], et toute sa vie impliquera ce rapprochement idéaliste entre les états ecclésiastiques et militaires sur lequel médite parfois le chevalier de Cervantès [30]. De Don Quichotte, il aura, par ailleurs, la crainte extrême de se voir défiguré [31], et, comme lui, il ne manquera pas d'être bafoué au cours d'une mascarade nocturne [32]. Il n'est pas jusqu'à l'ombre de Sancho Pança qui ne surgisse un moment dans la *Chartreuse*, lorsque Fabrice à Waterloo se laisse voler sa monture d'entre les jambes [33].

Si c'est donc parfaitement à propos qu'à Novare, Fabrice prendra congé « des châteaux en Espagne de toute ma vie » (136), ayant rêvé aux héros de Napoléon comme Don Quichotte à Amadis, on se tromperait pourtant en voulant rattacher plus spécialement à son personnage l'influence de Cervantès. Car tout capable que Fabrice est de don-quichottisme à l'occasion, rien ne lui est au fond plus étranger que la monomanie sublime et ridicule du chevalier de Cervantès. Plus proche de cet idéaliste austère qui va si loin dans l'abnégation de soi pour servir l'humanité, est au fond Ferrante Palla. Nouveau Robin des Bois qui a « l'incroyable maigreur » de Don Quichotte et un peu de sa folie (363), comme lui Ferrante sacrifie les siens à la croisade de son choix (364). Et cavalier servant de la duchesse, comme Don Quichotte l'est de sa dame, lui aussi trouve le temps d'errer dans un décor de pastorale pour méditer sur son amour (365). Mais bien plus, c'est en fait toute l'action et tout le paysage et tout l'esprit de la *Chartreuse* qui devraient nous rappeler *Don Quichotte*. Non seulement parce que dans la *Chartreuse* aussi, entre le ciel et la bourbe des grands chemins, il s'étend un pays d'aventures où surgissent brusquement les combats, où interviennent les vieux prêtres astrologues, où les histoires d'amour fleurissent entre les prisonniers et les princesses [34]. Mais également parce que dans les deux œuvres, le monde

---

27 181, 184, 185, 188. Un texte inédit de ma collègue Mme Margery Evans m'a beaucoup aidé à préciser les rapports entre *La Chartreuse* et *Don Quichotte*.

28 Cf. nos remarques *supra* p. 99-100, *et Don Quichotte*, p. 21-28, où Cervantès est évidemment plus féroce (éd. M. Bardon, Garnier, 1954).

29 336, 457. Dans *De l'Amour*, Stendhal avait bien remarqué la pâleur de don Quichotte (t. 2, p. 144).

30 Cf. *Don Quichotte*, p. 90, 584-587, et notre article, « L'armée ou l'église : sur les ressorts latents du dilemme héroïque chez Stendhal », *Stendhal Club*, 15 avril 1979, p. 228-252.

31 Cf. 188, 196, 242 et *supra* p. 97-98, 172 ; *Don Quichotte*, p. 10-11.

32 La promenade aux flambeaux dans l'épisode de La Fausta rappelle en effet les rites ridicules que le duc et la duchesse infligent dans *Don Quichotte* au chevalier et à son écuyer (*Don Quichotte*, p. 794 et suivantes).

33 Voir l'épisode dans *Don Quichotte*, où l'on vole l'âne de Sancho d'entre ses jambes (p. 534).

34 Voir dans *Don Quichotte*, le combat avec le Biscaïen (p. 60-63), l'étudiant astrologue (p. 82), et le *récit du captif* (p. 396 et suivantes).

se trouvera transformé en un théâtre de jeux et de métamorphoses, sous l'œil sage de narrateurs qui refusent toujours de nous donner le fin mot de leur ironie et la synthèse définitive de la dialectique toujours prête à rebondir entre l'idéalisme et le réalisme, entre l'ordre et la liberté, entre la raison et la folie [35]. Il n'est pas jusqu'à la forme même de ces romans qui n'ait fini par devenir un sujet d'ironie pour les deux auteurs, même s'il est vrai qu'à cet égard, Cervantès est bien plus radical que Stendhal [36]. Aussi la réalité dans ces œuvres devient-elle fort problématique, comme elle ne le devient jamais dans les vrais romans picaresques, si sûrs des réalités qu'ils châtient. Et cependant, cette incertitude métaphysique n'empêche ni Stendhal, ni Cervantès, de garder un air de transparence et de célébrer continuellement les pouvoirs créateurs de l'esprit humain. Cette célébration est, au contraire, ce qui produit plus spécialement la gaieté si désintéressée qui est peut-être le point de rencontre le plus fondamental entre ces deux romans admirables [37]. En fait, s'il est caractéristique de *Don Quichotte* d'être à la fois un chef-d'œuvre difficile et un livre aimé par les jeunes, il a peut-être trouvé dans la *Chartreuse* son pendant le plus légitime [38].

Pour être diffuse, il nous semble donc que l'influence de *Don Quichotte* sur le ton et la forme de la *Chartreuse* est plus importante que celle de n'importe quel autre livre. Et si nous ne sommes pas en mesure de préciser si Stendhal avait relu *Don Quichotte* en 1838 — mais avait-il besoin de le relire [39] ? — cette influence nous semble trouver une confirmation indirecte dans ce que nous savons de sa vie intellectuelle entre la publication des *Mémoires d'un touriste* et la naissance de la *Chartreuse.* Car qu'est-ce que Stendhal s'est mis à chercher dans Scarron, dans Lesage et Diderot, dans les romans historiques contemporains et dans les œuvres de Shakespeare ? Nous verrons qu'ici, il faut distinguer deux étapes, avec une réorientation profonde de ses projets autour du mois d'août 1838. Dans la première étape, ce qui l'a préoccupé, c'est ce qu'il y avait de tradition picaresque dans Scarron, Lesage et Diderot. Mais dans la deuxième étape qui aboutit à la *Chartreuse,* ce qui lui est resté de ces lectures, et ce qu'il a cherché à développer par d'autres, c'est ce qui est proprement l'héritage cervantesque.

---

35 Sur le monde comme théâtre dans *Don Quichotte,* voir Erich Auerbach, *Mimésis,* p. 354-357.

36 Voir surtout à cet égard, Robert Alter, *Partial Magic,* p. 1-29.

37 Cette gaieté, Stendhal l'avait depuis longtemps plus spécialement admirée chez Cervantès (*VHB,* p. 79).

38 Rappelons qu'en écrivant la *Chartreuse,* Stendhal a beaucoup pensé aux enfants Montijo (70 n, 465 n).

Sur l'attrait de *Don Quichotte* pour les jeunes, cf. Leo Spitzer, « On the significance of Don Quijote », *Modern Language Notes,* Vol. 77, 1962, p. 113-115.

39 En 1839, il a en tout cas emporté avec lui à Rome au moins un tome d'une édition qui date de 1838 (*Mélanges, V, Littérature,* p. 194, 219 et G. F. Grechi, *Catalogo del fondo stendhaliano Bucci,* Milan, All'insegna del Pesce d'Oro, 1980, p. 42).

Après les *Mémoires d'un touriste,* si désabusés et si froidement raisonnables [40], nous voyons donc d'abord la pensée de Stendhal revenir constamment à *Gil-Blas,* aux *Nouvelles* de Scarron, et selon toute probabilité, au *Roman Comique* et à *Jacques le Fataliste* [41]. Récits qui relèvent presque tous un peu des romans picaresques espagnols — comme on ne manquera pas de le remarquer — mais qui doivent en fait beaucoup plus au roman de Cervantès. Or dans cette première étape, dans quel dessein Stendhal s'est-il mis à penser à eux, et à les relire ? A en juger par l'aboutissement, en août 1838, de ces lectures au roman d'*A — Imagination,* ce qu'il y cherchait, c'était tout ce qui lui permettrait de mettre en scène cet autre aspect plus balzacien de la France, qu'il avait négligé dans *Lucien Leuwen :* la France des boutiquiers et des Robert Macaire [42]. Et plus spécifiquement, ce que l'on devine et ce que suggère *A — Imagination,* c'est que Stendhal voulait y étudier deux choses. D'abord une narration plus relâchée qui correspondait mieux à son génie improvisateur que la structure plus ramassée qu'il avait essayée dans *Lucien Leuwen.* Ensuite une solution au problème de dépeindre un milieu qui était si ignoble. Car cette fois Stendhal semble avoir jugé vain de le dépeindre par les yeux d'un idéaliste, et *A — Imagination* le montre voulant utiliser un protagoniste non moins vulgaire que les autres personnages de son milieu. Sans doute est-ce ainsi de tels protagonistes et la peinture de tels milieux que Stendhal a tout d'abord voulu étudier chez Scarron, Lesage et Diderot ; peut-être y cherchait-il aussi le comique qui pouvait faire passer un portrait aussi noir de la France contemporaine. En tout cas, il n'y a aucun doute que c'est le côté plus picaresque de ces romans qui l'intéressait dans cette première période.

Toutefois, ces velléités picaresques — qui devaient encore tenter Stendhal au moment de *Lamiel* [43] — aboutirent de nouveau à un échec, et *A — Imagination* fut abandonnée. Sans doute avait-il fini

---

[40] Voir l'analyse admirable de M. Tillett (*Stendhal, the background to the novels,* p. 113-123).

[41] Dans le *Voyage dans le Midi,* Stendhal avait refusé le sens du comique dont Lesage fait preuve devant l'ignoble (*MDT,* t. 3, p. 179), mais il a néanmoins relu *Gil-Blas* en août 1838, pour conclure qu'il devait « charmer les *demi-sots (sic)* » (*JL,* t. 3, p. 247). En 1838, il a pu prendre dans ce roman le nom de Fabrice, utilisé par la suite dans *L'Abbesse de Castro.*

Il a relu de même les *Nouvelles* de Scarron en 1838, et pensait en octobre à adapter *La précaution inutile* (H. Martineau, *Le Cœur de Stendhal,* Albin Michel, 1953, t. 2, p. 344). On ne sait au juste s'il a effectivement encore relu *Le Roman Comique,* mais ce ne peut pas être par hasard qu'il parle de ce roman dans un brouillon de la fameuse lettre à Balzac, à propos de la *Chartreuse* (*C,* t. 3, p. 404).

On sait combien il admirait *Jacques le Fataliste,* et il semble l'avoir relu vers cette époque, à en juger par les références dans les *Mémoires d'un touriste* (t. 1, p. 112, 150), et par le fait qu'il le cite dans sa réponse à Balzac, alors que celui-ci n'avait parlé dans son article que de Diderot en général (*C,* t. 3, p. 395). Est-ce encore par hasard que dans le troisième brouillon de cette même réponse, Stendhal écrit, « Je suis fataliste et je m'en cache » (*Ibid,* p. 403) ?

[42] Cf. Michel Crouzet, *Stendhal : Romans abandonnés,* Bibliothèque 10-18, 1968, p. 22-25, 213-214.

[43] Comme le remarque H. Martineau dans *Le Cœur de Stendhal,* t. 2, p. 347.

par trouver le projet insupportable. Mais surtout, il semble s'être rendu compte que, pour ne pas trahir le sens du relatif qui informait plus que jamais sa pensée politique après le tournant de 1835 [44], il lui fallait adopter une manière plus indirecte et plus ambiguë pour parler à ses compatriotes. Car après le mois d'août nous voyons ses idées tourner surtout autour des possibilités de dépayser le lecteur français. Or ce dépaysement, déjà l'année auparavant il l'avait cherché dans *Le Rose et le Vert*, en développant plus longuement que dans *Mina de Vanghel* les chapitres qui concernaient l'Allemagne [45]. Et en 1838, jusqu'au 16 septembre lorsqu'il nourrissait déjà « l'idée de la *Chartreuse* » [46], nous le voyons réfléchir de nouveau sur la possibilité d'un roman historique, à travers une relecture de *Cinq-Mars* et des historiens du règne de Louis XIII [47]. Cependant, comme l'a bien remarqué L.F. Benedetto, le genre historique lui semblait exiger une richesse de détails précis qu'il se sentait incapable de rassembler [48], et surtout une authenticité profonde qui échappait à la plupart des auteurs [49]. Mieux valait s'en tenir, sous ce rapport, à traduire d'autres manuscrits des *Chroniques*, et dans le roman, à chercher autrement ce dépaysement du lecteur français qui désormais lui semblait nécessaire.

Or c'est ici que deviennent fort révélateurs les échos qui subsistent dans la *Chartreuse*, après le naufrage du projet picaresque, de Scarron, de Diderot et de Lesage. Et paradoxalement, ce que ces échos trahissent, c'est beaucoup plus l'héritage cervantesque que l'héritage proprement picaresque. Car, que reste-il dans la *Chartreuse*, de Lesage, de Scarron et de Diderot ? Non les aventures de plébéiens cherchant surtout à survivre ; non les détails plus grossiers de la vie de tous les jours dans lesquels donnaient parfois ces romans ; mais surtout ce qu'il y avait en eux de plus proprement « romanesque », mais les satires qu'ils ne manquent pas non plus de faire de ce même « romanesque », mais aussi cette vision du monde théâtrale et ludique que nous retrouvons chez tous ces auteurs. Peut-être encore *Jacques le Fataliste* a-t-il plus spécialement contribué au dialogue dans la *Chartreuse* entre le destin et la liberté. Or le mélange de tous ces traits est bien plus en évidence dans *Don Quichotte* que chez Quevedo et chez Mateo Alemán, malgré toute l'ironie du premier. Et si, comme A.A. Parker le souligne, ces romans français sont au fond plus proches de Cervantès que du picaresque espagnol, c'est par la prédominance de tels traits qu'ils le sont, comme par leur optimisme essentiel et par la fantaisie de leur mise en scène [50]. En ce qui concerne *La Chartreuse de Parme*, on ne peut vraiment plus douter que c'est la filiation cervantesque que Stendhal y a relevée quand, par exemple, on relit *Le Roman Comique* à la lumière des aventures de Fabrice.

---

44 Cf. *infra* p. 220-222, 224-225.
45 Ecrit entre avril et juin 1837.
46 Voir la note de l'exemplaire Chaper, 1370.
47 *Journal*, Cercle du Bibliophile, t. 5, p. 223 ; le 24 août il lisait Bazin sur Louis XIII (*C*, t. 3, p. 267).
48 *Op. cit.*, p. 130-131. Cf. *CI*, t. 2, p. 90 n.
49 *Journal*, Cercle du Bibliophile, t. 5, p. 223.
50 *Literature and the Delinquent*, p. 7, 19, 110-111, 120-125.

Il y a d'abord, évidemment, la désinvolture si stendhalienne du narrateur qui, comme celle de Diderot, renvoie directement à *Don Quichotte.* Mais surtout on remarque que tel conte de Scarron qui fait vraiment penser à la *Chartreuse,* ainsi que l'*Histoire de l'amante invisible,* se passent dans un décor de fantaisie, italien en l'occurrence, et que ce « romanesque » pousse-sur-le-champ Scarron à rendre encore hommage à Cervantès [51].

De tout cela on peut conclure que la pensée de Stendhal devait souvent revenir à Cervantès en 1837-1838, et les *Mémoires d'un touriste* en font preuve [52]. Et il y a lieu de croire que lorsque Stendhal a voulu substituer un dépaysement très stylisé, à l'effet réconciliateur, tant aux âpretés du picaresque qu'à la dureté des *Chroniques,* c'est au maître espagnol qu'il est au fond revenu — à travers l'Espagne et l'Italie si romanesques de Lesage et de Scarron, et à travers la gaieté de Scarron et de Diderot. Son bonheur c'est ensuite d'avoir saisi qu'on pouvait fondre le sourire de Cervantès avec l'allégresse de Cellini et l'humanité de Shakespeare [53]. Car — dernier point — c'est bien Shakespeare que Stendhal a certainement feuilleté en commençant à écrire la *Chartreuse* [54]. En dehors de la gaieté « aérienne », ne seraient-ce pas encore des décors « romanesques » et une image stylisée de l'Italie que Stendhal a voulu y chercher [55] ?

En l'automne de 1838, ce qui nous semble avoir été l'essentiel est par conséquent cette réorientation qui a eu lieu dans les projets de Stendhal après l'échec de la tentative picaresque, réorientation qui l'a poussé à viser maintenant dans un roman le dépaysement et la stylisation. Certes, rien de plus commun à cette époque que la recherche du dépaysement effectué par la *Chartreuse,* et ce qui a renouvelé son effet auprès des lecteurs contemporains, c'est qu'à ce dépaysement s'ajoute une stylisation qui transforme l'Italie en un décor de fable et de satire. D'où l'importance de l'entrecroisement dans cette œuvre de la satire et du « romanesque », et de l'influence si symptomatique du roman de Cervantès. Même à cette époque si habituée à l'exotisme, l'effet qu'avait dans la *Chartreuse* tout son côté

[51] *Le roman comique,* in *Romanciers du XVII*e *siècle,* éd. A. Adam, Bibliothèque de la Pléiade, 1958, p. 559-560.

Nous souscrivons absolument aux remarques de Frederick A. de Armas, lorsqu'il souligne, d'une part, la dette de Scarron envers Cervantès, et d'autre part, le peu de rapport entre *Le roman comique* et les romans picaresques (*Paul Scarron,* New-York, Twayne Publishers Inc., 1972, p. 57-58, 71-76).

[52] *MDT,* t. 1, p. 103, 182 ; t. 2, p. 507.

[53] D'une manière ou d'une autre, Stendhal a toujours étroitement associé Shakespeare et Cervantès (*JL,* t. 2, p. 320 ; *VHB,* p. 226, 260, 350).

[54] Cf. *Journal,* Cercle du Bibliophile, t. 5, p. 226-227 : les notes qui concernent *La Chartreuse* du 4 novembre, du 8 novembre et du 2 décembre ont été faites en marge de deux Shakespeare.

[55] Les rencontres de Ferrante et de Gina dans la forêt de Sacca rappellent tout à fait les décors de pièces telles que *Comme il vous plaira,* et Stendhal a toujours admiré Shakespeare d'avoir su « italianiser » ses personnages (*J,* p. 1013).

Signalons d'autre part que si l'histoire de la lettre perfide envoyée par Galéas Visconti avec Vespasien del Dongo est effectivement un vieux conte très répandu (186), Shakespeare l'a pourtant aussi utilisé dans *Hamlet.*

stylisé n'a pas manqué de frapper les lecteurs, même les plus incompréhensifs. A quel point, il vaut la peine de le voir.

On sait que la stylisation du livre par rapport à l'Italie réelle a été remarquée par Balzac, même si celui-ci aurait au fond voulu encore moins de repères géographiques, du moment que l'auteur ne sentait pas qu'il pouvait se permettre de nommer Modène [56] : « La convention des masques une fois faite, le lecteur, vivement intéressé, accepte l'admirable paysage d'Italie que peint l'auteur, la ville et toutes les constructions nécessaires à ses récits, qui, en bien des parties, ont la magie d'un conte de l'Orient ». Arnould Frémy a également avoué qu' « on se figure tour à tour rêver ; puis assister aux choses, aux événements de la vie ordinaire » — au point qu'il aurait semblé plus logique à ce critique de ne plus nommer l'Italie du tout, et de placer le roman dans « cette vaste arène poétique où il n'y a plus de limites de mœurs, de lois ni de conventions, où le poète crée tout » [57]. Plus tard, Sainte-Beuve, en humeur de moralisateur chagrin n'a pas manqué de revenir sur cette absence relative de réalisme [58] : « la part de vérité de détail, qui peut y être mêlée, ne me fera jamais prendre ce monde-là pour autre chose que pour un monde de fantaisie, fabriqué tout autant qu'observé par un homme de beaucoup d'esprit qui fait, à sa manière, du marivaudage italien. » Et même à l'égard des antécédents littéraires de cette stylisation si marquée, leur intuition a parfois mis les contemporains dans la bonne voie, en leur rappelant, tant les romans de Lesage et de Diderot, que les satires de Swift et de Voltaire. En vain pourtant, parce que chez Balzac et chez Hippolyte Lucas, les rapprochements avec Lesage et Diderot ne sont provoqués que par le langage si dépouillé et par la structure décentrée de la *Chartreuse* [59] ; en vain, parce que chez Muret et chez Frémy, *Candide* et les *Voyages de Gulliver* ne surnagent qu'en références de passage, à peu près accidentelles [60]. N'empêche que tous ces critiques ont bien saisi l'élément le plus distinctif du livre, et se sont butés contre l'ambiguïté à laquelle celui-ci donne forcément naissance [61]. Par contre, ce que ces lecteurs de la première heure n'ont pas été en mesure de faire, c'est évidemment d'approfondir les raisons qui en 1838 rendaient cette stratégie séduisante pour un écrivain comme Stendhal. Dans les pages qui suivent nous

---

[56] *Œuvres Complètes*, éd. M. Bouteron et H. Longnon, Conard, 1940 *Œuvres Diverses, Vol.* 3, p. 378.

Dans sa lettre du 5 avril 1839 à Stendhal, Balzac lui avait déjà dit, « il ne fallait nommer ni *l'Etat*, ni *la ville*, laisser l'imagination trouver le prince de Modène et son ministre ou tout autre. (...). Laissez tout indécis comme la réalité, tout devient réel (...) »; (*Correspondance*, éd. R. Pierrot, Classiques Garnier, 1964, T. 3, p. 586).

[57] *Revue de Paris*, mai 1839, p. 52, 54. Voir aussi *Le Courrier Français*, 27 avril 1839.

[58] *Causeries du Lundi*, Garnier, 1885, t. 9, p. 335 (9 janvier 1854).

[59] Balzac, *loc. cit.*, p. 403. Lucas, *Le Charivari*, 23 avril 1839. Lesage est également évoqué dans *Le Commerce* du 15 avril 1839.

[60] *Revue de Paris*, mai 1839, p. 53 ; *La Quotidienne*, 24 juillet 1839.

[61] Arnould Frémy est même allé jusqu'à essayer de s'expliquer l'absence relative d'explications conventionnelles sur la psychologie des personnages (*Revue de Paris*, mai 1839, p. 56-57).

tenterons rapidement de poser un peu mieux cette question, sans prétendre l'épuiser.

Or quelles étaient donc les exigences qui, en l'automne de 1838, ont réorienté la pensée de Stendhal vers une manière aussi distinctive ? Pourquoi le dépaysement du lecteur français lui a-t-il semblé plus que jamais nécessaire, et pourquoi est-ce seulement alors qu'il a pu ainsi tirer parti de l'Italie dans un roman, bien que déjà en 1834-1835, il avait assurément compté le faire, dans la troisième partie de *Lucien Leuwen* [62] ? Est-ce uniquement parce qu'il n'y arrivait plus à retrouver sa vision ancienne de ce pays aimé [63] ? Est-ce parce qu'il lui avait fallu s'en éloigner et refaire connaissance avec la France pour sentir renaître sa vieille nostalgie et pour retrouver le goût de peindre, pour tous ceux qui ne la connaissaient pas, l'Italie de ses premiers bonheurs ? Tout cela est sans doute assez vrai, mais ne suffit cependant pas pour expliquer la réorientation de ses projets après l'été de 1838. Car s'en tenir là, c'est négliger toute la fonction de ce dépaysement stylisé par rapport au lecteur français et c'est en fait surtout cette fonction qui explique le changement survenu dans ses projets. Stendhal le montre par l'insistance avec laquelle c'est toujours à ce même Français qu'il s'adresse dans ce roman — dans l'avertissement, dans les intrusions du narrateur et dans les détails pleins d'échos amers pour les compatriotes de Napoléon [64].

Mais si cette stratégie a eu pour but de dépayser le lecteur français, tout en l'empêchant de réduire le roman à une simple évocation de l'Italie, il faut essayer de mieux pénétrer les raisons profondes de cette tactique. Or, d'abord il nous semble évident qu'elle a servi à masquer un peu la position adoptée par Stendhal dans la conjoncture politique française. Car aux yeux de Stendhal le grand public semblait s'attacher toujours plus à connaître les couleurs partisanes d'un auteur [65], et il savait fort bien qu'à l'égard du régime sa position était ambiguë et se prêtait à toutes les dénaturations. D'une part, en effet, la Monarchie de Juillet continuait à le décevoir. Il demeurait toujours aussi hostile à sa médiocrité, à son hypocrisie et à la friponnerie qu'elle

[62] On sait que dans cette troisième partie, Lucien devait s'installer à Rome, et que d'autre part, c'est vers la même époque que Stendhal abandonne la *Vie de Henry Brulard* sur son entrée dans l'Italie napoléonienne.

[63] Il est de fait que depuis quelque temps, Stendhal s'enthousiasmait bien moins pour l'Italie. H. Martineau et Benedetto l'on vu, la correspondance des années trente le montre, et en 1834 il est allé jusqu'à s'écrier : « Quoi ! vieillir à Civita-Vecchia ! ou même à Rome ! *J'ai tant vu le soleil* ! » (Martineau, *Le Cœur de Stendhal*, t. 2, p. 311-312 ; Benedetto, op. cit., p. 185 ; *C*, t. 2, p. 718, 763).

[64] Sur cet aspect des intrusions, voir *supra* p. 93-94.

Il vaut la peine de remarquer, par exemple, que lorsque, dès la deuxième page, Stendhal présentait une caricature qui aurait été dessinée par Gros, il rappelait nécessairement aux Français les émotions pénibles que venait de susciter la fin tragique de ce grand peintre. Sous la Restauration, celui-ci avait vu censurer ses toiles napoléoniennes ; sous Louis-Philippe il s'était suicidé (1835). D'ailleurs, que la partie la plus réaliste de la *Chartreuse* vienne près du début et traite justement de Waterloo ne pouvait que rattacher d'autant mieux ce roman aux préoccupations des lecteurs français.

[65] Cf. *LL*, p. 761 ; MSN, p. 18.

engendrait [66] ; le règne de l'argent et du trafic, les prétentions de l'industrie, n'avaient cessé de l'exapérer [67]. Dans ses mauvaises heures, il lui semblait que tout était à mépriser [68]. Néanmoins, Stendhal reconnaissait que la situation était loin d'être simple, et dans les *Mémoires d'un touriste* — compte tenu même des précautions nécessaires — on le voit se résignant un peu mieux qu'auparavant à endosser ce régime plat, régime qui se distinguait du moins désormais par l'« absence des grands malheurs » et par le progrès matériel [69]. Jusque devant ses amis, Stendhal demeurait en fait, un « partisan modéré de la Charte de 1830 », voire un homme du « juste milieu » [70], et cela d'autant plus volontiers qu'il ne distinguait rien de bon dans les oppositions diverses de l'époque [71]. Mais cet ensemble équivoque d'attitudes n'était pas sans lui poser des problèmes lorsqu'il s'agissait d'écrire un roman. Car d'une part, *Lucien Leuwen* lui avait appris qu'en lâchant la bride à sa colère devant les méfaits du régime, il n'arrivait plus à donner la mesure de toutes les nuances de sa pensée et courait par conséquent le risque de se présenter trop exclusivement comme un opposant irréductible — au point de ne pas pouvoir publier l'œuvre [72]. Mais d'autre part, il ne pouvait évidemment pas être question de renoncer à sa critique morale, et plus que jamais son problème était de trouver une couverture romanesque qui lui permît de se placer nettement au-dessus de la mêlée et de décocher ses traits avec une vigueur égale contre tous les partis en présence [73]. Or, en substituant un cadre italien à la réalité française, et en transformant encore cette Italie en un décor de rêve et de satire, Stendhal se donnait plus de liberté pour nuancer ses réflexions et brouiller plus efficacement les pistes. D'abord, en donnant au drame de l'Europe post-napoléonienne le cadre d'un régime si réactionnaire, il évitait de monter en épingle les monarchies plus avancées comme celle créée par la Charte de 1830. Mieux, il pouvait

---

[66] *MDT*, t. 1 p. 105, et Journal, Cercle du Bibliophile t, 5, p. 150.

[67] « Nous sommes au siècle du trafic » disait Girardin, qui en savait quelque chose (cité par P. Moreau, *Le Romantisme*, Del Duca, 1957, p. 176). Sur les prétentions de l'industrie, voir le *Journal*, Cercle du Bibliophile, t. 5, p. 219.

[68] Cf. *MDT*, t. 3, p. 243.

[69] *MDT*, t. 1, p. 19-20.

[70] *LL*, p. 761 ; *C*, t. 2, p. 743.

[71] A droite, les légitimistes ne pouvaient plus faire figure que de nostalgiques falots, et étaient encore plus égoïstes que le juste milieu (*C*, t. 2, p. 742-743). Quant aux libéraux, Stendhal avait compris dès le *Complot* la compromission sérieuse de toute la philosophie libérale par l'idéologie des industriels. A gauche, il ne pouvait pas croire, malgré l'intérêt qu'il portait à Fourier, aux philosophes des utopies (*MDT*, t. 1, p. 431 ; t. 2, p. 482-483). Les saint-simoniens surtout ne faisaient qu'endosser l'âpreté au gain des industriels au pouvoir. Quant aux républicains à outrance, il ne pouvait que renouveler son scepticisme devant leur aigreur misanthrope, devant la façon dont leur rêve menaçait d'accaparer le citoyen, devant leur asservissement moral aux êtres les plus bornés (*MDT*, t. 1, p. 21-22, 64-65).

[72] Rappelons que le massacre de la rue Transnonain date du 14 avril 1834, et que Stendhal a commencé à rédiger *Lucien Leuwen* le 5 mai 1834.

Déjà à l'époque du *Rouge et le Noir* il avait été inquiété par la façon dont on l'identifiait avec son héros plébéien (cf. G. C. Jones, *L'Ironie dans les romans de Stendhal*, p. 105).

[73] Pour les raisons que nous allons voir, c'est surtout implicitement que *La Chartreuse de Parme* s'en prend à la montée de l'esprit bourgeois.

ainsi faire valoir ce qui pour lui était à long terme les paradoxes et les enjeux essentiels, sans avoir trop à se méfier de tous les rapprochements abusifs auxquels donnait lieu un cadre français. Ainsi, en prenant Fabrice comme héros, il évitait qu'on identifiât trop étroitement les valeurs morales de ses protagonistes avec celles de la noblesse française. Problème toujours plus grand pour Stendhal à mesure que cette noblesse devenait plus ridicule, puisque lui, comme tant d'autres ennemis des bourgeois, devait au fond sa critique de ceux-ci à l'idéologie cohérente de la droite, dans une situation où la gauche avait encore beaucoup de mal à distinguer ses valeurs de celles de la bourgeoisie libérale [74]. A cet égard, les aristocrates italiens, si différents des nobles français de l'époque étaient pour lui des porte-parole préférables [75].

Evidemment, ce masque qui devait lui éviter d'être trop vite situé sur l'éventail politique français, n'était pas bien difficile à percer, surtout à une époque où tout le monde avait recours à ces déguisements [76]. Pourtant, qu'il n'ait pas été totalement inefficace est montré par le fait que même aujourd'hui, certains ne veulent voir dans la *Chartreuse* qu'un bel exemple de la poésie nostalgique. Bien plus, l'adoption de ce masque s'explique également par les réflexions de Stendhal sur le public qu'il voulait atteindre dans la France des années trente. Car si dans la *Chartreuse* c'est toujours aux « *happy few* » que Stendhal s'adresse, petit nombre de lecteurs idéaux, dispersés dans l'espace et dans le temps, « que je n'ai jamais vus et que je ne verrai point, ce dont bien me fâche » [77], on sous-estime souvent à quel point il cherchait pourtant à identifier ce public parmi les contemporains [78]. L'échec qu'avait subi *Le Rouge et le Noir* auprès d'amis de tous les bords n'avait pas manqué de le choquer [79].

Or, lorsque Stendhal réfléchissait sur les changements survenus après 1830 et sur l'élargissement du public liseur, certaines constatations s'imposaient à lui, lesquelles semblent avoir fini par peser sur la décision prise en 1838 d'essayer une stratégie plus indirecte. D'abord, il désespérait des bourgeois qui venaient s'ajouter tous les jours au public, car il considérait que les plus doués craignaient toujours l'intelligence lorsque celle-ci ne s'exerçait pas sous une forme résolument pratique, et se cantonnaient, par manque d'assurance, dans les lectures à la mode [80]. Ensuite, les nobles qui auraient dû comprendre tout ce qui échappait à ces bourgeois [81], les nobles qui naguère avaient

---

[74] Cf. P. Barbéris, *Balzac et le mal du siècle,* Gallimard, 1970, t. 1, p. 54-59, 64.

[75] Comparer, à cet égard, la noblesse de Nancy dans *Lucien Leuwen* avec la noblesse de la *Chartreuse.*

[76] Voir, par exemple, la remarque de Balzac sur l'attitude montrée par Stendhal envers la monarchie dans la *Chartreuse* (*art. cit.,* p. 404).

[77] *LL,* p. 767.

[78] Geneviève Mouillaud a pourtant vu que dans le texte même du *Rouge et le Noir,* par exemple, Stendhal s'adresse à un certain type de Français fort bien défini (*op. cit.* p. 32-34).

[79] *C,* t. 2, p. 257.

[80] *CA,* t. 1, p. 264-265 (1836).

[81] *JL,* t. 3, p. 187-188 (1835).

été assez sûrs d'eux pour aimer le naturel [82], et qui sous la Restauration avaient souvent su apprécier jusqu'aux railleries venues de la gauche[83], avaient pris peur depuis les « Trois Glorieuses » et ne savaient plus, en 1836, goûter une satire sereine [84]. Ainsi vers la fin des années trente, il lui semblait que son élite de belles âmes se trouvait en fait plus dispersée que jamais, et que ces âmes devaient prendre, comme lui, toujours plus soin de se masquer. Comment faire pour les atteindre ? D'autre part, aux yeux de Stendhal il restait encore deux groupes de lecteurs qui étaient assez affranchis de tous les intérêts de classe et d'argent, mais qui n'avaient pas à se cacher : non pas tellement le monde des artistes, dont il rejetait les prétentions grandissantes [85], mais plutôt les groupes constitués par les femmes et par les adolescents [86]. Depuis longtemps, ne croyait-il pas que spirituellement, les femmes restaient beaucoup moins entravées que les hommes par les préjugés sociaux et politiques [87] ? Et ne le voit-on pas prendre désormais un plaisir marqué à conter pour les jeunes, plaisir qui a même fini par avoir sa part dans la création de la *Chartreuse,* puisque c'est pour Paca et Eugenia de Montijo qu'il a d'abord voulu raconter Waterloo [88] ?

En écrivant *La Chartreuse de Parme* on dirait donc que pour Stendhal il s'est agi plus spécialement de se faire entendre par deux sortes de lecteurs : par les « *happy few* » qui se cachaient toujours mieux, puis par tous ceux qui vivaient, comme les femmes et les jeunes, en marge des conflits sociaux et politiques. Et toute la stylisation de la *Chartreuse* répond en fait à cette double exigence. Car, à l'instar de *Don Quichotte,* cette stylisation ne produit-elle pas un charme naïf qui séduit les jeunes ? Et n'implique-t-elle pas tout aussi bien, par ses qualités musicales et ludiques, la recherche d'un clan d'initiés, d'*aficionados,* capables de comprendre les règles du jeu, capables d'écouter dans la solitude cette musique [89] ? Aussi Stendhal devait-il penser plus que jamais à son roman comme à un message secret, message qu'on chiffre — pour surcroît de sûreté — en un langage apparemment banal [90]. Et si le paradoxe de la *Chartreuse* est d'être, de tous les romans stendhaliens, à la fois le plus limpide et le plus obscur, c'est parce

[82] *CA,* t. 1, p. 265 (1836).
[83] *CA* t. 2, p. 427-428 (1825-1826).
[84] *MSN,* p. 14-15 ; *Mélanges, II, Journalisme,* p. 270, 273 (1836).
[85] *Journal,* Cercle du Bibliophile, t. 5, p. 149-150 ; VHB, p. 319-320.
[86] Il avait toujours eu en vue ses lectrices, mais cela devient encore plus marqué après 1830 (*JL,* t. 3, p. 208, 304 ; *Journal,* Cercle du Bibliophile, t. 5, p. 129), et en 1840 il écrit, par exemple, en pensant au style de la *Chartreuse,* « Il faut le rendre facile pour les femmes d'esprit de trente ans, et même amusant, s'il se peut » (1368).
[87] Voir comment ses héroïnes, qu'elles se nomment madame de Rênal, Bathilde, Clélia, Vanina ou Mina, sont toujours prêtes à abandonner leurs préjugés et leurs positions en faveur de leurs amants.
[88] Rappelons la note en bas de la page 70 de la *Chartreuse.*
[89] Cf. *VDR,* t. 1 ; p. 314-315.
[90] Cf. *supra* p. 63-64. De même, ce n'est pas par hasard qu'il y a dans la *Chartreuse* plus de notes chiffrées en bas de page que dans *Le Rouge* (quatre contre une).

qu'effectivement il ne pouvait que l'être, pour arriver à dire le nécessaire à tous ceux à qui il devait le dire. Balzac l'a un peu deviné [91].

Cependant, si la dissimulation de sa pensée sous l'apparence d'un « conte de l'Orient » a fort bien servi à protéger son message contre les espions et contre les barbares, nous avons vu tout au long de cet ouvrage que cette forme lui fut aussi imposée par le fond du message qu'il voulait faire passer. Aucun doute, par exemple, qu'un élément décisif dans le changement de cap qui a eu lieu après l'été de 1838, ait été sa volonté d'éviter à tout prix les effets corrosifs de la haine impuissante, effets qu'il risquait de produire encore avec ses projets picaresques. *Le Rouge et le Noir* et surtout *Lucien Leuwen* lui avaient appris à quel point ses tableaux tendaient à rendre la réalité haïssable, lorsqu'il cherchait à peindre sur nature l'état actuel de la France. Et d'ailleurs, continuer de protester ainsi, dans « le style triste des moralistes », n'était-ce pas risquer de renforcer l'empire de cette espèce de gravité jugeante, si foncièrement misanthropique, qui était, selon lui, « le mal du siècle » [92] ? Ne voyait-il pas les réalismes cherchés par George Sand et par Balzac, soit tomber dans cette même erreur, soit finir par se compromettre avec les réalités qu'ils voulaient dénoncer [93] ? Par contre, en transportant son lecteur français en une Italie de rêve, Stendhal évitait de lui donner l'impression d'une impasse désespérante. Car en opposant à la France une Italie où la noblesse était encore à peine touchée par la morale bourgeoise [94], Stendhal contournait, sur le plan imaginaire, l'obstacle massif posé en France par le triomphe de la bourgeoisie, et du même coup, montrait un monde où les solutions restaient possibles, puisqu'en Italie les nobles et le peuple parvenaient encore à s'entendre. Dans la *Chartreuse,* il s'arrangeait ainsi pour préserver contre les effets de la haine les forces vitales de la rêverie heureuse et pour laisser place à l'espoir. Peut-être ces perspectives n'ont-elles pas été étrangères à l'intérêt qu'il portait, en ces années, aux lecteurs les moins politisés.

Les fonctions multiples qu'assumait ainsi le dépaysement stylisé de la *Chartreuse* n'étaient donc guère des fonctions que pouvait assurer le réalisme d'un roman picaresque. Et en l'automne de 1838, pour lui ces fonctions avaient d'autant plus d'importance qu'il ne s'opposait pas absolument au régime, et qu'il ne désespérait pas tout à fait de la France [95] :

---

91 *art. cit.* p. 374.

92 Cf. *DA,* t. 1, p. 8-9.

93 Même là où les réalismes balzaciens et sandiens parvenaient à créer une image passablement exacte, ils le faisaient souvent, selon lui, sans donner aucune prise critique sur la chose réfléchie, et n'aboutissaient alors qu'à renforcer les réalités qu'ils dénonçaient. A propos de *Valentine,* Stendhal notait, « Cela peint admirablement bien la bonne compagnie de 1830-1835 (...) mais cela est terriblement sec comme la bonne compagnie de 1830-1835. Voilà l'inconvénient » (*JL,* t. 3, p. 286. Aussi les parvenus prétentieux prisaient-ils fort ce réalisme si détaillé (*Journal,* Cercle du Bibliophile, t. 5, p. 276).

94 C'est seulement vers la fin de la *Chartreuse* qu'elle commence à l'être ; cf. *supra* p. 148.

95 *Mélanges, II, Journalisme,* p. 277-278 (1836).

> Mais, dans le cas où, (...) l'on admettrait la supposition un peu hasardée de la possibilité du retour à la gaieté, la situation de la France est bien différente de celle de tout ce qui l'environne.
> Nous sommes arrivés au vingt-cinquième jour de notre petite vérole. Les grands accidents sont passés, il n'y a plus de 93 possible car il n'y a plus d'abus atroces (...).
>
> La France sera la première guérie, c'est chez elle la première que les barons Poitou goûteront les lettres du président de Brosse. (...), en dépit de la police et de ses lois *d'intimidation*, comme en dépit des républicains, (...).

Or, est-ce à dire qu'en 1838, Stendhal avait fini par subir l'influence, non seulement de cet apaisement intime qui peu à peu s'est installé en lui depuis la composition d'*Henry Brulard* [96], mais également du climat rasséréné qui régnait dans la vie politique depuis la crise de 1835 [97] ? Est-ce un peu au concours propice de ces deux accalmies que nous devons le bonheur de la *Chartreuse ?* L'hypothèse semble aventureuse, puisque Stendhal n'a guère applaudi aux *lois de septembre* qui ont entériné l'échec de toutes les agitations [98], et puisque *Lamiel* marquera aussitôt la continuité ininterrompue de son mépris pour le prosaïsme régnant. Et cependant, si sa déception devant les brutalités premières de la Monarchie de Juillet trouve un écho manifeste dans *Lucien Leuwen*, il n'est peut-être pas excessif de supposer que la conjoncture de 1838 n'a pas non plus été tout à fait sans effet sur la naissance de la *Chartreuse*. Car il est certain que jusqu'en 1839, tout le pays a repris souffle dans une ambiance plus calme et prospère, et il ne peut y avoir de doute que Stendhal a fort bien compris, et a ressenti un moment lui-même, l'exigence d'ordre qui se faisait sentir. Les *Mémoires d'un touriste* en font foi [99] :

> Vu notre position non insulaire et le penchant au désordre, qui est peut-être inné chez les Français, il me semble qu'en 1837 du moins, le gouvernement royal est préférable à la meilleure des républiques. (...).
> Si la Révolution de 89 a réussi, c'est que tous les plébéiens qui avaient un peu de cœur étaient animés d'une haine profonde pour des abus atroces. Où sont aujourd'hui les abus atroces ?

Raison de plus qui explique pourquoi c'est précisément en ces années que Stendhal a pu aborder de front tout le problème de l'ordre dans un roman, alors qu'au moment de *Lucien Leuwen*, écrit sous le coup des horreurs de 1834, toute idée d'ordre était à peine supportable [100]. Entre 1834 et 1838, ce n'est pas sa pensée politique qui a changé, mais bien l'accentuation qu'il a jugé utile de donner à divers côtés de cette pensée ; *La Chartreuse de Parme* est un roman qui refuse de s'enfermer dans le négatif. En 1838, tout a conspiré pour lui permettre de l'écrire.

---

[96] Cf. *supra* Chap, 1, note 45.
[97] Cf. P. Vigier, *La Monarchie de Juillet*, Que Sais-Je ? PUF, 1962, p. 28-31.
[98] Dans la citation donnée ci-dessus, ce sont bien ces lois qui semblent être visées par ses remarques sur les *lois d'intimidation*.
[99] *MDT*, t. 1, p. 400-401.
[100] Cf. *supra*, note (72).

Née d'un concours exceptionnel de circonstances, tant personnelles que politiques, est-il besoin de souligner pourtant que la *Chartreuse* dépasse largement ce qu'il y avait d'étroitement réactionnaire dans le climat de 1838 ? Nous avons vu comment la pensée ludique a rendu possible une exploration lucide des rapports possibles entre l'ordre et la liberté. En ces années d'ailleurs, Stendhal est loin d'avoir été le seul à chercher dans l'idée du jeu une solution à ces problèmes, et comme lui, la majorité de ceux qui l'ont fait, ont surtout voulu développer des perspectives nouvelles sur ces questions. Certes, la pensée ludique est de tous les temps et nous avons déjà pu observer qu'elle remontait très loin chez Stendhal. De même, il est certain que sous la Restauration on n'a pas manqué de produire quelques œuvres qui faisaient pressentir la préoccupation que montrera par la suite l'ironie romantique avec le jeu [101]. Il n'en est pas moins vrai qu'avant 1830, le retour tenté aux idées anciennes a donné un ton plutôt grave aux lettres, et que ce ne fut que sous Louis-Philippe que l'idée du jeu a repris de l'importance, dans l'art comme dans la vie ; en a été un signe certain la vogue renouvelée de Rabelais, de Diderot, de Sterne et de Swift [102]. Or il y a eu pour cela plusieurs raisons. D'abord, face à la trahison des espoirs de 1830, les jeunes surtout ont eu l'impression d'être réduits à l'impuissance et d'être obligés par les régnants de *jouer,* là où ils avaient voulu *agir* [103]. Par la suite, beaucoup ont choisi de faire de cette nécessité vertu, et d'afficher un système de masques et une morale ludique — combien ont dit, avec le Docteur — Noir de *Stello,* « Habituellement, j'aime qu'on ne rie ni ne pleure, et qu'on voie froidement la vie comme un jeu d'échecs » [104] ! Bien plus, l'industrialisation de l'art qui pointait, le sérieux implacable du monde bourgeois, ont persuadé à certains qu'il était maintenant de toute nécessité de faire de leur art un jeu averti, plus que jamais réflexif, lequel ne saurait être récupéré, ni par le grave rationalisme des bourgeois, ni par le calcul financier. *Mademoiselle de Maupin* est évidemment un exemple majeur de cette réaction, laquelle aboutit au mot de Fantasio, « tout est calembour ici-bas » [105]. Ainsi sont parvenus à pénétrer une grande partie de l'art et de la littérature du temps le thème du jeu et son esprit, du mime Deburau à Daumier, de *La Peau de Chagrin* à *Lorenzaccio,* de *Mademoiselle de Maupin* à *Gaspard de la Nuit.* Bien que le plus souvent Stendhal lui-même n'eût pas pu le reconnaître, il semble bien qu'à certains égards, c'est ce versant ludique des années trente que rejoint *La Chartreuse de Parme.*

Dans cette œuvre qui finit par faire tant d'honneur aux vertus de la maturité, des rapports profonds existent donc avec les livres des jeunes de son temps. Comme bien de ceux-ci, Stendhal a choisi un masque passablement exotique pour pouvoir faire le procès de tous.

---

101 Ainsi *l'Ane mort et la Femme guillotinée* (1829).

102 Cf. J.-C. Fizaine, « Les romantismes et la révolution de juillet », *Romantisme,* 1980, n°s 28-29, p. 45.

103 P. Barbéris, *op. cit.,* t. 1, p. 75 n.

104 Vigny, *Œuvres Complètes,* éd. F. Baldensperger, Bibliothèque de la Pléiade, 1948, t. 1, p. 665. C'était là surtout l'attitude des dandys.

105 *Fantasio,* Acte II, Sc. 1.

Mais comme eux encore, il l'a également fait afin de pouvoir célébrer la liberté de l'imagination, et de garder un visage enthousiaste. Bien plus, dans la mesure où tout cela, forme et fond, se montre une question de jeu, Stendhal réussit à faire pressentir la possibilté d'un équilibre, en dépit de ses constatations pessimistes. Le plaisir que sa gaieté nous donne, ne provient-il pas précisément de la satisfaction qu'on ressent en dominant — ne fût-ce que pour le temps bref d'un roman — les forces menaçantes de l'absurdité et du désordre ? C'est là le vrai plaisir du jeu, plaisir qui nous invite à comprendre qu'on peut — qu'il faut parfois — savoir être à la fois léger et profond.

Appendice

La critique stendhalienne choisit souvent de ne chercher dans les détails de la *Chartreuse* que des traces purement biographiques, amenées par l'improvisation égotiste et sans rapport organique avec l'œuvre. Nous croyons utile de montrer encore ici, sur trois détails sans grande importance, à quel point cette attitude risque parfois de méconnaître la cohérence profonde réussie par l'imagination de Stendhal.

Prenons d'abord le cas le plus simple, la référence incidente que fait Stendhal, en décrivant le lac de Côme, à la villa Melzi (45). Rien n'indique dans le texte de Stendhal qu'il ne s'agit pas là tout simplement d'un notation topographique, tirée de sa connaissance des lieux. Et pourtant ce nom et cet endroit pouvaient susciter, chez les amis de l'Italie, des échos autrement précis, fort pertinents aux rêves patriotiques qu'aura Fabrice adolescent. Car cette villa vis-à-vis de Grianta, « et qui lui sert de point de vue », a été un lieu vénéré dans les annales du républicanisme italien, l'endroit où Melzi d'Eril, le premier vice-président de la république Cisalpine, est venu « pleurer la patrie » et ses espoirs [1]. « Point de vue » qui rappelle donc en sourdine quels rêves nourrissaient les jeunes Italiens et combien de fois ils avaient été déçus.

Passons ensuite à un autre détail, beaucoup plus curieux cette fois, qui montre à quel point l'idée du jeu n'a cessé de travailler Stendhal pendant toute la composition du roman. On se rappellera qu'en entrant dans sa prison, Fabrice se console en regardant jouer le chien de garde qu'on lui a donné, « sorte d'épagneul croisé avec un fox anglais » (311). Mais pourquoi ce chien devient-il peu après, et pour le rester par la suite « Fox le chien anglais » avec une majuscule (313, 329) ? Est-ce uniquement par suite de cette attraction des mots à laquelle, dans la *Chartreuse,* Stendhal consent si volontiers ? Un peu sans doute, mais on peut croire que son imagination a su en profiter pour placer ici un petit hommage à un de ses héros préférés, hommage qui souligne en outre avec ironie le rôle de ce chien dans la méditation sur le jeu [2]. En effet, si l'Anglais Charles James Fox était un des libéraux que Stendhal admirait le plus [3], et si son nom était partant un symbole magnifique de protestation contre le despotisme

---

[1] Cf. *RNF,* p. 139-143.
[2] Cf. *supra* p. 189.
[3] Sur cette admiration, voir Margaret Tillett, *op. cit.,* p. 19-21.

illustré par la citadelle, Fox était cependant tout aussi bien un des joueurs les plus notoires de la fin du dix-huitième siècle. Comme tout le monde, Stendhal le savait, d'autant mieux qu'en Hobhouse il avait connu un ami de lord Holland, le neveu de Fox [4]. Quel meilleur nom donner alors au chien folâtre qui console dans sa prison Fabrice, cette victime du despotisme qui est si ami du jeu aléatoire ?

On peut évidemment refuser de le voir, et continuer de sous-estimer le désir qu'avait Stendhal de rendre pertinents les menus détails de son roman, fût-ce au prix d'une ironie assez énigmatique. Et dans ce cas, notre dernier exemple, qui est sans doute le plus problématique, n'ébranlera guère le préjugé. Voyons pourtant ce qu'on découvre, lorsqu'on se décide à approfondir la découverte par Fabrice à Naples d'un « buste de Tibère, jeune encore » (144). Naturellement, tous les commentateurs n'ont vu là qu'une référence complaisante à ce buste romain que Stendhal lui-même acheta en 1832 à Naples, et qu'il croyait — à tort — être un buste de Tibère [5]. Il n'est toutefois pas impossible que pour l'imagination stendhalienne ce détail ait eu un rapport plus étroit avec le roman de Fabrice.

Soulignons d'abord que le buste antique que Fabrice est censé avoir découvert est un buste de Tibère « jeune encore », du Tibère donc des premiers triomphes et des années d'exil dans l'île de Rhodes, non du monstre impérial de Rome et de Caprée. De même Stendhal semble avoir cru que le buste dont il était lui-même si fier se rapportait à la jeunesse de Tibère [6]. Or Stendhal, lecteur fervent de Suétone et de Tacite, s'intéressait depuis longtemps à cet empereur, et ce sont les différences très marquées dans les récits de ces deux historiens qui expliquent les variations dans le jugement qu'il a porté sur Tibère [7]. Si dans les années trente, c'était le monstre de cruauté qui le préoccupait au premier chef (au même titre que Cenci et que Gilles de Rais) [8], il continuait néanmoins d'affirmer qu' « à demi-fou de tristesse, (il) fut un grand prince » [9].

Jusqu'ici tout cela semble effectivement n'avoir rien à faire avec Fabrice, mais il est du moins certain qu'en ces années Stendhal repensait souvent à Tibère et aux récits de sa vie chez Suétone et Tacite [10]. Or, si l'on étudie ces deux auteurs on est fort étonné de découvrir que Suétone, qui est le seul à peindre les premières années de Tibère, trace à ce propos une figure de jeune héros qui n'est pas sans rappeler cer-

---

[4] Cf. *VDN*, p. XXX-XXXI et A.D. Kriegel, *The Holland House Diaries*, Londres Routledge et Kegan Paul, 1977. Sur Fox joueur, cf. *C*, t. 3, p. 30 (mars 1835).

[5] Cf. *C*, t. 2, p. 386.

[6] *C*, t. 3, p. 22.

[7] *HPI*, t. 2, p. 58-59 ; *CA*, t. 2, p. 203, 473.

[8] Cf. *CI*, t. 1, p. 43.

[9] *C*, t. 3, p. 379.

[10] Cf. *C*, t. 2, p. 718 ; t. 3, p. 21-22, 236, 359 ; *MSN*, p. 19 ; *MDT*, t. 1, p. 89, 90, 163 ; t. 2, p. 142.

tains traits de Fabrice. En effet, selon Suétone, c'est une jeunesse tragique que Tibère a d'abord connue, puisque l'hostilité d'Auguste contre sa famille est allée jusqu'à l'obliger de divorcer d'avec la femme que Tibère aimait. Parvenu néanmoins peu à peu à la faveur impériale (grâce, entre autres choses, à sa gloire militaire), un jour Tibère a tout laissé tomber pour des raisons qui demeurent mystérieuses et s'est retiré à Rhodes. Là, il a montré un goût pour la solitude, menant une vie modeste et studieuse, et s'est occupé d'astrologie. Après plusieurs années, il a eu la permission de rejoindre sa famille à Rome et ce retour de fortune a été présagé par l'arrivée dans l'île d'un aigle, peu avant le navire apportant la nouvelle [11].

On voit que, par le malheur de son amour et par le mystère de son exil, par son goût de la retraite comme par sa superstition, par ses dons militaires aussi, ce portrait de Tibère adolescent est celui d'un héros romanesque, tels que les aimait Stendhal lorsqu'il créait le personnage de Fabrice. Ce qui distingue pourtant évidemment le caractère du jeune Romain de celui de Fabrice del Dongo, c'est sa mélancolie célèbre. Déjà dans l'*Histoire de la peinture,* Stendhal avait cité Tibère à côté de Louis XI comme le type parfait du tempérament mélancolique, tempérament qui peut donner des martyrs, des mystiques et des grands hommes, mais qui dans le cas de Tibère n'a finalement produit que le fou cruel dont l'histoire se souvient [12].

Or, que conclure de tout cela ? Car malgré l'air qu'il sait à l'occasion prendre « d'un empereur romain » (190), Fabrice est donc tout l'opposé du jeune Tibère de Suétone, puisque dans l'exil à Naples et à Novare, la gaieté et l'insouciance le préservent de toute aigreur corrosive. Pourtant, c'est justement ce contraste violent qu'on peut soupçonner d'avoir contribué à l'idée d'introduire le buste de Tibère dans le texte de la *Chartreuse.* Voulant faire découvrir par Fabrice un échantillon de l'art antique, et pensant au buste dont il faisait tant de cas, Stendhal n'aurait-il pas trouvé ce détail d'autant mieux venu qu'il soulignerait — du moins pour lui-même — combien Fabrice est loin de tous les pièges du tempérament mélancolique ? Etant donné les faits que nous avons établis, comment nier qu'une telle idée ait fort bien pu jouer chez lui ? Cela n'est, certes, que d'un intérêt accessoire, puisqu'en tout cas Stendhal a vu que ce contraste ne valait pas la peine d'être précisé dans le roman, mais cela nous montre que les détails de la *Chartreuse* peuvent nous réserver bien des surprises, et que l'égotisme de l'auteur n'est pas toujours si naïf.

---

[11] *Suétone,* traduit par M. de Golbery, Panckoucke, 1830, t. 1, p. 357-371.
[12] *HPI,* t. 2, p. 58-59.

Bibliographie

I. — ŒUVRES DE STENDHAL

Sauf indication contraire, les références renvoient à la pagination des éditions suivantes :

Armance
Le Rouge et Noir
Lucien Leuwen
In « Roman et Nouvelles », t. 1, édition établie par Henri Martineau, Bibliothèque de la Pléiade, Gallimard, 1952.

La Chartreuse de Parme
Vanina Vanini
Le Rose et le Vert
Mina de Vanghel
Féder
in « Romans et Nouvelles », t. 2, édition établie par Henri Martineau, Bibliothèque de la Pléiade, Gallimard, 1952.

La Vie de Henry Brulard
Journal
Souvenirs d'Egotisme
Les Privilèges
in « Œuvres Intimes », édition établie par Henri Martineau, Bibliothèque de la Pléiade, Gallimard 1955.

Correspondance
édition établie par Henri Martineau et V. De Litto (3 vol.), Bibliothèque de la Pléiade, Gallimard, 1962-1968.

Rome, Naples et Florence
Promenades dans Rome
in « Voyages en Italie », édition établie par V. Del Litto, Bibliothèque de la Pléiade, Gallimard, 1973.

Courrier Anglais
édition établie par Henri Martineau (5 vol.), Le Divan, Paris 1935-1936.

Toutes les références aux autres œuvres renvoient à l'édition des *Œuvres complètes*, publiée par le Cercle du Bibliophile sous la direction de V. Del Litto et Ernest Abravanel, 1972-1974 :

De l'Amour, t. 3-4.
Mémoires d'un touriste, t. 15-17.
Chroniques Italiennes, t. 18-19.
Vie de Rossini, t. 22-23.

Histoire de la Peinture en Italie, t. 26-27.
Journal littéraire, 1-3, t. 33-35.
Racine et Shakespeare, t. 37.
Romans et Nouvelles, t. 38.
Vie de Napoléon, t. 39.
Mémoires sur Napoléon, t. 40.
Vies de Haydn, de Mozart et de Métastase, t. 41.
Théâtre, 1-2, t. 42-43.
Lamiel, t. 44.
Mélanges, I-V, t. 45-49.

2. — ETUDES SUR STENDHAL

(Liste limitée aux travaux mentionnés dans cette étude)

ABRAVANEL (Ernest). — « Le thème du poison dans l'œuvre de Stendhal », *Première Journée du Stendhal Club*. Editions du Grand Chêne, Lausanne 1965, p. 7-17.

ADAMS (R.M.). — *Stendhal, notes on a novelist*, Minerva Press, New York, 1968.

ALBÉRÈS (F.M.) — *Le Naturel chez Stendhal*, Nizet, Paris, 1956.
Stendhal et le sentiment religieux, Nizet, Paris, 1956.

ADAM (Antoine). — Introduction à *La Chartreuse de Parme*, Classiques Garnier, Paris, 1973.

ANSEL (Yves). — « Stendhal littéral » *Littérature*, mai 1978, p. 79-88.

BARDÈCHE (Maurice). — *Stendhal romancier*, La Table Ronde, Paris 1947.

BENEDETTO (L.F.), *La Parma di Stendhal*, Sansoni, Florence, 1950.

BERG (William J.). — « Cryptographie et communication dans " La Chartreuse de Parme " », *Stendhal Club*, 15 janv. 1978, p. 170-182.

BLACKMUR (R.P.). — « The Charterhouse of Parma », *Kenyon Review*, Vol. XXVI, 1964, p. 211-231.

BLIN (Georges). — *Stendhal et les problèmes de la personnalité*, J. Corti, Paris, 1958.
Stendhal et les problèmes du roman, J. Corti, Paris, 1954.

BOKOBZA (Serge). — « " Le Rouge et le Noir " : jeu de hasard ou réalité politique », *Stendhal Club*, n° 82, 15 janv. 1979, p. 163-166.

BROMBERT (Victor). — *Stendhal : fiction and the themes of freedom*, Random House, New-York, 1968.

BROOKS (Peter). — « L'invention de l'écriture (et du langage) dans " La Chartreuse de Parme " », *Stendhal-Club* n° 78, 15 janv. 1978, p. 183-190.

CHAITIN (G.D.). — *The Unhappy Few*, Indiana University Press, Bloomington, 1972.

COE (R.N.). — « André Walter lecteur de Stendhal », *Stendhal Club*, n° 53, 15 oct. 1971, p. 70.

« From Correggio to Class Warfare : notes on Stendhal's ideal of « la grâce » », in *Balzac and the Nineteenth Century, Studies in French literature presented to Herbert J. Hunt*, éd. D.G. Charlton, J. Gaudon et A.R. Pugh, Leicester University Press, Leicester, 1972, p. 239-254. « La Chartreuse de Parme, portrait d'une réaction », *Omaggio a Stendhal, II, Aurea Parma*, année LI, fasc. II-III, mai-déc. 1967, pp. 43-61. « Stendhal and the Art of Memory », in *Currents of Thought in French Literature, Essays in Memory of G.T. Clapton*, Blackwell, Oxford, 1965, p. 145-163.

CREIGNOU (Pierre). — « *Illusion et réalité du bonheur dans* " La Chartreuse de Parme " », *Stendhal Club*, n° 64, 15 juillet 1974, p.310-334.

CROUZET (Michel). — « Misanthropie et vertu : Stendhal et le problème républicain », *Revue des Sciences Humaines*, janv. 1967, p. 29-52.
Stendhal : Romans abandonnés, Bibliothèque 10-18, Paris, 1968.

DÉDÉYAN (Charles). — *L'Italie dans l'œuvre romanesque de Stendhal*, SEDES, Paris, 1963.

DEL LITTO (Victor). — « Corrections et additions inédites pour la deuxième édition de " La Chartreuse de Parme " », *Stendhal Club*, n° 31, 15 avril 1966, p. 197-222.

DEL LITTO (Victor). — « Stendhal, le jeu et la loterie », *Le Divan*, jan-mars 1955, p. 4-8.
La vie intellectuelle de Stendhal, P.U.F., Paris, 1959.

DETHAN (Georges). — « Le Rouge et le Noir. Un jeu de hasard ? », *Stendhal Club*, n° 79, 15 avril 1978, p. 298.

DIDIER (Béatrice). — « " La Chartreuse de Parme " ou l'ombre du père », *Europe*, juil.-sept. 1972, p. 149-157.
« Stendhal chroniqueur », *Littérature*, fév. 1972, p. 11-25.

DU PARC (Yves). — *Quand Stendhal relisait les « Promenades dans Rome »*, Collection stendhalienne, Editions du Grand Chêne, Lausanne, 1959.

DURAND (Gilbert). — *Le décor mythique de « La Chartreuse de Parme »* J. Corti, Paris, 1961.

FELIX-FAURE (Jacques). — *Stendhal lecteur de Madame de Staël*, Collection stendhalienne, Editions du Grand Chêne, Aran, 1974.

FELMAN (Shoshana). — *La « folie » dans l'œuvre romanesque de Stendhal*, J. Corti, Paris, 1971.

FERRIER (Ginette). — « Sur un personnage de « la Chartreuse de Parme » : le comte Mosca », *Stendhal Club*, n° 49, 15 oct. 1970, p. 9-43.

GILMAN (Stephen). — « The Tower as Emblem », *Analecta Romanica*, t. 22, 1967.

GRECHI (G.F.) — *Catalogo del fondo stendhaliano Bucci*, All'insegna del Pesce d'Oro, Milan, 1980.

GROMLEY (Lane). — « " Mon roman est fini " : fabricateurs de romans et fiction intratextuelle dans " Le Rouge et le Noir " », *Stendhal Club*, n° 82, 15 janv. 1979, p. 129-138.

HAIG (Stirling). — « The identities of Fabrice del Dongo », *French Studies*, avril 1973, p. 170-176.

HEMMINGS (F.W.J.). — *Stendhal. A Study of his novels*, Oxford University Press, Oxford, 1964.

HOUBERT (Jacques). — « Les règles du jeu selon Stendhal et Balzac », *Stendhal Club*, 15 janv. 1969, p. 190-191.

HUBERT (J.-D.). — « Notes sur la dévaluation du réel dans " La Chartreuse de Parme " », *Stendhal Club*, n° 5, 15 oct. 1959, p. 47-53.

IMBERT (H.F.). — *Les Métamorphoses de la liberté ; ou, Stendhal devant la Restauration et le Risorgimento*, J. Corti, Paris, 1967.
Stendhal et la tentation janséniste, Droz, Genève, 1970.

JONES (Grahame C.). — *L'ironie dans les romans de Stendhal*, Collection stendhalienne, Editions du Grand Chêne, Lausanne, 1966.

KOGAN (Vivian). — « Signs and Signals in La Chartreuse de Parme », *Nineteenth Century French Studies*, 1973, vol. 2, p. 29-38.

LONGSTAFFE (Moya). — « Le dilemme de l'honneur féminin dans l'univers masculin du duel : le crime de la duchesse Sanseverina », *Stendhal Club*, n° 76, 15 juil. 1977, p. 305-320.

MARTINEAU (Henri). — *Le Cœur de Stendhal*, Albin Michel, Paris, 1952-1953.

MOUILLAUD (Geneviève). — *Le Rouge et le Noir de Stendhal. Le roman possible*, Larousse, Paris, 1973.

MULLER-KOTCHETKOVA (Tatiana). — « Le Rouge et le Noir : un jeu de hasard ? », *Stendhal-Club*, n° 78, 15 juil. 1978, p. 384.

PRÉVOST (Jean). — *La Création chez Stendhal*, Mercure de France, Paris, 1959.

REIZOV (Boris). — « Sur les sources de " Vanina Vanini " », *Stendhal Club*, n° 43, 15 avril 1969, p. 227-243.
« Le " whist " dans " La Chartreuse de Parme " », *Stendhal Club* n° 48, 15 juil. 1970, p. 351-355.

RHÉAULT (Raymond). — « Inadvertance et imprécisions dans " La Chartreuse de Parme " », *Stendhal Club*, n° 73, 15 oct. 1976, p. 15-61.

SAINTE-BEUVE (C.-A.). — « M. de Stendhal », *Causeries du Lundi*, Garnier, t. IX, 1885.

SEYLAZ (Jean-Luc). — « « La Chartreuse de Parme » : quelques réflexions sur la narration stendhalienne », *Etudes de Lettres*, Lausanne, série III, t. I, 1968, p. 279-310.

STENDHAL et les problèmes de l'autobiographie, éd. V. Del Litto, Presses Universitaires de Grenoble, Grenoble, 1976.

STENDHAL-BALZAC, *Actes du XIe Congrès International Stendhalien*, Presses Universitaires de Grenoble, Grenoble, 1978.

STRICKLAND (Geoffrey). — *Stendhal : the education of a novelist*, Cambridge University Press, Cambridge, 1974.

THOMPSON (C.W.). — « L'Armée ou l'église : sur les ressorts latents du dilemme héroïque chez Stendhal », *Stendhal Club* n° 83, 15 avril 1979, p. 228-252.

TILLETT (Margaret). — *Stendhal, the Background to the novels,* Oxford University Press, Londres, 1971.

VEUILLE (Marie-Françoise). — « Un personnage stendhalien : *la Sanseverina* », *Philologia Pragensia,* 1968, n° 3, p. 141-151.

WARDMAN (H.W.). — « La Chartreuse de Parme : ironical ambiguity » *Kenyon Review,* XVII, 1955, p. 449-471.

WAYNE-CONNER (J.). — « L'arbre de Fabrice et l'abbé Blanès », *Le Divan,* oct.-déc. 1954, p. 493-500.

WILLIAMSON (Elaine). — « Stendhal et la Hollande (1810-1812), », *Stendhal Club* n° 81, 15 oct. 1978, p. 1-26.

WOOD (Michael). — « " La Chartreuse de Parme " et le sphinx », *Stendhal Club,* n° 78, 15 janv. 1978, p. 161-169.
Stendhal, Elek Books, Londres, 1971.

3. — OUVRAGES GENERAUX

ACTON (H.B.) — « La philosophie du langage sous la révolution française », *Archives de Philosophie,* juil.-déc. 1961, p. 426-449.

ADAMS (R.M.). — *Strains of Discord ; studies in literary openness,* Cornell University Press, Ithaca, 1958.

ADORNO (T.W.) et autres. — *The Authoritarian Personality,* Harper et Bros, New-York, 1950.

AGUINAGA (Carlos Blanco). — « Cervantes y la picaresca ; notas sobre dos tipos de realismo », *Nueva Revista de Filología Hispânica,* 1957, ano XI, p. 313-342.

ALTER (Robert). — *Partial Magic,* University of California Press, Berkeley & Los Angeles, 1978.

ARMAS (Frederick A. de). — *Paul Scarron,* Twayne Publishers Inc., New-York, 1972.

AUERBACH (Erich). — *Mimésis,* Gallimard, Paris, 1968.

BACHELARD (Gaston). — *L'Air et les songes,* J. Corti, Paris, 1943.
L'Eau et les rêves, J. Corti, Paris, 1942.
La Terre et les rêveries du repos, J. Corti, Paris, 1948.

BAILBÉ (Joseph-Marc). — *Le roman et la musique en France sous la monarchie de juillet,* Minard, Lettres Modernes, Paris, 1969.

BALZAC (Honoré de). — *Correspondance,* éd. R. Pierrot, Classiques Garnier, Paris, t. 3, 1964.
« Etudes sur M. Beyle », *Œuvres diverses,* Vol. 3, *Œuvres Complètes,* éd. M. Bouteron et H. Longnon, Conard, Paris, 1940.

BARBÉRIS (Pierre). — *Balzac et le mal du siècle,* Gallimard, Paris, 1970.

BEAUMARCHAIS. — *Théâtre complet,* éd. Maurice Allem et Paul-Courant Bibliothèque de la Pléiade, Gallimard, Paris, 1957.

BERGMAN (Gösta). — *Lighting in the Theatre,* Almqvist & Wiksell, Stockholm, 1977.

BERNE (Eric). — *Des jeux et des hommes,* Stock, Paris, 1966.

BERSANI (Leo). — *Balzac to Beckett,* Oxford University Press, New-York, 1970.

BJORNSON (Richard). — *The Picaresque hero in European fiction,* University of Wisconsin Press, Madison-Wisconsin, 1977.

BOURGEOIS (René). — *L'Ironie romantique,* Presses Universitaires de Grenoble, Grenoble, 1974.

BRENAN (Gerald). — *The Literature of the Spanish People,* Cambridge University Press, Cambridge, 1953.

BUTOR (Michel). — *Essais sur les Modernes,* Gallimard « Idées », Paris, 1964.

CAILLOIS (Roger). — *L'Homme et le Sacré,* Gallimard « Idées », Paris 1972.
Les Jeux et les Hommes, Gallimard « Idées », Paris, 1967.

CALVINO (Italo). — *Le Château des destins croisés,* Editions du Seuil, Paris, 1976.

CERVANTES SAAVEDRA (Miguel de). — *L'Ingénieux hidalgo Don Quichotte de la Manche,* trad. A. Viardot, éd. M. Bardon, Garnier, Paris, 1954.

CHIAROMONTE (Nicolà). — *The Paradox of History,* Weidenfeld & Nicholson, Londres, 1970.

CROCE (Benedetto). — *Scritti di Storia Letteraria e Politica,* G. Laterza e figli, Bari, 1912.

CROCKER (Lester G.) — *Diderot's Chaotic Order,* Princeton University Press, Princeton, 1974.

CULLER (Jonathan). — *Structuralist Poetics,* Routledge & Kegan Paul, Londres, 1975.

DALLENBACH (Lucien). — *Le récit spéculaire,* Editions du Seuil, Paris, 1977.

DOSTOIEVSKY (Fedor). — *Le Joueur,* éd. A.V. Soloviev, Editions Rencontre, Lausanne, 1960.

DUVIGNAUD (Jean). — *Le don du rien,* Stock, Paris, 1977.

EHRMANN (Jacques). — « Homo Ludens revisited », *Yale French Studies,* n° 41, 1968, p. 31-57.

ELIADE (Mircea). — *Rites and Symbols of Initiation,* Harper Torchbooks, New-York, 1965.
The Two and the One, Harper Torchbooks, New-York, 1969.

EMPSON (William). — *Seven Types of Ambiguity,* Chatto & Windus, Londres, 1963.

FELMAN (Shoshana). — « Folie et discours chez Balzac : " L'illustre Gaudissart " », *Littérature,* fév. 1972, p. 34-44.

FINK (Eugen). — *Das Spiel als Weltsymbol,* W. Kohlhammer Verlag,

Stuttgart, 1960. « The Oasis of Happiness : toward an ontology of play », *Yale French Studies*, n° 41, 1968, p. 19-30.

FIZAINE (Jean-Claude). — « Les romantismes et la révolution de juillet » *Romantisme*, n°s 28-29, 1980, p. 29-46.

FONTANIER (Pierre). — *Les Figures du Discours*, éd. G. Genette, Flammarion, Paris, 1968.

FREUD (Sigmund). — *Au-delà du principe de plaisir*, in *Essais de Psychanalyse*, trad. S. Jankélévitch, Payot, Paris, 1963, p. 7-81.

FRYE (Northrop). — *Anatomie de la critique*, Gallimard, Paris, 1969.

FULLER (Peter) et Jon Halliday. — *The Psychology of Gambling*, Allen Lane, Londres, 1974.

GENETTE (Gérard). — *Figures II*, Editions du Seuil, Paris, 1969.

GÉRANDO (J.M. de). — *Des signes et de l'art de penser considérés dans leurs rapports mutuels*, Goujon fils, Fuchs, Henrichs, Paris, an VIII.

GOFFMAN (Erving). — *La mise en scène de la vie quotidienne*, Editions de Minuit, Paris, 1973.
Frame Analysis, Penguin Books, Harmondsworth, 1975.

GOMBRICH (E.H.). — *The Sense of Order, a study in the psychology of decorative art*, Phaidon, Londres, 1979.

GOUHIER (Henri). — *Les Conversions de Maine de Biran*, Vrin, Paris, 1947.

HALLIDAY (Jon) et Peter Fuller. — *The Psychology of Gambling*, Allen Lane, Londres, 1974.

HAMMOND (Paul) et Patrick Hughes. — *Upon the Pun, W.H.* Allen, Londres, 1978.

HODGART (Matthew). — *Satire*, World University Library, Londres, 1969.

HOWE (Irving). — *Politics and the Novel*, Horizon-Meridian, New-York, 1957

HUIZINGA (Johan). — *Homo Ludens*, Gallimard, Paris, 1951.

JAMES (Henry). — *Literary Reviews and Essays*, éd. A. Mordell, Grove Press, New York, 1957.

JAMESON (Fredric). — *The Prison-House of Language*, Princeton University Press, Princeton, 1974.

KELLY (J.N.D.). — *Jerome, his life, writings and controversies*, Duckworth, Londres, 1975.

KITCHIN (Joanna). — *Un journal « philosophique » : La Décade*, Minard, Lettres Modernes, Paris, 1965,

KRIEGEL (A.D.). — *The Holland House Diaries*, Routledge & Kegan Paul, Londres, 1977.

LATOUCHE (Henri de). — *Fragoletta*, Société des Médecins Bibliophiles, Paris, 1929.

LÉVI-STRAUSS (Claude). — *Anthropologie structurale*, Plon, Paris, 1958.
Mythologiques. Le Cru et le Cuit, Plon, Paris, 1964.
La Pensée sauvage, Plon, Paris, 1962.

LEWIS (Philip E.) — « La Rochefoucauld : the rationality of play » *Yale French Studies,* nº 41, 1968, p. 133-147.

LUKACS (G.). — *Gœthe and his age,* Grosset & Dunlap, New-York, 1969.

MACLEAN (Marie). — *Le Jeu suprême, structure et thèmes dans « Le Grand Meaulnes »*, J. Corti, Paris, 1973.

MARCUSE (Herbert). — *Eros et Civilisation,* Editions de Minuit, Paris, 1963.

MAUSS (Marcel). — *Sociologie et Anthropologie,* P.U.F. Paris, 1968.

MOLHO (M.) — *Romans picaresques espagnols,* Bibliothèque de la Pléiade, Gallimard, Paris, 1968.

MOREAU (Pierre). — *Le Romantisme,* Del Duca, Paris, 1957.

MUSSET (Alfred de). — *Théâtre complet,* éd. Maurice Allem, Bibliothèque de la Pléiade, Gallimard, Paris, 1958.

NABOKOV (Vladimir). — *La défense Loujine,* Gallimard, Folio, Paris, 1974.

NEEDHAM (Rodney). — « Polythetic Classification : Convergence and Consequences », *Man,* sept. 1975, p. 349-369.

NELSON (Robert J.). — *Play within a Play,* Yale University Press, New Haven, 1958.

PARKER (Alexander A.). — *Literature and the Delinquent,* Edinburgh University Press, Edimbourg, 1967.

PAULSON (Ronald). — *The Fictions of Satire,* Johns Hopkins University Press, Baltimore, 1967.

PLON (Michel). — *La Théorie des jeux : une politique imaginaire,* F. Maspero, Paris, 1976.

PROPP (Vladimir). — *Morphologie du conte,* NRF Gallimard, Paris, 1970

PROUST (Marcel). — *A la recherche du temps perdu,* Bibliothèque de la Pléiade, Gallimard, Paris, 1966.

RICARDOU (Jean). — *Le nouveau roman,* Editions du Seuil, Paris, 1973.
Problèmes du nouveau roman, Editions du Seuil, Paris, 1967.

RONSARD. — *Œuvres complètes,* éd. G. Cohen, Bibliothèque de la Pléiade, Gallimard, Paris, s.d.

ROSEN (Charles). — *Schoenberg,* Fontana-Collins, Londres, 1976.

SARTRE (Jean-Paul). — « La conscience de classe chez Flaubert », *Les Temps Modernes,* mai 1966, p. 1921-1951 ; juin 1966, p. 2113-2153.

SCARRON (Paul). — *Le roman comique,* in *Romanciers du XVII*[e] *siècle,* éd. A. Adam, Bibliothèque de la Pléiade, Gallimard, Paris, 1958.

SCOTT (Walter). — *Ivanhoe,* Constable, Edimbourg, 1820.
Peveril of the Peak, Constable, Edimbourg et Londres, 1822.

SEEBACHER (Jacques). — « Le système du vide dans " Notre-Dame de Paris " », *Littérature,* fév. 1972, p. 95-106.

SPANBERG (S.-J.). — *The Ordeal of Richard Feverel and the Traditions of Realism,* Thèse dactylographiée, Upsala, 1971.

SPITZER (Leo). — « On the significance of Don Quijote », *Modern Language Notes,* vol. 77, 1962, p. 113-129.

STAROBINSKI (Jean). — *L'œil vivant,* Gallimard, Paris, 1961.

SUÉTONE, traduit par M. de Golbéry, Panckoucke, Paris, 1830.

TODOROV (Tzvetan). — *Les genres du discours,* Editions du Seuil, Paris 1978.

VANSINA (Jan). — *Oral Tradition,* Routledge & Kegan Paul, Londres, 1965.

VERRIER (Jean). — « Le récit réfléchi », *Littérature,* fév. 1972, p. 58-68.

VIERNE (Simone). — *Rite, roman initiation,* Presses Universitaires de Grenoble, Grenoble, 1973.

VIGIER (Philippe). — *La Monarchie de Juillet,* Que Sais-Je ? P.U.F., Paris, 1962.

VIGNY (Alfred de). — *Œuvres Complètes,* éd. F. Baldensperger, Bibliothèque de la Pléiade, Gallimard, Paris, 1948-1950.

VYGOTSKY (L. S.) — *Thought and Language,* traduit par E. Hanfmann et G. Vakar, M.I.T. Press, Boston, 1962.

WINNICOTT (D.W.) — *Jeu et réalité,* Gallimard, Paris, 1971.

WITTGENSTEIN (Ludwig). — *Philosophical Investigations,* traduit par G.E.M. Anscombe, Basil Blackwell, Oxford, 1967.

Index

Table des Matières

Imprimerie Guirimand - Grenoble - France
Dépôt légal 1er Trimestre 1983